La néphrologie
et l'urologie

L'ESSENTIEL sur

La néphrologie et l'urologie

3e édition

Serge Quérin, Luc Valiquette
et collaborateurs

EDISEM   2012   MALOINE

Catalogage avant publication de Bibliothèque et Archives Canada
Quérin, Serge
    L'essentiel sur la néphrologie et l'urologie
    3ᵉ éd.

    Publ. antérieurement sous le titre : Physiopathologie des maladies du
rein et des voies urinaires. [2000].
    Publ. en collab. avec : Maloine.
    Comprend des réf. bibliogr. et un index.

    ISBN 2-89130-203-6

    1. Reins – Physiopathologie. 2. Appareil urinaire – Physiopathologie.
3. Reins. 4. Appareil urinaire. 5. Reins – Maladies – Diagnostic. 6. Appareil
urinaire – Maladies – Diagnostic. I. Valiquette, Luc, 1955-. II. Titre. III. Titre :
Physiopathologie des maladies du rein et des voies urinaires.

RC903.9.Q47 2004   616.6'107   C2004-941657-X

Dépôt légal – 1ᵉʳ trimestre 2012
Bibliothèque nationale du Québec
Bibliothèque nationale du Canada

ISBN 978-2-89130-216-6 (Edisem)
ISBN 978-2-224-03330-9 (Maloine)

Imprimé au Canada

Table des matières

Collaborateurs

Diego Barrieras
Urologue
Centre hospitalier universitaire Sainte-Justine
Professeur agrégé de clinique
Département de chirurgie
Faculté de médecine
Université de Montréal

Daniel Bichet
Néphrologue
Hôpital du Sacré-Cœur de Montréal
Professeur titulaire
Département de médecine
Faculté de médecine
Université de Montréal

Josée Bouchard
Néphrologue
Hôpital du Sacré-Cœur de Montréal
Professeure adjointe de clinique
Département de médecine
Faculté de médecine
Université de Montréal

Robert Charbonneau
Néphrologue
Centre hospitalier universitaire de Québec
Chargé d'enseignement clinique
Département de médecine
Faculté de médecine
Université Laval

Ève-Reine Gagné
Néphrologue
Centre hospitalier universitaire de Sherbrooke
Vice-doyenne aux études médicales prédoctorales
Faculté de médecine
Université de Sherbrooke

André Gougoux
Néphrologue
Centre hospitalier de l'Université de Montréal
Professeur titulaire
Départements de médecine et de physiologie
Faculté de médecine
Université de Montréal

Martine Jolivet-Tremblay
Urologue
Centre hospitalier de l'Université de Montréal
Professeure agrégée de clinique
Département de chirurgie
Faculté de médecine
Université de Montréal

Jean-Philippe Lafrance
Néphrologue
Hôpital Maisonneuve-Rosemont
Professeur adjoint de clinique
Département de médecine
Faculté de médecine
Université de Montréal

Jean-Baptiste Lattouf
Urologue
Centre hospitalier de l'Université de Montréal
Professeur adjoint de clinique
Département de chirurgie
Faculté de médecine
Université de Montréal

Mathieu Latour
Pathologiste
Centre hospitalier de l'Université de Montréal
Professeur adjoint de clinique
Départements de pathologie et de biologie moléculaire
Faculté de médecine
Université de Montréal

Thierry Lebeau
Urologue
Hôpital Maisonneuve-Rosemont
Chargé d'enseignement de clinique
Département de chirurgie
Faculté de médecine
Université de Montréal

Martine Leblanc
Néphrologue et intensiviste
Hôpital Maisonneuve-Rosemont
Professeure agrégée
Département de médecine
Faculté de médecine
Université de Montréal

François Madore
Néphrologue
Hôpital du Sacré-Cœur de Montréal
Professeur titulaire
Département de médecine
Faculté de médecine
Université de Montréal

Alain Marion
Anatomopathologiste
Hôpital de la Cité-de-la-Santé de Laval

Michael McCormack
Urologue
Centre hospitalier de l'Université de Montréal
Professeur agrégé de clinique
Département de chirurgie
Faculté de médecine
Université de Montréal

Tewfik Nawar
Néphrologue
Centre hospitalier universitaire de Sherbrooke
Professeur
Département de médecine
Faculté de médecine
Université de Sherbrooke

Denis Ouimet
Néphrologue
Hôpital Maisonneuve-Rosemont
Professeur agrégé de clinique
Département de médecine
Faculté de médecine
Université de Montréal

Daniel Pharand
Urologue
Centre hospitalier de l'Université de Montréal
Professeur agrégé de clinique
Département de chirurgie
Faculté de médecine
Université de Montréal

Vincent Pichette
Néphrologue
Hôpital Maisonneuve-Rosemont
Professeur titulaire
Départements de médecine et de pharmacologie
Faculté de médecine
Université de Montréal

Danielle Pilon
Interniste
Centre hospitalier universitaire de Sherbrooke
Professeure agrégée
Département de médecine
Faculté de médecine
Université de Sherbrooke

Gérard E. Plante
Néphrologue
Centre hospitalier universitaire de Sherbrooke
Professeur titulaire
Département de médecine
Faculté de médecine
Université de Sherbrooke

Yves Ponsot
Urologue
Centre hospitalier universitaire de Sherbrooke
Professeur titulaire
Département de chirurgie
Faculté de médecine
Université de Sherbrooke

Serge Quérin
Néphrologue
Hôpital du Sacré-Cœur de Montréal
Professeur titulaire
Département de médecine
Faculté de médecine
Université de Montréal

Pierre Robitaille
Néphrologue
Centre hospitalier universitaire Sainte-Justine
Professeur titulaire
Département de pédiatrie
Faculté de médecine
Université de Montréal

Pierre Russo
Anatomopathologiste
The Children's Hospital of Philadelphia
Professeur agrégé
Département de pathologie
School of Medecine University of Pennsylvania

Fred Saad
Urologue
Centre hospitalier de l'Université de Montréal
Professeur titulaire
Département de chirurgie
Faculté de médecine
Université de Montréal

Jocelyne Tessier
Urologue
Hôpital Maisonneuve-Rosemont
Professeure adjointe de clinique
Département de chirurgie
Faculté de médecine
Université de Montréal

Stéphan Troyanov
Néphrologue
Hôpital du Sacré-Cœur de Montréal
Professeur adjoint de clinique
Département de médecine
Faculté de médecine
Université de Montréal

Luc Valiquette
Urologue
Centre hospitalier de l'Université de Montréal
Professeur titulaire et directeur
Département de chirurgie
Faculté de médecine
Université de Montréal

Hugues Widmer
Urologue
Centre hospitalier de l'Université de Montréal
Professeur adjoint de clinique
Département de chirurgie
Faculté de médecine
Université de Montréal

Jean-Luc Wolff
Néphrologue
Centre hospitalier universitaire de Sherbrooke
Professeur titulaire
Département de médecine
Faculté de médecine
Université de Sherbrooke

Avant-propos

L'idée d'un manuel de physiopathologie des maladies du rein et des voies urinaires a germé au sein du comité du cours *Homéostasie, rein et arbre urinaire* offert aux étudiants de deuxième année du nouveau programme de médecine, basé sur l'apprentissage par problèmes (APP) et instauré en 1993 à l'Université de Montréal. Nos collègues professeurs ont bientôt été sollicités en fonction de leurs compétences particulières. Par la suite, des confrères de la Faculté de médecine de l'Université de Sherbrooke, depuis longtemps rompus à l'APP, ont adhéré avec enthousiasme à ce projet. Nous sommes convenus tous ensemble qu'il manquait à nos étudiants un manuel adapté à leurs besoins, traitant à la fois des principales affections néphrologiques et urologiques, en mettant l'accent sur de grands concepts physiopathologiques. Bien sûr, la physiopathologie ne pouvait être abordée sans une revue préalable de l'anatomie, de l'histologie et de la physiologie du rein et des voies urinaires, ni sans être accompagnée d'un exposé succinct des principales méthodes diagnostiques couramment utilisées.

La néphrologie et l'urologie sont deux disciplines vastes, et il nous a fallu choisir parmi les thèmes à aborder, en gardant constamment à l'esprit que notre ouvrage, tout en visant à être utile au praticien établi, s'adressait avant tout à des étudiants en médecine ; à la recherche d'informations pouvant leur permettre de comprendre les principaux symptômes et signes (cliniques, biologiques, radiologiques ou fonctionnels) propres à l'appareil urinaire. C'est ainsi que nous nous en sommes tenus aux grandes notions théoriques et aux problèmes les plus fréquents en pratique générale. L'aspect thérapeutique n'a le plus souvent été abordé que dans ses grands principes, surtout quand ceux-ci pouvaient éclairer des notions de physiopathologie. Nous n'avons dérogé à cette règle que dans le cas des affections les plus fréquentes, et encore sans nous prononcer sur les détails et les controverses du traitement. Nous avons également cru bon de traiter brièvement des problèmes éthiques que soulève le traitement de l'insuffisance rénale au stade terminal, ce thème classique d'éthique médicale étant abordé très tôt dans la formation du futur médecin. Nous espérons ainsi favoriser l'intégration des sciences fondamentales, des sciences cliniques et des sciences humaines dans l'apprentissage initial des affections du rein et de l'ensemble de l'appareil urinaire.

Une première édition de cet ouvrage a été publiée en 2000 sous le titre *Physiopathologie des maladies du rein et des voies urinaires*. Une deuxième édition est parue en 2004, intégrée à la collection « L'essentiel sur… ». Huit ans plus tard, nous sommes heureux, avec nos collaborateurs, de présenter cette troisième édition dans laquelle tous les chapitres ont fait l'objet d'une révision complète afin de continuer à offrir aux étudiants francophones une information concise, pertinente et actuelle sur les principales affections médicales et chirurgicales de l'appareil urinaire.

Serge Quérin
Luc Valiquette
Septembre 2011

Chapitre 1

Anatomie et histologie du rein, des voies urinaires et des organes masculins

MATHIEU LATOUR, LUC VALIQUETTE ET SERGE QUÉRIN

Introduction

Chaque jour, les reins transforment plus de 1700 L de sang en environ 1 L de liquide hautement concentré et spécialisé, l'urine. Ce faisant, les reins remplissent plusieurs fonctions, indispensables à la survie de l'organisme :

- excrétion des produits de dégradation métabolique ;
- régulation du volume liquidien ainsi que de l'équilibre acido-basique et électrolytique ;
- sécrétion de substances telles que l'érythropoïétine, la rénine et les prostaglandines.

L'appareil urinaire comprend, d'une part les reins, et d'autre part les voies excrétrices urinaires formées par les calices, les bassinets, les uretères, la vessie et l'urètre (figure 1.1).

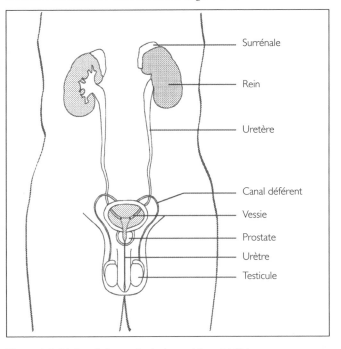

Figure 1.1 Schéma de l'appareil urinaire supérieur et inférieur

Rappel embryologique

Les reins et les uretères ont une origine embryologique différente de la vessie et de l'urètre. Les premiers sont des structures mésodermiques tandis que la vessie et l'urètre sont des structures endodermiques. Au cours du développement normal, le système urinaire évolue selon trois ébauches successives : les deux premières, le pronéphros et le mésonéphros ne sont pas fonctionnelles et régressent complètement en quelques semaines. À l'occasion, des vestiges de ces structures embryonnaires persistent chez l'adulte : les vestiges mésonéphriques. La troisième ébauche, le métanéphros, donne naissance à l'appareil urinaire définitif. Le métanéphros se développe de chaque côté de la ligne médiane. Il est constitué d'une masse de tissu indifférencié, le blastème métanéphrogène, et du bourgeon urétéral, une excroissance émanant du canal mésonéphrique qui s'abouche dans le cloaque. Dès la quatrième semaine de développement, le bourgeon urétéral se développe en direction dorso-crânienne et pénètre dans le blastème métanéphrogène pour induire la formation des structures néphroniques, les glomérules ainsi que les tubules rénaux proximaux et distaux. Le nombre de néphrons est d'environ 1 million par rein et demeure stable après la 36e semaine de vie intra-utérine, même si la maturation des glomérules et des tubules se poursuit pendant quelques années. Le bourgeon urétéral, quant à lui, forme l'uretère, et son extrémité céphalique se divise à répétition au contact du blastème métanéphrogénique pour former le système pyélo-caliciel ainsi que les tubes collecteurs qui mettent ainsi en communication les néphrons et les voies urinaires. Pendant que l'appareil urinaire supérieur se développe, le cloaque se divise en une partie postérieure, le canal ano-rectal, et une partie antérieure, le sinus uro-génital qui donnera naissance à l'appareil urinaire inférieur. Au cours du développement, les uretères changent de position pour finalement se fixer sur le plancher de la vessie, formant les deux points d'angle supérieurs du trigone vésical, la pointe inférieure étant l'origine de l'urètre à la partie postérieure du col vésical.

Rein

Anatomie et vascularisation

Les reins sont situés dans le rétropéritoine et forment un organe pair, chacun pesant de 120 à 150 grammes chez l'adulte. Les reins sont délimités par une fine capsule entourée d'une mince couche de tissu adipeux (graisse périrénale). Ce tissu adipeux est lui-même entouré d'une couche de tissu fibreux, le *fascia de Gerota*. Le hile rénal représente la jonction du rein, de l'uretère et du bassinet et contient aussi l'artère et la veine rénales. Le bassinet se divise en trois calices majeurs, et chaque calice majeur se subdivise en trois ou quatre calices mineurs. À la coupe, le parenchyme rénal est constitué du cortex (environ 1 à 1,5 cm d'épaisseur) et de la medulla. La medulla est composée des pyramides rénales, dont les sommets sont les papilles, chacune d'elles étant coiffée par un calice mineur (figure 1.2).

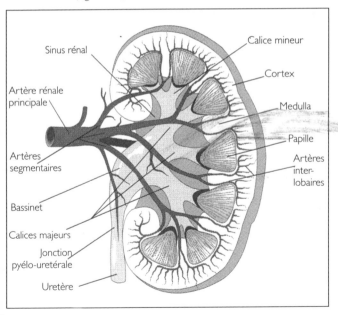

Figure 1.2 Schéma de l'anatomie macroscopique du rein

Les reins reçoivent environ 20 % du débit cardiaque total. L'artère rénale naît de l'aorte et se divise rapidement dans le hile rénal en artères segmentaires, lesquelles se subdiviseront au sein du cortex en *artères interlobaires, arciformes,* puis *interlobulaires* pour donner finalement naissance aux *artérioles afférentes* des glomérules. Dans le hile glomérulaire, l'artériole afférente se divise en 20 à 40 anses capillaires qui se rassemblent au hile glomérulaire pour former l'*artériole efférente*. Les artérioles efférentes, surtout celles provenant du cortex profond, forment les *vasa recta* qui vont irriguer les tubules de la région médullaire. Cette distribution anatomique des vaisseaux a certaines conséquences importantes (figure 1.3).

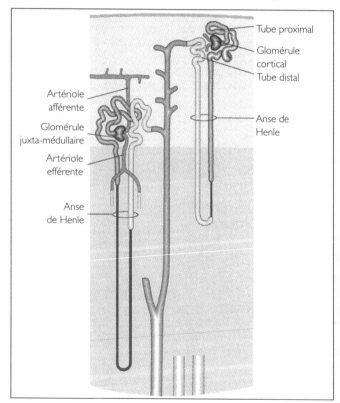

Figure 1.3 Schéma du néphron et de la microcirculation rénale

Unité fonctionnelle du rein : le néphron

Le néphron est composé d'un glomérule auquel fait suite un tube urinaire divisé en plusieurs segments : *tube contourné proximal, anse de Henle, tube contourné distal* et *tube collecteur*. Chaque rein adulte est constitué d'environ un million de néphrons (figure 1.3).

Glomérule (figures 1.4, 1.5 et 1.6)

Constitué par des capillaires situés entre deux artérioles (afférente et efférente), il forme un bouquet entouré de l'*espace urinaire de Bowman*. Le glomérule est constitué de plusieurs lobules de capillaires retenus par le mésangium. Ce dernier est constitué d'une matrice extracellulaire et de *cellules mésangiales*. La fonction du glomérule est la filtration du plasma à travers la paroi des capillaires glomérulaires. Cette paroi est composée

– d'un endothélium fenestré ;
– d'une membrane basale constituée de protéines ;
– de cellules épithéliales (podocytes) munies de pédicelles, ancrant les cellules épithéliales au versant externe de la membrane basale.

Cette paroi est perméable à l'eau et aux petites molécules (électrolytes, urée), mais retient les grosses molécules et les protéines plasmatiques. La formation de l'ultrafiltrat à travers la membrane basale dépend

– du débit sanguin rénal (environ 1200 mL/min) ;
– de la surface de filtration ;
– de la pression efficace de filtration.

Chaque jour, environ 180 L d'ultrafiltrat sont formés par les glomérules.

Mésangium et cellules mésangiales

Les cellules mésangiales appartiennent au système réticulo-endothélial (comme les cellules de Küpffer dans le foie et les cellules sinusoïdales des ganglions lymphatiques et de la rate). Elles peuvent donc phagocyter les débris et les corps étrangers. Elles possèdent aussi un réseau de filaments leur permettant de se contracter et de réduire la lumière capillaire, processus observé au cours de diverses glomérulopathies.

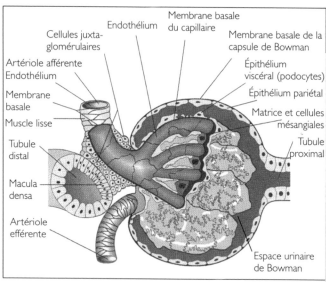

Figure 1.4 Schéma du glomérule et de l'appareil juxtaglomérulaire

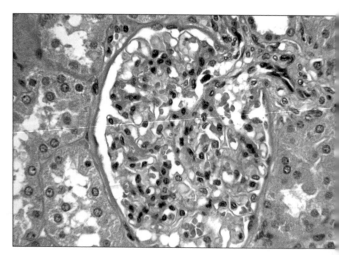

Figure 1.5 Histologie du glomérule

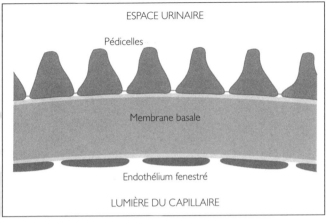

Figure 1.6 Représentation schématique de la paroi des capillaires glomérulaires (telle que vue par microscopie électronique)

Complexe juxtaglomérulaire

Situé au hile glomérulaire, il joue un rôle important dans la synthèse et la libération de la rénine et le contrôle de la pression artérielle. Il est constitué de cellules granuleuses situées dans la média de l'artériole afférente, de cellules interstitielles non granuleuses et de cellules spécialisées d'un segment du tube distal contourné qui retourne au hile glomérulaire, la *macula densa*. Sous l'influence de capteurs de pression dans l'endothélium de l'artériole afférente et de capteurs de tonicité dans la macula densa, les cellules granuleuses peuvent élaborer et libérer la rénine.

Tubules

Ils représentent plusieurs segments du néphron tapissés de cellules épithéliales, dont la fonction principale est la *réabsorption* de certaines substances (H_2O, glucose, acides aminés, électrolytes) ainsi que la *sécrétion* de produits tels que les ions hydrogène, l'ammoniac et les acides organiques. Le résultat final est la réabsorption d'environ 99 % de l'ultrafiltrat glomérulaire et la formation d'environ 1 à 2 L d'urine par jour.

Tissu interstitiel

Cette matrice est composée de tissu fibroconjonctif et de capillaires entres les tubules et les glomérules.

Voies urinaires

En pratique, les voies excrétrices urinaires débutent là où l'urine est formée et définitive, c'est-à-dire à la sortie des tubes collecteurs. Les voies urinaires se répartissent en deux ensembles : les appareils urinaires supérieur et inférieur. L'appareil urinaire supérieur est composé des calices, du bassinet et de l'uretère alors que l'appareil inférieur comprend la vessie et l'urètre. Toutes ces structures ont une structure semblable, à savoir une portion interne constituée principalement d'un revêtement épithélial surnommé *urothélium* avec, de l'intérieur vers l'extérieur de la paroi, une *lamina propria*, des couches musculaires lisses et une *couche adventitielle*. Ces composantes des parois urothéliales serviront de points de repère dans l'identification des stades de tumeurs.

Urothélium

La vessie, l'uretère, les cavités pyélocalicielles ainsi que l'urètre proximal sont tapissés par le même épithélium appelé *urothélium* ou *épithélium transitionnel*. Il est formé d'une couche d'environ cinq à sept cellules d'épaisseur, les cellules les plus superficielles (*cellules en parapluie*) étant en contact avec l'urine (figure 1.7). Ces dernières possèdent une membrane trilaminaire asymétrique et des plaques apicales composées de protéines spécifiques appelées « uroplakines ». Les cellules urothéliales peuvent desquamer dans l'urine, et donc être recherchées à l'examen cytologique chez un sujet qu'on pense porteur d'une lésion tumorale. Les cellules urothéliales sont soumises aux influences toxiques de substances présentes dans l'urine, comme on le verra au chapitre 17.

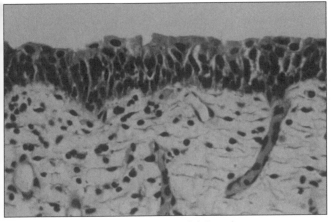

Figure 1.7 Histologie de l'urothélium normal de la vessie

Anatomie macroscopique de l'appareil urinaire supérieur

L'appareil urinaire supérieur comprend, pour chaque unité rénale, des calices, un bassinet et un uretère. On dénombre chez l'homme 6 à 12 petits calices, ou *calices mineurs*, qui moulent les cônes papillaires et créent l'image anatomique calicielle typique. La jonction entre la base de la papille et l'extrémité calicielle se nomme *fornix* ou *sillon péripapillaire*. Les petits calices se regroupent par deux à quatre pour former les *calices majeurs,* habituellement au nombre de trois : les calices supérieur, moyen et inférieur. Ces grands calices, après un rétrécissement infundibulaire, s'ouvrent ensuite dans une cavité plus large, le bassinet, dont la capacité est d'environ 4 à 8 mL. Le bassinet a la forme d'un entonnoir qui se continue sans démarcation précise par l'uretère. La musculature des calices et du bassinet est constituée de fibres musculaires lisses sans orientation précise, jusqu'à la jonction pyélo-urétérale entre le bassinet et l'uretère. À ce niveau, les fibres musculaires prennent une orientation plus définie avec une couche musculaire interne longitudinale, une couche moyenne circulaire et une couche externe longitudinale. Cet arrangement donne à l'uretère une force contractile propre. C'est d'ailleurs dans l'uretère que la proportion relative des couches musculaires par rapport à la paroi atteint son maximum. L'uretère a une longueur de 25 à 30 cm chez l'adulte et se termine obliquement dans la paroi vésicale, en partie dans l'épaisseur du muscle vésical et en partie sous la muqueuse vésicale. Cette disposition anatomique constitue le principal mécanisme empêchant l'urine de refluer de la vessie vers le rein.

Anatomie macroscopique et microscopique de l'appareil urinaire inférieur

L'appareil urinaire inférieur est constitué de la vessie et de l'urètre. La vessie est un organe creux à paroi musculaire comprenant un dôme et une base. Le dôme, portion souple, mobile et expansive, peut contenir chez l'adulte entre 300 et 700 mL d'urine. La base, portion compacte et fixe, est centrée sur le col vésical, d'où origine l'urètre, et comprend l'abouchement des orifices urétéraux. L'espace triangulaire entre ces trois orifices correspond au *trigone*, utilisé comme repère endoscopique. L'urothélium vésical repose sur une membrane basale, en dessous de laquelle on retrouve une lamina propria qui contient quelques fibres musculaires lisses discontinues que l'on nomme la *muscularis mucosæ*. Il est important de distinguer cette dernière de la couche musculaire propre de la vessie (dite *muscularis propria* ou *détrusor*) qui est située plus profondément et contient de gros faisceaux de fibres musculaires lisses. L'importance de cette distinction survient lors de l'évaluation de la profondeur d'infiltration d'un cancer de la vessie (évaluation du stade pathologique), ce dernier déterminera la conduite thérapeutique. L'urètre est le canal reliant le col vésical au méat urétral. Il mesure environ 20 cm chez l'homme et un peu moins de 4 cm chez la femme. L'urètre proximal est recouvert d'urothélium alors que l'urètre distal est recouvert d'un épithélium pavimenteux. Bien que l'on ne puisse pas identifier un sphincter anatomique au niveau du col vésical et de l'urètre proximal, la disposition des fibres musculaires lisses suggère un rôle fonctionnel et cette disposition porte souvent le nom de *sphincter interne*. Dans la description de l'appareil urinaire inférieur, on mentionne aussi le *sphincter externe*, composé de fibres musculaires striées. Ce sphincter est situé distalement à la prostate chez l'homme et peut être lésé au cours de certaines chirurgies prostatiques.

Prostate

Située sous la vessie, et de la grosseur d'une noix de Grenoble, la prostate est constituée de tissu glandulaire et fibro-musculaire. Elle pèse environ 20 grammes chez l'adulte normal et entoure le col vésical et l'urètre (*urètre prostatique*). Elle se divise en quatre zones biologiques et anatomiques : la zone périphérique, la zone centrale, la zone de transition ou péri-urétrale et la zone antérieure fibro-musculaire. On note parfois une pseudo-capsule fibreuse qui est souvent incomplète. Dans la portion postérieure de l'urètre prostatique s'abouchent les *canaux éjaculateurs*, formés par la confluence des canaux déférents et des vésicules séminales. Le parenchyme prostatique est constitué de lobules glandulaires entourés de stroma fibro-musculaire. Les glandes prostatiques ont une double assise cellulaire. La couche luminale est formée de cellules cylindriques qui sécrètent du mucus et une protéine appelée « antigène prostatique spécifique (APS) », dont le dosage sérologique sert à dépister le cancer de la prostate. La couche externe est formée de cellules basales cuboïdales. Les glandes contiennent, de façon très discontinue, des cellules neuro-endocrines. La portion non glandulaire de la prostate est principalement constituée d'un stroma fibreux et musculaire (figure 1.8).

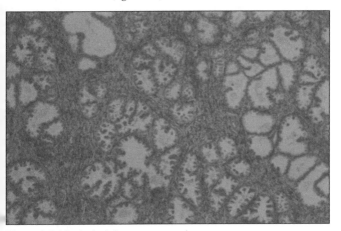

Figure 1.8 Histologie de la prostate normale

Testicule

Le testicule est cerné d'une capsule épaisse appelée *albuginée*. Le testicule est divisé en lobules. Chaque lobule est constitué de tubules enroulés, les *tubules séminifères*. On retrouve dans ces tubules les *cellules germinales* à divers stades de maturation spermatogène, ainsi que des cellules non germinales de soutien, les *cellules de Sertoli*. Les *cellules de Leydig* sont des cellules interstitielles situées entre les tubules et sont responsables de l'élaboration de la testostérone. Elles sont nombreuses dans le testicule embryonnaire, en raison de l'influence des œstrogènes maternels, et deviennent à peine décelables de la naissance jusqu'à la puberté où, sous l'influence d'hormones pituitaires, elles redeviennent plus nombreuses et actives (figure 1.9).

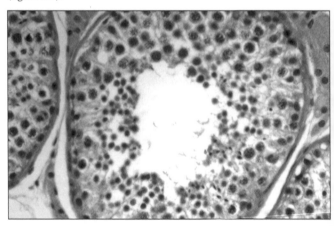

Figure 1.9 Histologie du testicule normal

Anomalies congénitales et maladies kystiques de l'appareil urinaire

On estime que des malformations significatives du système urinaire peuvent toucher jusqu'à 10 % de la population générale. Les formes les plus graves de ces anomalies sont responsables de 15 à 20 % des cas d'insuffisance rénale chronique chez l'enfant et de certains cas chez l'adulte.

Anomalies de quantité, de position et de forme du tissu rénal

Agénésie (unilatérale ou bilatérale)

L'agénésie est l'absence congénitale d'un organe. L'agénésie rénale bilatérale est incompatible avec une survie extra-utérine. L'agénésie unilatérale est compatible avec une survie normale, le rein restant pouvant compenser.

Hypoplasie

Anomalie du développement résultant en un organe de petit volume, elle est généralement unilatérale et occasionnellement bilatérale. Dans les formes bilatérales, la survie dépend du degré d'hypoplasie.

Ectopie

Il s'agit d'une position anormale des reins, dans la plupart des cas anormalement basse, dans la cavité pelvienne. Les reins ectopiques fonctionnent habituellement normalement.

Rein en fer à cheval

L'une des anomalies congénitales les plus fréquentes, elle résulte **le plus souvent** d'une fusion des pôles inférieurs des deux reins, souvent associée à une localisation ectopique. Elle a peu de conséquences cliniques en général (figure 1.10).

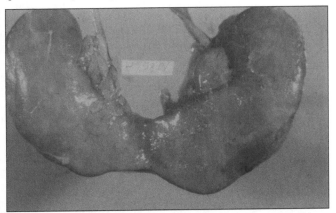

Figure 1.10 Rein en fer à cheval : les deux reins sont unis à leur pôle inférieur

Uretère bifide

Il s'agit d'une duplication du système urétéral. Souvent un des deux uretères est dysfonctionnel et devient dilaté, ce qui peut entraîner une stase urinaire et une atteinte fonctionnelle de la portion du parenchyme rénal qu'il draine.

Maladies kystiques rénales

On distingue deux grands groupes : les formes *acquises* et les formes *congénitales* ou *héréditaires*.

Maladies kystiques acquises

* Kystes simples et complexes du rein
  Découvertes généralement fortuites chez des patients asymptomatiques, caractérisées par la présence d'un ou de quelques kystes dans des reins de taille par ailleurs normale, ces anomalies de développement sont découvertes le plus souvent dans la population âgée. Les données autopsiques indiquent que plus de 50 % des sujets âgés de plus de 50 ans sont porteurs d'au moins un kyste simple ; seuls les kystes dont le diamètre est de plus de 1 cm sont détectables par échographie ou par tomodensitométrie. Le pronostic est toujours favorable quand la paroi du kyste est fine et son contenu liquidien clair. Le principal enjeu est de savoir distinguer ces kystes simples des kystes complexes du rein, qui ont un potentiel néoplasique. Pour ce faire, la classification de Bosniak a été proposée, dans laquelle les kystes simples sont de catégorie I. Les kystes complexes, de catégorie II à IV, présentent, à des degrés variables et dans diverses combinaisons des cloisons internes (*septa*), un épaississement ou des irrégularités de leur paroi, des calcifications ou un rehaussement de certaines de ces structures après administration de produit de contraste intraveineux. En fonction de sa catégorie Bosniak, un kyste complexe peut requérir un simple suivi par échographie ou tomodensitométrie, un examen complémentaire par résonance magnétique, une biopsie percutanée, voire une intervention chirurgicale.
* Kystes acquis associés à la dialyse
  Il s'agit d'une dégénérescence kystique des reins que l'on retrouve au cours de l'insuffisance rénale avancée ou terminale, en général chez des patients depuis longtemps sous dialyse.

Ces kystes résultent probablement d'une obstruction des tubules par de la fibrose ou par des cristaux. Ils ont un potentiel de transformation (relativement lente) en carcinome rénal et nécessitent un suivi périodique par imagerie, surtout s'ils sont découverts chez un jeune patient.

Maladies kystiques congénitales et héréditaires

- Dysplasie rénale multikystique
  Cette anomalie congénitale est l'une des causes les plus fréquentes de masse abdominale à l'échographie anténatale. Il est rare de nos jours qu'elle ne soit découverte qu'après la naissance. Généralement unilatérale, elle résulte d'un développement anormal du parenchyme rénal, qui est alors remanié, parsemé de très nombreux kystes et non fonctionnel. D'autres types de malformations peuvent être présentes sur le rein controlatéral et compromettre sa fonction à plus ou moins long terme. Les rares formes bilatérales de dysplasie rénale multikystique sont généralement létales.
- Maladie rénale polykystique (polykystose rénale)

  Forme adulte (transmission autosomique dominante)
  Une des maladies héréditaires les plus fréquentes, la polykystose rénale autosomique dominante atteint environ 1 personne sur 500 dans la population caucasienne. Une dilatation progressive d'une faible proportion des tubules suffit à provoquer une transformation kystique diffuse du parenchyme rénal. La maladie est liée dans presque tous les cas à la mutation d'un gène situé soit sur le chromosome 16 dans sa forme la plus fréquente (PKD1, 85 % des cas), soit sur le chromosome 4 dans une forme plus rare (PKD2) qui est de pronostic généralement plus favorable, le besoin de dialyse se manifestant en moyenne 20 ans plus tard dans les variantes PKD2 comparativement aux formes PKD1. Les protéines produites par ces gènes, appelées « polycystines », auraient un rôle à jouer dans le bon alignement de la division des cellules de l'épithélium tubulaire le long de l'axe normal d'allongement des tubules. Or, si toutes les cellules sont forcément porteuses d'un allèle anormal chez les sujets atteints, tout au plus 5 % des néphrons deviennent le siège d'une dilatation kystique. On explique ce phénomène par le modèle du double événement (*two-hit model*), d'abord décrit

en carcinogenèse : les cellules atteintes seraient le siège d'une seconde mutation, somatique celle-là, venue affecter l'allèle qui était d'abord normal à la naissance.

La polykystose rénale ne doit pas être confondue avec la présence de nombreux kystes simples dans les deux reins. La distinction est en général facile, du moins chez le sujet d'âge moyen ou avancé, la polykystose proprement dite étant caractérisée par la présence symétrique de kystes innombrables, de taille relativement semblable, à la fois corticaux et médullaires, provoquant une augmentation appréciable de la taille globale des reins (figure 1.11).

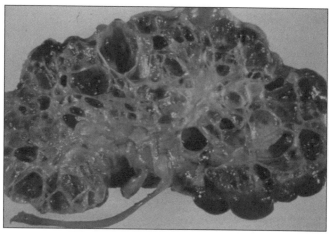

Figure I.II Coupe d'un rein polykystique

Contrairement au kyste simple, la polykystose rénale autosomique dominante se manifeste dans un tiers voire la moitié des cas par une hématurie, souvent macroscopique, surtout à un stade avancé. La rupture d'un kyste peut être responsable d'une douleur subite à la loge rénale, avec ou sans hématurie. Une lithiase rénale complique l'évolution de la maladie chez 20 % des sujets atteints et peut elle aussi être à l'origine d'une douleur lombaire aiguë (*voir chapitre 15*). Cependant, la manifestation la plus redoutée de la polykystose rénale autosomique dominante est l'insuffisance rénale chronique, tendant à évoluer

vers le stade de la dialyse. Près de 10 % des adultes en insuffisance rénale terminale souffrent d'une polykystose rénale.
L'insuffisance rénale devient en général détectable de façon
graduelle dans la trentaine ou la quarantaine, même si les
premiers kystes apparaissent souvent dans l'enfance. Dans les
familles touchées par la maladie, le dépistage par échographie
des sujets atteints se fait le plus souvent dans la vingtaine
ou au début de la trentaine. Une hypertension artérielle
(HTA) apparaît tôt ou tard chez une majorité des patients. Le
dépistage précoce de cette HTA et sa bonne maîtrise, à l'aide
d'un inhibiteur de l'enzyme de conversion de l'angiotensine ou
d'un bloqueur des récepteurs de l'angiotensine de préférence,
sont des conditions essentielles pour ralentir la progression de
l'insuffisance rénale chez les sujets polykystiques. Environ un
tiers des patients ont aussi des kystes hépatiques et environ
10 % présentent des anévrismes artériels, particulièrement du
cercle de Willis.

Forme infantile (transmission autosomique récessive)
Beaucoup plus rare que la forme adulte, la polykystose rénale
autosomique récessive se manifeste par un élargissement
kystique des deux reins *in utero*, responsable d'une insuffisance
rénale terminale, souvent dès la naissance. Les kystes sont
beaucoup plus petits que dans la forme dominante, en général
de taille millimétrique. La maladie est toujours associée à
une fibrose hépatique congénitale et parfois à une hypoplasie
pulmonaire.

- Maladie kystique de la médullaire (types 1 et 2) et néphronophtise
Maladie autosomique dominante relativement rare, la maladie
kystique de la médullaire est caractérisée par une atteinte principalement médullaire, sous forme de microkystes ou de fibrose,
responsable d'une insuffisance rénale lentement progressive.
Une première variante de cette maladie, le type 1, est liée au
chromosome 1, sans que le gène responsable n'ait encore été
identifié. Le type 2, aussi appelé « néphropathie hyperuricémique
juvénile familiale », peut être associé à une hyperuricémie et une
goutte précoce. On l'attribue à une mutation sur le chromosome 16 du gène de l'uromoduline, ou protéine de Tamm-
Horsfall, qui aurait un rôle à jouer dans la fixation de certaines
toxines dans la lumière tubulaire et dans leur excrétion urinaire

(elle constitue aussi la matrice des cylindres que l'on peut observer au sédiment urinaire, *voir chapitre 4*). Enfin, une affection apparentée, la néphronophtise, celle-là autosomique récessive, est responsable d'une insuffisance rénale plus précoce, chez les enfants et les adolescents. De façon caractéristique, cette insuffisance rénale est associée à une réduction importante de la réabsorption tubulaire de sodium, qui entraîne une tendance à l'hypotension et à l'hyponatrémie (néphropathie avec perte de sel).

LECTURES SUGGÉRÉES

Gillenwater, J. Y., Grayhack, Howards, S. S. et Duckett, J. W. *Adult and Pediatric Urology*, 4e édition, Mosby Year Book, St-Louis, 2001.

Jameson J.L., Loscalzo J. *Harrison's Nephrology and Acid-Base Disorders*, McGraw-Hill, Columbus, 2011.

Campbell's- Walsh, *et al. Urology*, 9e édition, W.B. Saunders Company, Philadelphie, 2008.

Kumar V. *et al. Robbins and Cotran Pathologic Basis of Disease*, 8e édition, Saunders Elsevier, Philadelphie, 2010.

Chapitre 2

Physiologie du rein

ANDRÉ GOUGOUX

Vue d'ensemble de la fonction rénale

Homéostasie des liquides corporels

La fonction la plus importante des reins est de maintenir constants le volume, la tonicité et la composition électrolytique du plasma et des autres liquides corporels. Malgré les variations importantes de l'ingestion quotidienne d'eau et d'électrolytes, l'adaptation rapide de leur excrétion urinaire permet de conserver à l'intérieur de limites physiologiques étroites le bilan externe de l'eau et de divers électrolytes tels le sodium, le potassium et les ions hydrogène, ainsi que les ions divalents calcium, phosphate et magnésium.

Excrétion des produits de déchet

Cette fonction des reins de débarrasser les liquides corporels de divers déchets endogènes ou exogènes est bien connue. Les substances endogènes, produites par le métabolisme normal, comprennent surtout les déchets azotés, tels que l'urée et la créatinine, et les acides fixes ou non volatils. Leur accumulation dans l'insuffisance rénale avancée devient d'ailleurs rapidement nuisible au fonctionnement de l'organisme. Les reins excrètent aussi de nombreuses substances exogènes anioniques ou cationiques, qu'elles soient absorbées comme médicaments ou ingérées accidentellement, si elles sont hydrosolubles.

Autres fonctions du rein

Celles-ci comprennent la conservation ou l'élimination de plusieurs autres substances organiques et la sécrétion de diverses hormones contribuant à la régulation de la pression artérielle systémique, à la production des globules rouges par la moelle osseuse et à la minéralisation osseuse.

Circulation rénale

Importance quantitative

Il faut souligner la disproportion considérable entre le poids des reins (300 g, soit moins de 0,5 % du poids corporel) et la fraction du débit cardiaque qu'ils reçoivent, soit 20 % ou 1000 à 1200 mL/min (tableau 2.1). Ce très grand débit sanguin, avec un rapport de 40:1

entre les deux pourcentages, permet aux reins de modifier continuellement la composition du plasma et des autres liquides corporels, qui sont ainsi recirculés plusieurs fois chaque jour dans les reins.

Tableau 2.1

Circulation rénale et filtration glomérulaire

Débit sanguin rénal =	1000-1200 mL/min (90 % vers le cortex rénal)
Filtration glomérulaire =	125 mL/min (mesurée par la clairance de la créatinine)

Mesure du débit sanguin rénal

La clairance rénale du para-aminohippurate (PAH) permet d'estimer le débit plasmatique au cortex rénal, lequel représente 90 % du débit plasmatique à l'ensemble du rein. On obtient le débit sanguin rénal en divisant le débit plasmatique rénal par la fraction plasmatique du sang, c'est-à-dire la différence entre 1,00 et l'hématocrite, normalement autour de 0,45 (*voir chapitre 4*). Plusieurs autres méthodes permettent aussi d'évaluer le débit sanguin rénal.

Artérioles et capillaires glomérulaires

L'ensemble du débit sanguin rénal passe d'abord dans les capillaires glomérulaires. Ces capillaires sont les seuls dans tout l'organisme à être localisés entre deux types d'artérioles, les artérioles afférentes ou préglomérulaires et les artérioles efférentes ou postglomérulaires. Cette particularité explique la pression hydrostatique élevée de 50 mmHg à l'intérieur des capillaires glomérulaires, une pression essentielle à la filtration glomérulaire. La vasoconstriction des artérioles efférentes abaisse ensuite la pression hydrostatique à 15 mmHg dans les capillaires péritubulaires. Cette basse pression facilite la réabsorption du liquide péritubulaire vers la lumière capillaire.

Distribution intrarénale

Après son passage dans les capillaires glomérulaires, environ 90 % du sang se dirige vers les capillaires péritubulaires afin de perfuser le cortex et seulement 10 % circule dans les *vasa recta* de la médullaire. D'une façon générale, le débit sanguin et la pression partielle d'oxygène (PO_2) diminuent progressivement des régions superficielles du cortex vers les zones profondes de la médullaire. Une vasoconstriction corticale peut réduire considérablement le débit sanguin cortical et la filtration glomérulaire dans plusieurs situations cliniques comme la contraction du volume du liquide extracellulaire, l'insuffisance rénale aiguë, l'insuffisance cardiaque congestive, l'utilisation des anti-inflammatoires non stéroïdiens (AINS) et le syndrome hépato-rénal.

Régulation

Le contrôle de la circulation rénale dépend surtout de la résistance artériolaire et résulte de l'interaction d'une autorégulation intrinsèque et de facteurs extrinsèques hormonaux (substances vasoactives) et neurogènes (nerfs rénaux adrénergiques).

1. L'autorégulation intrinsèque maintient relativement constants le débit sanguin rénal et la filtration glomérulaire, malgré des variations de la pression artérielle moyenne entre 80 et 180 mmHg. Sans ce mécanisme, toute modification de la pression artérielle changerait dans la même direction le débit sanguin rénal, la pression hydrostatique dans le capillaire glomérulaire et la filtration glomérulaire. L'autorégulation se fait par contraction ou relaxation du muscle lisse des artérioles afférentes, et deux mécanismes y contribuent. Selon la théorie myogène, une pression artérielle plus élevée étire la paroi de l'artériole afférente et contracte son muscle lisse, alors qu'une pression plus basse entraîne une relaxation artériolaire. Toutefois, la rétroaction tubuloglomérulaire demeure le principal mécanisme impliqué dans l'autorégulation. Dans ce mécanisme, une pression hydrostatique plus élevée dans les capillaires glomérulaires réduit la production de rénine par l'appareil juxtaglomérulaire.

2. Plusieurs substances vasoactives influencent le débit sanguin rénal en agissant sur les muscles lisses des artérioles afférentes et efférentes. Les agents vasoconstricteurs rénaux tels que l'angiotensine II, l'épinéphrine et la norépinéphrine, l'arginine vasopressine et les endothélines diminuent le débit sanguin rénal. Au contraire, les substances vasodilatatrices telles que la bradykinine, les prostaglandines, la dopamine et le monoxyde d'azote (NO) augmentent le débit sanguin rénal. Il s'établit normalement un équilibre entre les substances vasoconstrictrices et vasodilatatrices afin de maintenir le débit sanguin rénal à l'intérieur des limites physiologiques.

3. La stimulation des fibres nerveuses sympathiques entraîne une vasoconstriction artériolaire marquée, une chute importante du débit sanguin rénal et sa redistribution des zones superficielles vers les régions profondes du rein. On observe cette stimulation adrénergique durant l'hypotension hémorragique ou l'exercice violent.

Filtration glomérulaire

Importance quantitative

Chaque jour, 180 L de filtrat traversent la barrière glomérulaire. Les quantités filtrées d'eau et de solutés sont énormes, puisque les reins filtrent tout le plasma en moins de 30 min, par conséquent, plus de 50 fois par jour. La filtration et la réabsorption d'aussi grandes quantités permettent aux reins de remplir leur rôle le plus important, celui de maintenir stables le volume et la composition du plasma et des autres liquides corporels.

Mesure du débit de filtration glomérulaire

La clairance d'une substance filtrée librement par le glomérule, mais sans réabsorption ni sécrétion tubulaire importante, permet d'estimer le débit de filtration glomérulaire. La valeur normale est d'environ 180 L/24 h, 125 mL/min ou 2 mL/s. Malgré sa très grande précision, on n'utilise pas chez l'humain la clairance de l'inuline, puisqu'elle requiert une perfusion intraveineuse prolongée. Il est beaucoup plus facile d'utiliser la clairance de la créatinine, une substance endogène dérivée du métabolisme de la créatine dans le muscle squelettique (*voir chapitre 4*). Une méthode encore plus simple en clinique consiste à évaluer la filtration glomérulaire à partir de la concentration plasmatique de créatinine dans un état d'équilibre. Si la production musculaire et l'excrétion urinaire de créatinine ne sont pas diminuées, une concentration plasmatique de créatinine augmentée à deux, trois ou quatre fois la valeur normale reflète, en gros, une filtration glomérulaire diminuée à la moitié, au tiers ou au quart de la normale.

Fraction de filtration

Les reins ne filtrent qu'une certaine fraction du volume plasmatique amené aux capillaires glomérulaires ; une filtration complète laisserait derrière une masse solide de cellules et de protéines qui ne pourrait plus progresser dans l'artériole postglomérulaire. La fraction de filtration (ou fraction filtrée), normalement autour de 20 %, est le rapport de la filtration glomérulaire par le débit plasmatique rénal.

Composition du filtrat glomérulaire

Le liquide que l'on retrouve dans l'espace urinaire de Bowman est un ultrafiltrat du sang, mais sans les cellules (globules rouges, globules blancs, plaquettes sanguines) ni les protéines plasmatiques qui ne traversent pas, à cause de leur taille, la membrane glomérulaire. Le filtrat glomérulaire contient donc l'eau du plasma et ses constituants non protéiques. Les substances liées aux protéines plasmatiques, comme les acides gras, de nombreux médicaments et une fraction du calcium plasmatique ne peuvent pas non plus traverser la barrière glomérulaire.

Nature de la barrière glomérulaire

Le liquide traverse trois couches durant sa filtration de la lumière du capillaire glomérulaire vers l'espace urinaire de Bowman : l'endothélium bordant la lumière du capillaire glomérulaire, la membrane basale glomérulaire constituée surtout de glycoprotéines et l'épithélium fait de podocytes. Les nombreux sites anioniques des protéines de la membrane basale tendent à repousser les charges négatives des macromolécules anioniques.

Facteurs impliqués dans la filtration glomérulaire

Ce processus passif dépend des trois mêmes facteurs qui règlent le mouvement des liquides à travers les autres membranes capillaires de l'organisme.

1. La perméabilité de la membrane glomérulaire est environ 100 fois plus élevée que celle des capillaires des autres organes, et la surface de cette membrane est voisine de 1 m^2.

2. Le gradient de 35 mmHg de pression hydrostatique représente la différence entre la pression de 50 mmHg dans le capillaire glomérulaire et celle de 15 mmHg dans l'espace urinaire de Bowman; ce gradient favorise la filtration glomérulaire. La pression de 50 mmHg dans le capillaire glomérulaire est en fait plus élevée que dans toute autre microcirculation, parce que ce capillaire est localisé entre deux artérioles, afférente et efférente. Une obstruction des voies

urinaires augmente la pression dans l'espace de Bowman, ce qui diminue le gradient de pression hydrostatique et la filtration glomérulaire.

3. Le gradient de pression oncotique est, en fait, égal à la pression oncotique dans le capillaire glomérulaire, à cause de la concentration normalement minime de protéines dans le filtrat glomérulaire. Cette pression de 20 mmHg du côté afférent du capillaire augmente progressivement jusqu'à 35 mmHg du côté efférent, à cause de la filtration d'un liquide exempt de protéines. Le gradient de pression oncotique s'oppose à la filtration et tend à garder le liquide dans le capillaire glomérulaire. La pression nette d'ultrafiltration, soit la différence entre le gradient de pression hydrostatique et le gradient de pression oncotique, diminue de 15 mmHg du côté afférent du capillaire pour disparaître du côté efférent.

Régulation de la filtration glomérulaire

La filtration glomérulaire dépend des résistances artériolaires préglomérulaire et postglomérulaire et de la pression hydrostatique qu'elles engendrent dans le capillaire glomérulaire. Par conséquent, la vasoconstriction des artérioles afférentes ou la vasodilatation des artérioles efférentes diminue cette pression et ralentit la filtration glomérulaire. Au contraire, la vasodilatation des artérioles afférentes ou la vasoconstriction des artérioles efférentes augmente la pression hydrostatique et accélère la filtration glomérulaire.

L'autorégulation, déjà décrite à propos de la régulation de la circulation rénale, maintient également la filtration glomérulaire, malgré des variations importantes de la pression artérielle systémique. De plus, plusieurs substances vasoconstrictrices ou vasodilatatrices et une stimulation du système nerveux sympathique influencent les résistances artériolaires préglomérulaire et postglomérulaire.

Réabsorption et sécrétion tubulaires

La réabsorption et la sécrétion tubulaires modifient considérablement le filtrat glomérulaire, et sont donc responsables du volume et de la composition de l'urine. Ces deux mécanismes permettent le transport de substances entre le liquide tubulaire et le sang des capillaires péritubulaires dans le cortex ou celui des *vasa recta* dans la médullaire. Les reins réabsorbent les substances que l'organisme doit conserver, tout en sécrétant celles dont il doit se débarrasser.

Voies de transport

Les substances réabsorbées ou sécrétées traversent l'épithélium tubulaire rénal par les voies transcellulaire et paracellulaire. Lorsqu'une substance emprunte la voie transcellulaire, elle franchit le cytoplasme des cellules tubulaires et leurs deux membranes : la membrane luminale, ou apicale, qui tapisse la lumière tubulaire et la membrane basolatérale qui borde les espaces intercellulaires latéraux et l'interstice péritubulaire. Ce transport peut être passif, mais il est souvent actif et requiert alors l'énergie métabolique (ATP) produite par les cellules tubulaires rénales. Le transport paracellulaire se fait passivement entre les cellules dans les espaces intercellulaires latéraux et à travers les jonctions serrées qui retiennent ensemble les cellules tubulaires par leurs membranes luminales.

Réabsorption tubulaire

Les reins réabsorbent de la lumière tubulaire vers la lumière des capillaires péritubulaires des quantités considérables d'eau et de solutés, puisque l'excrétion urinaire ne représente qu'une fraction minime des quantités filtrées. En effet, en l'absence de réabsorption tubulaire et avec une filtration glomérulaire normale de 125 mL/min, 3,5 L de plasma disparaîtraient dans l'urine en moins de 30 min. La réabsorption de l'eau et de la plupart des solutés est incomplète et régulée physiologiquement afin de maintenir normale la quantité totale de ces substances dans l'organisme. Par contre, la réabsorption de certaines substances, comme le glucose et les acides aminés, est complète mais non régulée physiologiquement. Même si tous les segments du néphron contribuent à la réabsorption tubulaire, le tubule proximal réabsorbe environ les deux tiers de l'eau filtrée et de plusieurs électrolytes.

Sécrétion tubulaire

La sécrétion tubulaire fait passer une substance de la lumière du capillaire péritubulaire à la lumière tubulaire. Avant sa traversée de l'épithélium tubulaire rénal, la substance doit diffuser du capillaire péritubulaire au liquide interstitiel. Comme la réabsorption, la sécrétion survient dans tous les segments du néphron. Toutefois, la sécrétion des ions hydrogène et de plusieurs anions et cations organiques prédomine dans le tubule proximal.

Clairance rénale

La clairance rénale d'une substance représente le volume de plasma que les reins épurent de cette substance durant une certaine période de temps, en l'excrétant dans l'urine. Par exemple, si chaque minute on excrète dans l'urine 1 mg d'une substance dont la concentration plasmatique est de 10 mg/L, on nettoie de cette substance un volume de 100 mL de plasma. La formule de calcul d'une clairance est UV/P, U et P représentant les concentrations de la substance dans l'urine et dans le plasma, et V le débit urinaire.

La comparaison de la clairance d'une substance à celle de l'inuline renseigne sur le mode d'élimination rénale de cette substance. Il n'y a que filtration glomérulaire si la clairance d'une substance est la même que celle de l'inuline. Si la clairance est moindre que celle de l'inuline, celle du sodium, par exemple, il y a réabsorption tubulaire nette de la substance filtrée. Si la clairance dépasse celle de l'inuline, celle du PAH, par exemple, une sécrétion tubulaire nette s'ajoute à la filtration (tableau 2.2).

Tableau 2.2
Clairance et mode d'élimination

Clairance	Mode d'élimination rénale	Exemple
= Filtration	Filtration	Inuline
< Filtration	Filtration + réabsorption	Sodium
> Filtration	Filtration + sécrétion	PAH

Régulation du bilan hydrique et de l'osmolalité des liquides corporels

Bilan hydrique

L'excrétion rénale d'eau est normalement égale à la quantité ingérée et absorbée par le tube digestif, soit environ 1,5 à 2 L/24 h, ou un peu plus que 1 mL/min. L'eau contenue dans les aliments et celle produite par l'oxydation des glucides, des lipides et des protides contribuent aussi à l'apport hydrique. D'autre part, on perd de l'eau par évaporation cutanée insensible et par les voies respiratoires, et on en excrète dans la sueur et les selles. On ne comptabilise habituellement pas dans le bilan hydrique ces autres apports et pertes dont le total est normalement comparable.

L'excrétion rénale d'eau est la seule qui soit régulée pour maintenir le bilan hydrique, alors que les pertes par l'évaporation, la sueur et les selles ne le sont pas. Le bilan hydrique demeure équilibré, même si l'ingestion d'eau et son excrétion urinaire peuvent s'éloigner considérablement de la valeur de 1,5 à 2 L/24 h. L'ingestion réduite d'eau entraîne une oligurie physiologique, tandis que l'ingestion de plusieurs litres d'eau par jour s'accompagne de polyurie.

Mode d'élimination rénale de l'eau

Les reins filtrent chaque jour 180 L d'eau plasmatique. La réabsorption tubulaire de 178,5 L d'eau laisse donc pour l'excrétion 1500 mL d'urine ou moins de 1 % de la quantité filtrée. Cette réabsorption d'eau par les divers segments du néphron est toujours passive et suit celle du chlorure de sodium et d'autres solutés. Le tubule proximal réabsorbe de façon isoosmotique environ les deux tiers de l'eau filtrée.

L'autre tiers pénètre donc dans l'anse de Henle et contribue, selon les besoins de l'organisme, à l'excrétion d'une urine diluée ou concentrée. La branche descendante de l'anse de Henle est très perméable à l'eau qui y est réabsorbée. Au tournant de l'anse, l'épithélium devient tout à fait imperméable à l'eau qui ne peut plus suivre passivement la réabsorption des solutés. Par conséquent, l'eau ne peut pas être réabsorbée dans la branche ascendante.

Dans le tubule distal et collecteur, la réabsorption d'eau dépend de la présence de l'arginine vasopressine, hormone antidiurétique sécrétée par l'hypophyse postérieure et qui augmente la perméabilité à l'eau de cette portion du tubule rénal. En l'absence de vasopressine circulante, les canaux à l'eau restent fermés dans la membrane luminale, et l'eau n'est pas réabsorbée de la lumière tubulaire. Le liquide tubulaire demeure hypoosmolaire, et on obtient l'urine maximalement diluée caractéristique d'une diurèse aqueuse. En présence de vasopressine dans la circulation, les canaux à l'eau sont ouverts dans la membrane luminale, et la réabsorption d'eau permet d'obtenir l'urine maximalement concentrée de l'antidiurèse.

Mécanismes de concentration et de dilution urinaires

Nous excrétons chaque jour dans l'urine environ 900 milliosmoles de diverses particules, dont environ la moitié sont des électrolytes ingérés dans l'alimentation, comme le sodium, le potassium et le chlore. L'autre moitié, non électrolytique, est surtout représentée par l'urée, un déchet azoté produit par le catabolisme des protéines.

Le volume urinaire dans lequel on excrète cette charge osmolaire peut varier considérablement selon la quantité d'eau ingérée. Le plus souvent, on l'excrète dans environ 1500 mL d'urine modérément hypertonique dont l'osmolalité est de 600 mOsm/kg H_2O. Avec une urine hypertonique maximalement concentrée, on observe une osmolalité urinaire de 1200 mOsm/kg H_2O et un volume urinaire de 750 mL/24 h. À l'inverse, durant une diurèse aqueuse maximale caractérisée par une osmolalité urinaire de 50 mOsm/kg H_2O, le volume urinaire atteint 18 L/24 h ou 10 % de la filtration glomérulaire. Le volume d'urine hypotonique maximalement diluée est alors 24 fois celui que l'on observe avec une urine hypertonique maximalement concentrée (tableau 2.3). Lorsque l'urine est isotonique, avec une osmolalité de 300 mOsm/kg H_2O, un volume urinaire de 3 L/24 h est nécessaire, en l'absence de concentration ou de dilution urinaires.

Tableau 2.3
Excrétion urinaire de 900 mOsm/24 h

	Débit urinaire (L/24 h)	Osmolalité urinaire (mOsm/kg H_2O)
Antidiurèse	0,75	1200
Conditions habituelles	1,5	600
Urine isotonique	3	300
Diurèse aqueuse	18	50

L'excrétion d'un petit volume d'urine concentrée ou hypertonique requiert deux étapes essentielles. D'abord, un interstice médullaire hypertonique doit être produit par les anses de Henle, qui agissent comme multiplicateurs de contre-courant, et maintenu par les *vasa recta*, des échangeurs de contre-courant. L'osmolalité du liquide interstitiel médullaire augmente progressivement de 300 mOsm/kg H_2O à la jonction cortico-médullaire jusqu'à un maximum de 1200 mOsm/kg H_2O à l'extrémité de la papille. Ces osmoles sont l'urée, le chlorure de sodium et les divers osmolytes tels que le sorbitol. Ensuite, il doit s'établir un équilibre osmotique entre l'interstice médullaire hypertonique et le liquide dans le tubule collecteur médullaire. On observe cet équilibre lorsque l'action de la vasopressine dans le tubule collecteur médullaire augmente la perméabilité membranaire à l'eau et sa réabsorption passive. L'osmolalité de l'urine ne peut donc jamais dépasser celle de l'interstice médullaire hypertonique.

L'excrétion d'un grand volume d'urine diluée ou hypotonique exige aussi deux étapes principales, une fois que l'eau filtrée n'a pas été réabsorbée proximalement. D'abord, de l'eau libre doit être produite dans la lumière tubulaire par la réabsorption de chlorure de sodium, mais sans eau, dans la branche ascendante de l'anse de Henle. Ensuite, le tubule distal et collecteur doit demeurer imperméable à l'eau, en l'absence de vasopressine ou de son effet. L'imperméabilité du tubule à l'eau empêche un mouvement par gradient osmotique d'eau entre le liquide tubulaire et l'interstice, qui est isotonique dans le cortex et hypertonique dans la médullaire.

Régulation du bilan sodique et du volume du liquide extracellulaire

Bilan sodique et volume du liquide extracellulaire

Les reins adaptent l'excrétion urinaire de sodium à son ingestion quotidienne qui peut varier considérablement, de quantités minimes à plusieurs centaines de mEq/24 h. Cette régulation par les reins du bilan externe en sodium permet de maintenir le volume du liquide extracellulaire autour de 20 % de la masse corporelle. Parce que le plasma constitue le quart du liquide extracellulaire, cette fonction des reins est essentielle au maintien du volume intravasculaire, du débit cardiaque, de la pression artérielle et de la perfusion tissulaire.

Lorsque l'ingestion de sodium dépasse son excrétion, le bilan sodique positif entraîne une rétention proportionnelle d'eau et une expansion du volume de liquide extracellulaire. Par contre, quand l'excrétion du sodium dépasse son ingestion, le bilan sodique négatif et la perte d'eau produisent une contraction du volume du liquide extracellulaire.

Mode d'élimination rénale du sodium

Les reins filtrent chaque jour environ 25 000 mEq de sodium, soit le produit de la concentration plasmatique de 140 mEq/L par le volume de 180 L de filtrat glomérulaire. Puisque l'excrétion urinaire moyenne de sodium tourne autour de la quantité moyenne ingérée de 150 mEq/24 h, le tubule réabsorbe la différence de 24 850 mEq. Le tubule proximal réabsorbe environ les deux tiers du sodium filtré. La branche ascendante de l'anse de Henle (25 %), le tubule contourné distal (5 %) et le tubule collecteur (2 %) sont aussi impliqués dans ce processus.

La réabsorption passive de sodium à travers la membrane luminale suit un gradient électrique, vers le potentiel intracellulaire négatif, et un gradient chimique, d'une concentration de 140 mEq/L dans le liquide tubulaire vers une concentration beaucoup plus basse de 10 à 20 mEq/L dans la cellule tubulaire. Par contre, la réabsorption active de sodium à travers la membrane basolatérale se fait contre un gradient électrique et contre un gradient chimique ou de concentration. Cette réabsorption requiert donc la conversion d'ATP en ADP, réaction catalysée par la Na-K-ATPase localisée dans la membrane cellulaire basolatérale. La Na-K-ATPase, présente dans tous les segments du néphron, utilise la majeure partie de l'énergie métabolique (ou ATP) produite par les cellules tubulaires rénales. Enfin, la réabsorption passive du liquide péritubulaire dans le capillaire péritubulaire résulte d'un gradient de pression oncotique qui l'attire et d'un gradient de pression hydrostatique qui le repousse.

Facteurs intrarénaux

Plusieurs facteurs influencent l'élimination rénale du sodium. D'abord, grâce à ce que l'on appelle l'équilibre glomérulo-tubulaire, la fraction de la charge filtrée qui est réabsorbée demeure la même, malgré les variations de la filtration glomérulaire. De plus, diverses hormones augmentent (aldostérone, angiotensine II, catécholamines) ou diminuent (dopamine, kinines, peptide natriurétique auriculaire, prostaglandines) la réabsorption tubulaire de chlorure de sodium et d'eau. Enfin, la stimulation des nerfs sympathiques rénaux a un effet antinatriurétique.

Puisque la fonction la plus importante des reins est de maintenir constants les liquides corporels, le volume du liquide extracellulaire ou plus précisément le volume plasmatique ou sanguin efficace influence considérablement l'élimination rénale du sodium. Une expansion du volume du liquide extracellulaire inhibe la réabsorption proximale et distale de sodium, et augmente son excrétion urinaire. À l'inverse, une contraction du volume du liquide extracellulaire accroît la réabsorption proximale et distale de sodium, et diminue son excrétion urinaire.

Effets des diurétiques

Dans chaque segment du néphron, les diurétiques inhibent la réabsorption tubulaire de sodium et augmentent ainsi l'excrétion urinaire de sodium et d'eau. Dans le tubule proximal, l'acétazolamide et d'autres inhibiteurs de l'anhydrase carbonique diminuent la réabsorption du bicarbonate de sodium. Dans la branche ascendante large de l'anse de Henle, les diurétiques comme le furosémide inhibent le cotransporteur luminal Na-K-2Cl et la réabsorption de chlorure de sodium et de potassium. Dans le tubule distal, les diurétiques thiazidiques inhibent le cotransporteur Na-Cl dans la membrane luminale et la réabsorption de chlorure de sodium. Dans le tubule collecteur cortical, deux groupes de diurétiques diminuent la sécrétion tubulaire et l'excrétion urinaire du potassium : d'une part, la spironolactone, antagoniste de l'aldostérone, et, d'autre part, le triamtérène et l'amiloride qui bloquent l'entrée de sodium dans les canaux sodiques de la membrane luminale (tableau 2.4). Les diurétiques seront revus plus en détail au chapitre 19.

Tableau 2.4
Niveaux d'action des diurétiques

1. Tubule proximal	Acétazolamide
2. Anse de Henle	Furosémide
3. Tubule distal	Thiazides
4. Tubule collecteur	Spironolactone, amiloride, triamtérène

Régulation du bilan potassique

Bilan externe du potassium

Ce bilan détermine la quantité totale de potassium dans l'organisme. L'ingestion et l'absorption digestive d'environ 100 mEq de potassium/24 h sont normalement égales à son excrétion hors de l'organisme. Celle-ci est surtout rénale, puisque la quantité retrouvée dans les selles et la sueur représente moins de 10 % du potassium ingéré avec les aliments.

Mode d'élimination rénale du potassium

Les reins filtrent chaque jour environ 700 mEq de potassium, soit le produit de la filtration de 180 L par la concentration plasmatique de 4 mEq/L. Puisque l'excrétion urinaire moyenne de potassium est voisine de 100 mEq/24 h ou 15 % de la quantité filtrée, la réabsorption nette de potassium par les reins varie autour de 85 %. Le schéma simplifié de l'élimination rénale du potassium est le suivant : d'une part, la majeure partie du potassium filtré est réabsorbée par le tubule proximal et la branche ascendante large de l'anse de Henle ; d'autre part, le potassium sécrété passivement par le tubule distal et collecteur est excrété dans l'urine.

Plusieurs facteurs influencent la sécrétion distale et l'excrétion urinaire de potassium. Celles-ci sont augmentées par l'hyperkaliémie, l'aldostérone, une augmentation du débit tubulaire, une réabsorption distale accrue de sodium, une plus grande ingestion de potassium et l'alcalose. Par contre, l'hypokaliémie, une plus faible ingestion de potassium, l'acidose et les trois diurétiques épargnant le potassium (spironolactone, triamtérène et amiloride) diminuent la sécrétion distale du potassium et son excrétion urinaire.

Régulation de l'équilibre acidobasique

Équilibre acidobasique

Malgré la production continuelle par le métabolisme cellulaire normal de quantités considérables de déchets acides, l'acidité (ou le pH) des liquides corporels est maintenue à l'intérieur de limites étroites. Le métabolisme produit chaque jour environ 15 000 mmol de gaz carbonique (CO_2) excrété par les poumons. Il génère aussi quotidiennement environ 70 mEq d'acides fixes ou non volatils qui ne peuvent pas être excrétés par les poumons et doivent donc l'être par les reins sous forme d'acidité nette. Les poumons règlent donc le bilan en CO_2 et la concentration d'acide carbonique, tandis que les reins maintiennent le bilan en protons et la concentration normale de bicarbonate dans le plasma et le liquide extracellulaire.

L'acidification urinaire ou la régulation de l'équilibre acido-basique par les reins met en jeu deux mécanismes. D'une part, les reins doivent réabsorber la quantité considérable d'ions bicarbonate filtrés par les glomérules afin d'éviter toute perte importante de bicarbonate dans l'urine. D'autre part, en excrétant définitivement les ions hydrogène sous forme d'acidité titrable et d'ammonium, les reins régénèrent les bicarbonates qui n'ont pas été filtrés, mais qui ont servi à tamponner la production métabolique d'acides fixes.

Réabsorption des bicarbonates filtrés

La réabsorption rénale de bicarbonate se fait par sécrétion d'ions hydrogène à travers la membrane luminale des cellules tubulaires. La proton-ATPase et l'échangeur sodium/hydrogène sont les deux principales protéines membranaires impliquées dans cette sécrétion active de protons. La sécrétion d'un proton à travers la membrane luminale s'accompagne toujours de la réabsorption d'un ion bicarbonate à travers la membrane basolatérale afin de prévenir toute accumulation intracellulaire de protons ou de bicarbonate. Un cotransporteur sodium/bicarbonate et un échangeur chlore/bicarbonate contribuent à cette réabsorption passive de bicarbonate. D'une façon générale, le néphron proximal peut réabsorber une grande quantité de bicarbonate, mais cette réabsorption est beaucoup plus limitée dans le néphron distal. Cependant, tandis que le néphron proximal ne crée qu'un modeste gradient de pH entre le sang et la lumière tubulaire, le néphron distal peut établir un gradient considérable de protons qui joue un rôle important dans le titrage des tampons phosphate et ammonium et dans l'excrétion définitive des ions hydrogène dans l'urine.

Plusieurs facteurs influencent la réabsorption de bicarbonate ou la sécrétion des ions hydrogène par les reins. Parmi les facteurs accélérant la réabsorption de bicarbonate, il faut mentionner une augmentation de la filtration glomérulaire (équilibre glomérulo-tubulaire), l'aldostérone, une contraction du volume du liquide extracellulaire, l'angiotensine II, l'anhydrase carbonique et une hausse de la PCO_2 artérielle. Par contre, une expansion du volume du liquide extracellulaire, l'inhibition de l'anhydrase carbonique et une baisse de la PCO_2 artérielle diminuent la réabsorption de bicarbonate.

Excrétion des ions hydrogène

Seule une très faible fraction des 70 mEq d'ions hydrogène excrétés quotidiennement dans l'urine peut l'être sous forme d'ions hydrogène libres, puisque chaque litre d'urine ayant un pH de 5 n'en contient qu'un centième de mEq. La très grande majorité des ions hydrogène doit donc être excrétée dans l'urine sous forme tamponnée. Environ 30 mEq le sont sous forme d'acidité titrable avec le tampon phosphate et 40 mEq sous forme d'ammonium.

L'acidité titrable représente la quantité de phosphate monohydrogène (HPO_4) filtré qui, en tamponnant les ions hydrogène sécrétés dans la lumière tubulaire, forme le phosphate dihydrogène (H_2PO_4). Le phénomène commence aussitôt que la réabsorption de bicarbonate diminue le pH du liquide tubulaire.

La production rénale d'ammonium provient surtout du métabolisme mitochondrial de la glutamine dans les cellules tubulaires. Lorsque cet ammonium est sécrété dans la lumière tubulaire et excrété dans l'urine, la réabsorption de bicarbonate qui l'accompagne augmente la concentration plasmatique de bicarbonate. L'acidose augmente à la fois la production d'ammonium par les cellules proximales, le maintien de celui-ci dans le liquide acide du tubule collecteur médullaire et son excrétion définitive dans l'urine. D'ailleurs, durant l'adaptation des reins à l'acidose, c'est pour ainsi dire le seul mécanisme de défense puisque la contribution de l'acidité titrable est déjà presque maximale.

Régulation du bilan des ions divalents

L'élimination rénale de chacun des ions divalents (calcium, phosphate et magnésium) comprend une filtration glomérulaire, une réabsorption tubulaire et l'excrétion dans l'urine d'une quantité égale à l'absorption digestive. L'élimination rénale des ions divalents permet de maintenir leur bilan équilibré.

Bilan calcique

Les reins contribuent à maintenir la calcémie normale de 2,5 mmol/L et le calcium corporel total, présent surtout dans l'os. Le calcium plasmatique non lié aux protéines est filtré par les glomérules. Il est ensuite presque complètement réabsorbé, surtout par le tubule proximal et l'anse de Henle, puisque seulement environ 1,5 % de la quantité filtrée est excrété dans l'urine. La parathormone, la vitamine D et les diurétiques thiazidiques augmentent la réabsorption rénale de calcium.

Bilan phosphaté

Parce que seulement environ 15 % du phosphate filtré est excrété dans l'urine, la grande majorité est réabsorbée, surtout par le tubule proximal. La parathormone diminue la réabsorption tubulaire de phosphate.

Bilan en magnésium

Comme seulement 3 % du magnésium filtré se retrouve dans l'urine, sa réabsorption par le tubule rénal est presque complète. Toutefois, contrairement aux autres électrolytes, la majorité du magnésium est réabsorbée par la branche ascendante large de l'anse de Henle.

Conservation et élimination rénale des substances organiques

Conservation des substrats utiles à l'organisme

La réabsorption tubulaire des éléments nutritifs valables qui sont filtrés prévient leur excrétion dans l'urine. En effet, en l'absence de réabsorption de glucose, on perdrait chaque jour dans l'urine 180 g de glucose, avec une filtration de 180 L et une concentration de 1 g de glucose/L de plasma. Cette perte considérable équivaudrait à la majeure partie des glucides ingérés quotidiennement.

Avec une glycémie normale, la charge filtrée équivaut au tiers de la capacité maximale de réabsorption du glucose par le tubule rénal. Une hausse marquée de la glycémie et de la charge filtrée de glucose s'accompagne toujours de la présence de glucose dans l'urine. En fait, une glycosurie signifie en général que la glycémie dépasse le seuil de 10 mmol/L.

Les reins réabsorbent aussi complètement les 450 mmol d'acides aminés filtrés chaque jour. Ils réabsorbent également les petites protéines que sont les hormones polypeptidiques et les très petites quantités filtrées des plus grosses protéines. Le tubule rénal réabsorbe aussi divers substrats métaboliques, tels que le lactate, les corps cétoniques et divers intermédiaires du cycle de Krebs.

Excrétion des déchets azotés

Les quatre principales substances azotées excrétées par les reins sont la créatinine, l'urée, l'urate et l'ammoniac. La créatinine provient du métabolisme de la créatine dans le muscle squelettique, et la quantité produite et excrétée est fonction de la masse musculaire. Son excrétion résulte surtout de la filtration glomérulaire, mais aussi d'un peu de sécrétion par le tubule proximal.

L'urée est un déchet métabolique du catabolisme des protéines dont la synthèse est hépatique et l'excrétion urinaire. Son mode d'élimination rénale comprend une filtration, une réabsorption inversement proportionnelle au débit urinaire et une sécrétion contribuant à son recyclage dans la médullaire. Sa clairance ne représente qu'environ la moitié du débit de filtration glomérulaire.

L'élimination rénale de l'urate, déchet métabolique du catabolisme des purines, est le résultat d'une filtration glomérulaire, d'une réabsorption et d'une sécrétion tubulaires, et d'une réabsorption postsécrétoire. Les uricosuriques inhibent la réabsorption d'urate et augmentent son excrétion urinaire. Au contraire, le lactate, les corps cétoniques et plusieurs diurétiques inhibent la sécrétion d'urate, et la chute de l'uricosurie élève l'uricémie. La clairance de l'urate ne représente qu'environ 10 % de la charge filtrée chez l'humain et provient surtout de la sécrétion tubulaire, puisque presque tout l'urate filtré est réabsorbé.

Anions et cations organiques

Au départ, les glomérules filtrent librement les anions et les cations organiques s'ils ne sont pas liés aux protéines plasmatiques. Il y a réabsorption de certains d'entre eux par diffusion non ionique. De plus, le tubule proximal sécrète activement un nombre considérable d'anions organiques endogènes tels que l'urate, les sels biliaires et les glycuroconjugués, et exogènes tels que le PAH, les colorants radio-opaques et le furosémide. Le tubule proximal sécrète aussi plusieurs cations organiques endogènes tels que l'ammoniac et la créatinine, ou exogènes tels que l'amiloride, le triamtérène et le triméthoprime (tableau 2.5).

Tableau 2.5

Sécrétion proximale des anions et des cations organiques

Anions organiques	Cations organiques
Endogènes	
Urate	Ammoniac
Sels biliaires	Catécholamines
Glycuroconjugués	Créatinine
Exogènes	
PAH	Amiloride
Colorants radio-opaques	Triamtérène
Furosémide	Triméthoprime

Fonctions endocrines des reins

Les reins produisent une grande variété de substances hormonales telles que l'érythropoïétine, la forme active de la vitamine D, la rénine, l'angiotensine II et plusieurs autres hormones vasoactives. Par ailleurs, plusieurs hormones, produites dans d'autres organes, exercent leur effet sur les reins.

Érythropoïétine

Cette glycoprotéine, dont l'hypoxie stimule la production par les reins, accélère la production de globules rouges par la moelle osseuse et influence donc la capacité du sang à transporter l'oxygène. L'anémie sévère observée dans l'insuffisance rénale chronique s'explique par une déficience de la production rénale d'érythropoïétine.

1,25-Dihydroxy vitamine D_3

Cette forme active de la vitamine D résulte de deux hydroxylations de la vitamine D_3 ou cholécalciférol. La première hydroxylation par le foie se fait en position 25. La deuxième, en position 1, survient dans les mitochondries des cellules tubulaires proximales et est stimulée par la parathormone. La forme active de la vitamine D élève la calcémie en favorisant l'absorption intestinale de calcium, sa réabsorption rénale et la résorption osseuse.

Système rénine-angiotensine

La rénine est une enzyme protéolytique produite par les cellules granuleuses de l'appareil juxtaglomérulaire; elle sépare le décapeptide angiotensine I de la glycoprotéine qu'est l'angiotensino-gène. Deux récepteurs rénaux sont impliqués dans la libération de la rénine au cours d'une hypovolémie. Les cellules juxtaglomérulaires dans la paroi des artérioles glomérulaires afférentes sont des barorécepteurs répondant à une baisse de la pression de perfusion rénale. Les cellules de la *macula densa* à l'extrémité de la branche ascendante de l'anse de Henle sont des chémorécepteurs stimulés par une arrivée réduite de chlorure de sodium dans la lumière tubulaire.

L'enzyme de conversion de l'angiotensine catalyse la transformation d'angiotensine I en un octapeptide actif, l'angiotensine II. La fonction principale de l'angiotensine II est d'augmenter la pression artérielle et le volume du liquide extracellulaire. L'élévation de la pression artérielle résulte d'une augmentation du débit cardiaque et de la résistance vasculaire périphérique. L'augmentation du volume du liquide extracellulaire provient notamment d'une excrétion rénale réduite de chlorure de sodium. L'angiotensine II augmente la réabsorption proximale de sodium, tandis que l'aldostérone en stimule la réabsorption distale. Enfin, l'angiotensine II stimule la synthèse et la sécrétion d'aldostérone par les glandes surrénales.

Hormones vasoactives et pression artérielle

La régulation de la pression artérielle systémique dépend, au moins en partie, de l'équilibre entre les hormones vasoconstrictrices et vasodilatatrices produites par les reins. Les hormones vasoconstrictrices, comme l'angiotensine II, élèvent la pression artérielle et diminuent le débit sanguin rénal et l'excrétion urinaire d'eau et de sodium. Au contraire, les hormones vasodilatatrices, comme les prostaglandines, abaissent la pression artérielle et augmentent le débit sanguin rénal ainsi que l'excrétion urinaire d'eau et de sodium.

Parmi les hormones vasoconstrictrices, il faut mentionner l'angiotensine II et l'endothéline qui représente en fait une famille de trois peptides vasoconstricteurs. L'endothéline est un vasoconstricteur très puissant impliqué dans la pathogénèse de l'hypertension artérielle systémique et de certaines insuffisances rénales aiguës de type ischémique.

Les hormones vasodilatatrices comprennent les prostaglandines, les kinines et le monoxyde d'azote (NO). Les prostaglandines sont dérivées de l'acide arachidonique et augmentent le débit sanguin rénal ainsi que l'excrétion urinaire de sodium et d'eau. Les kinines, dont la bradykinine, ont les mêmes effets rénaux. Le NO, dérivé de la L-arginine, augmente aussi le débit sanguin rénal.

LECTURES SUGGÉRÉES

Gougoux, A. *Physiologie des reins et des liquides corporels*, Éditions Multi-Mondes, Québec, 2009.

Halperin, M. L., Kamel, K. S. et Goldstein, M. B. *Fluid, Electrolyte, and Acid-Base Physiology*, 4e édition, Saunders Elsevier, Philadelphie, 2010.

Koeppen, B. M. et Stanton, B. A. *Renal Physiology*, 4e édition, Mosby Elsevier, Philadelphie, 2007.

Rose, B. D. et Post, T. W. *Clinical Physiology of Acid-Base and Electrolyte Disorders*, 5e édition, McGraw-Hill, New York, 2001.

Chapitre 3

Physiologie des voies urinaires et pharmacologie de l'appareil urinaire inférieur

Martine Jolivet-Tremblay, Jocelyne Tessier et Luc Valiquette

Pharmacologie de l'appareil urinaire inférieur

Agents agissant sur les récepteurs cholinergiques

Agents agissant sur les récepteurs adrénergiques

Autres agents ayant des effets sur l'appareil urinaire inférieur

Introduction

Les voies excrétrices urinaires constituent deux ensembles fonctionnellement complémentaires : l'appareil urinaire supérieur (AUS), comprenant pour chaque rein les calices rénaux, le bassinet et l'uretère, et l'appareil urinaire inférieur (AUI) formé par la vessie, l'urètre et les mécanismes sphinctériens[1]. Le premier a pour mission de recueillir l'urine qui s'écoule des papilles rénales et de l'acheminer vers la vessie tout en évitant l'hyperpression pyélotubulaire. Le second joue un rôle de réservoir à basse pression en permettant la vidange vésicale par expulsion sur demande. Si les néphrologues sont les spécialistes de la physiologie rénale et du traitement médical des maladies du rein, les chirurgiens urologues sont les spécialistes de la physiologie et de la physiopathologie des voies urinaires, du traitement chirurgical des maladies du rein ainsi que des traitements médical et chirurgical des maladies des voies urinaires.

Physiologie de l'appareil urinaire supérieur

Rôle de l'appareil urinaire supérieur

Le rôle de l'AUS est de recueillir l'urine produite par le rein et de l'acheminer de façon unidirectionnelle, des calices rénaux vers la vessie, en maintenant une pression pyélocalicielle constamment basse.

Recueil de l'urine et péristaltisme urétéral

Le rein produit de l'urine de façon continue, mais à un rythme variable. L'urine est recueillie par les calices mineurs à sa sortie des tubes collecteurs, à l'extrémité des papilles. Il existe des cellules de type *pacemaker*, situées à la bordure des calices mineurs et majeurs, qui produisent des contractions calicielles peu efficaces, de sorte que l'urine est transportée passivement des calices au bassinet. La capacité normale du bassinet et des calices est de 4 à 8 mL. À la suite de la distension des cavités par l'urine accumulée, ces cellules déclenchent une onde péristaltique du bassinet vers l'uretère. La formation d'un bolus urinaire dans l'uretère est facilitée par la forme en entonnoir de la jonction pyélo-urétérale.

---

1 Certains auteurs utilisent les expressions « bas appareil urinaire » (BAU) et « haut appareil urinaire » (HAU).

Le seul rôle physiologique connu de l'uretère est le transport actif de bolus urinaires successifs vers la vessie. L'onde péristaltique contractile qui débute au niveau des calices se propage le long de l'uretère, entraînant le bolus avec elle. L'onde contractile pousse à l'arrière du bolus pendant que le front du bolus écarte les parois de l'uretère de façon passive. En diurèse normale, chaque rein sécrète environ 750 mL par 24 heures, soit environ 0,5 mL par minute. La fréquence des ondes péristaltiques urétérales est de 2 à 6 par minute et fonction de la diurèse. La disposition hélicoïdale des fibres musculaires lisses de l'uretère rend le transport du bolus le long de l'uretère particulièrement efficace. L'onde contractile se transmet de fibre musculaire à fibre musculaire, de l'uretère proximal vers l'uretère distal. Les bolus d'urine franchissent la jonction urétéro-vésicale tant et aussi longtemps que la pression dans la vessie reste basse, soit inférieure à 40 cm d'eau. Dans des conditions normales, la vessie est un réservoir à basse pression, sauf durant la brève phase mictionnelle.

Un système unidirectionnel

Le péristaltisme urétéral est responsable du caractère unidirectionnel et antégrade du transport de l'urine. Quand le bolus urinaire rencontre un obstacle lors de son cheminement vers la vessie, une onde antipéristaltique peut naître au siège de l'obstruction et le bolus, au lieu de poursuive son chemin vers la vessie, peut remonter vers le bassinet.

Grâce à la configuration anatomique particulière de la jonction urétéro-vésicale, l'urine, une fois dans la vessie, ne peut plus remonter vers les reins. En effet, en raison du trajet oblique de l'uretère terminal à travers la couche musculaire vésicale et de son trajet sous-muqueux dans la vessie, la jonction urétéro-vésicale agit comme une valve unidirectionnelle, empêchant le reflux d'urine vers le rein, et ce, malgré des pressions per-mictionnelles élevées. Ce mécanisme aide à sauvegarder l'intégrité de l'AUS en empêchant le reflux d'urine, qui serait particulièrement dommageable en cas d'urine infectée (figure 3.1).

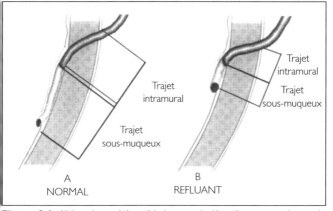

Figure 3.1 A) Jonction urétéro-vésicale normale. L'uretère traverse le muscle vésical de façon oblique et suit un long trajet sous-muqueux. B) Anomalie de la jonction urétéro-vésicale expliquant le reflux vésico-urétéral. L'uretère traverse le muscle de façon presque perpendiculaire et le trajet sous-muqueux est très court.

Un système à basse pression

La pression pyélocalicielle doit rester constamment basse, inférieure à 15 cmH$_2$O, pour permettre la filtration glomérulaire. En effet, comme la filtration glomérulaire résulte d'un gradient entre les pressions hydrostatique et oncotique de chaque côté de la membrane glomérulaire, une augmentation de la pression hydrostatique supérieure à 15 cmH$_2$O dans l'espace de Bowman entraîne une diminution importante de la filtration (figure 3.2).

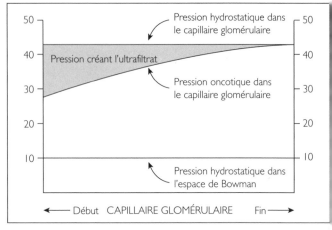

Figure 3.2 Normalement, la pression permettant la création de l'ultrafiltrat est la résultante de la pression hydrostatique du capillaire glomérulaire qui s'oppose à la pression hydrostatique dans l'espace de Bowman et à la pression oncotique dans le capillaire glomérulaire. Cette dernière augmente entre le début et la fin du cheminement dans le capillaire glomérulaire, car les protéines ne sont pas filtrées. Si la pression hydrostatique dans le capillaire glomérulaire diminue ou si celle de l'espace de Bowman augmente, la filtration diminue.

Contrôle neurologique

Le contrôle neurologique de l'AUS est mal connu. On sait qu'il reçoit des fibres sympathiques et parasympathiques qui jouent un rôle modulateur de l'activité péristaltique, en influençant à la fois la fréquence des ondes et le volume du bolus transporté. Toutefois, leur rôle ne semble pas essentiel au bon fonctionnement du bassinet et de l'uretère. À titre d'exemple, malgré la dénervation rénale et urétérale, le péristaltisme reprend rapidement et efficacement après une transplantation rénale. Comme nous le verrons, le rôle du système nerveux est beaucoup mieux connu dans le cas de l'AUI.

Physiologie de l'appareil urinaire inférieur

Rôle de l'AUI

Le rôle de l'AUI est double. D'une part, il agit comme réservoir à basse pression entre les mictions, assurant une continence urinaire, et d'autre part, il assure une vidange vésicale périodique complète, sur demande.

Continence urinaire

L'AUI est constitué de la vessie, de l'urètre et des sphincters. La vessie est un organe creux dont les parois sont constituées par un muscle constitué de fibres lisses, le détrusor. L'urètre est un conduit semi-rigide qui relie la vessie au milieu extérieur. Il est entouré proximalement par la prostate chez l'homme ; cette dernière ne joue aucun rôle dans la continence urinaire normale. À des fins didactiques, on distingue deux mécanismes sphinctériens : le sphincter externe, strié, et le sphincter interne, lisse. Le sphincter externe, composé de fibres musculaires striées, entoure l'urètre et forme un lien fonctionnel étroit avec la musculature du plancher pelvien, tout en demeurant indépendant de celle-ci au point de vue anatomique. Il est situé distalement à la prostate chez l'homme et à la partie moyenne de l'urètre chez la femme. Il reçoit une innervation principalement somatique, avec une participation sympathique moindre. Le sphincter interne est composé de fibres musculaires lisses qui s'entrecroisent au niveau du col de la vessie et de l'urètre proximal. Ces fibres lisses sont sous le contrôle du système nerveux autonome. Il faut souligner que nous parlons ici de mécanismes sphinctériens plutôt que de sphincters proprement dits. En effet, *sphincter* est un terme anatomique qui implique la présence de fibres musculaires circulaires, que l'on ne retrouve dans aucun de ces deux sphincters. Bien qu'il y ait certaines différences anatomiques entre les deux sexes, on simplifie habituellement le fonctionnement de l'AUI par un schéma représentant la vessie d'une part et l'urètre et les mécanismes sphinctériens d'autre part (figure 3.3). Ces deux structures doivent fonctionner de façon synergique pour permettre une continence urinaire et des mictions volontaires. Le contrôle urinaire est l'un des premiers apprentissages de la vie en société.

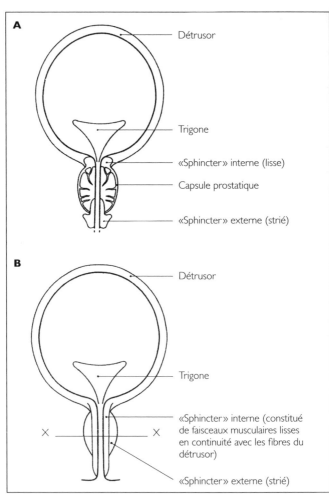

Figure 3.3 L'appareil urinaire inférieur. A) Chez l'homme, le sphincter interne lisse est en continuité distalement avec la capsule chirurgicale de la prostate. Le sphincter externe strié entoure l'urètre membraneux et est le plus épais immédiatement distal à l'apex de la prostate. B) Chez la femme, comme chez l'homme, les fibres musculaires lisses du détrusor se prolongent le long de l'urètre, constituant la couche interne de la paroi urétrale et représentant le sphincter interne, lisse. Les faisceaux musculaires striés qui entourent l'urètre en formant sa couche externe constituent le sphincter externe, strié.

Cycle mictionnel normal

Le cycle mictionnel normal comporte deux phases : la phase de remplissage vésical et la phase de vidange ou phase mictionnelle.

Durant la phase de remplissage, la vessie peut recevoir une grande quantité d'urine sans augmentation importante de la pression intravésicale. La pression basse dans la vessie – inférieure à 40 cmH$_2$O – permet aux bolus urinaires acheminés par les uretères de franchir aisément la jonction urétéro-vésicale. La vessie de l'adulte normal peut accumuler de 300 à 700 mL d'urine avec seulement une légère augmentation de la pression (moins de 15 cmH$_2$O). Durant cette phase, alors que l'activité contractile de la vessie est au repos, l'activité sphinctérienne s'accroît au fur et à mesure du remplissage. On observe une augmentation progressive de la pression intra-urétrale (le *guarding reflex* ou réflexe de verrouillage des auteurs anglo-saxons).

Lorsque la vessie est pleine et que la phase de vidange s'amorce, l'activité sphinctérienne diminue, la pression urétrale chute et la pression intravésicale s'élève sous l'effet de la contraction du détrusor. On observe alors une courte période pendant laquelle la pression intravésicale est élevée, ce qui assure un bon débit urinaire. La pression intravésicale diminue progressivement jusqu'à la vidange vésicale complète. Le cycle mictionnel est alors prêt à reprendre (figure 3.4).

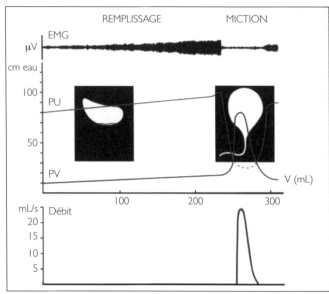

Figure 3.4 Modifications morphologiques de la vessie et de la région du col vésical, évolution de l'EMG du sphincter strié urétral, de la pression intra-urétrale maximale (PU), de la pression intravésicale (PV) et du débit mictionnel, pendant le remplissage vésical et la miction

Contrôle neurologique de la miction

L'innervation de l'AUI est relativement bien connue, fort complexe et exige la connaissance de plusieurs niveaux d'intégration : récepteurs périphériques, centres médullaires, centre protubérantiel et cortex cérébral (figure 3.5).

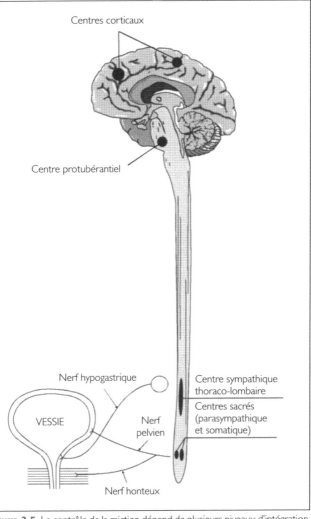

Figure 3.5 Le contrôle de la miction dépend de plusieurs niveaux d'intégration. On doit retenir le rôle du cortex cérébral, du centre protubérantiel, des centres médullaires, sacré et thoraco-lombaire, et finalement des récepteurs périphériques au niveau de la vessie et des mécanismes sphinctériens.

Récepteurs périphériques

La distribution anatomique des différents neurorécepteurs n'est pas uniforme dans l'AUI. Les récepteurs cholinergiques, sous contrôle parasympathique, sont distribués d'une façon à peu près uniforme au dôme de la vessie, à sa base, au col et à l'urètre proximal. Parmi les récepteurs adrénergiques, sous contrôle sympathique, les récepteurs alpha sont concentrés principalement à la base de la vessie, à son col et à l'urètre proximal, tandis que les récepteurs bêta sont surtout concentrés au dôme vésical (figure 3.6). Le sphincter strié urétral, quant à lui, est riche en fibres cholinergiques et est sous contrôle somatique. La stimulation des terminaisons nerveuses cholinergiques et alpha-adrénergiques entraîne une contraction musculaire tandis que celle des terminaisons bêta-adrénergiques provoque une relaxation.

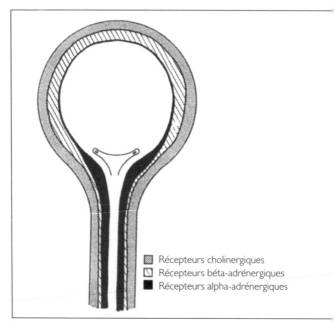

Récepteurs cholinergiques
Récepteurs béta-adrénergiques
Récepteurs alpha-adrénergiques

Figure 3.6 Distribution des récepteurs cholinergiques et adrénergiques au niveau de l'appareil urinaire inférieur

Centres médullaires

On trouve dans la moelle épinière deux centres du système nerveux autonome qui contrôlent la miction : le centre *sacré* et le centre *thoraco-lombaire*.

Le centre sacré de la miction (S2-S4) est un centre parasympathique qui commande la contraction du détrusor. Le centre thoraco-lombaire (D10-L2) est un centre sympathique qui commande la musculature lisse du col vésical et de l'urètre proximal. La stimulation de ce centre assure la fermeture du col vésical et de l'urètre proximal, et contribue également à inhiber le système parasympathique et, par ce fait même, la contraction vésicale. L'innervation du sphincter strié est assurée principalement par le système nerveux somatique en passant par le nerf honteux qui prend son origine également au niveau de S2-S4.

Il est à noter que les niveaux médullaires mentionnés correspondent à des niveaux osseux différents. Par exemple, la région médullaire de S2-S3-S4 est située en regard des vertèbres L1-L2 (figure 3.7).

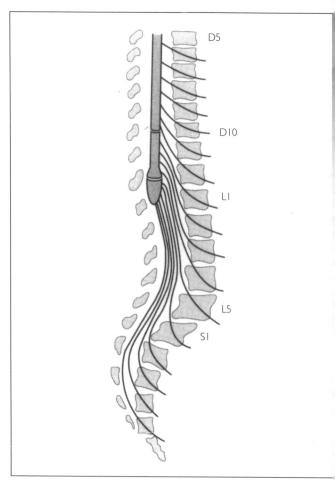

Figure 3.7 Correspondance vertébro-médullaire

Les centres médullaires sont reliés par des circuits nerveux à des centres supérieurs qui peuvent inhiber ou faciliter et coordonner leur activité.

Centre protubérantiel

Les centres médullaires inférieurs sont reliés par des circuits nerveux au centre protubérantiel de la miction, situé dans le tronc cérébral. Ce centre est responsable du synergisme entre la vessie et les sphincters. Il coordonne donc la relaxation sphinctérienne lors de la contraction vésicale, qui assure une vidange vésicale dans des conditions optimales, sans créer une hyperpression vésicale.

Cortex cérébral

Le cortex cérébral exerce le contrôle volontaire sur la miction. On trouve dans le cerveau plusieurs régions exerçant une influence sur les centres inférieurs. Certaines sont inhibitrices, d'autres facilitatrices. La résultante globale de ces influences inhibe le centre protubérantiel. Le cortex peut autoriser à volonté la contraction du détrusor et amorcer ainsi la miction. L'information en provenance du cortex passe par le centre protubérantiel, ce qui assure du même coup la coordination entre la contraction du détrusor et la relaxation sphinctérienne.

Fonctionnement synergique de la miction

Durant la phase de remplissage vésical, les faisceaux nerveux sympathiques stimulent les fibres musculaires lisses du col de la vessie et de l'urètre proximal (alpha-récepteurs) et inhibent celles du dôme vésical (béta-récepteurs). La stimulation sympathique inhibe également le système parasympathique, c'est-à-dire la contraction vésicale. Une fois atteint un certain niveau de remplissage (capacité vésicale fonctionnelle), les récepteurs vésicaux sensibles à l'étirement de la paroi envoient des influx afférents aux centres supérieurs, y compris le cortex cérébral. Selon les circonstances, propices ou non au déclenchement d'une miction, le cortex peut continuer à inhiber la contraction vésicale, en augmentant au besoin l'activité contractile du sphincter externe, ou relâcher ce dernier et autoriser la miction en permettant la contraction vésicale.

Les pressions vésicales per-mictionnelles peuvent atteindre 40 à 80 cmH$_2$O. Ces élévations de pression sont brèves et ne surviennent que durant la miction. La jonction urétéro-vésicale prévient le reflux d'urine vers le rein durant cette phase du cycle mictionnel. Le reste du temps, la pression est basse dans la vessie, ce qui permet aux uretères d'acheminer leurs bolus d'urine dans la vessie sans difficulté. Les différentes affections des mécanismes de la miction sont discutées aux chapitres 13 et 14.

Pharmacologie de l'appareil urinaire inférieur

Plusieurs substances sont utilisées pour le traitement des symptômes de l'AUI. La connaissance des mécanismes d'action de ces substances et de leurs effets secondaires est essentielle. La pharmacothérapie vise à modifier, par son action sur les récepteurs vésicaux et urétraux, le comportement de l'AUI afin de promouvoir la continence urinaire ou la miction. Le tonus du détrusor dépend du système nerveux parasympathique et des récepteurs cholinergiques et muscariniques (M2 et M3) situés principalement dans le dôme vésical. Leur stimulation provoque une contraction du détrusor, alors que leur inhibition entraîne une réduction de la contraction vésicale. Par ailleurs, le tonus urétral est souvent sous influence adrénergique et les récepteurs alpha se concentrent surtout dans le col vésical et l'urètre. Les antagonistes de ces récepteurs amènent une relaxation des fibres musculaires lisses de l'urètre et une diminution de la résistance urétrale. Les agonistes de ces récepteurs ont l'effet contraire. D'autres médicaments exercent également, à divers degrés, une action modulatrice sur l'AUI.

Agents agissant sur les récepteurs cholinergiques

Parasympathicolytiques (anticholinergiques ou antimuscariniques)

Les médicaments anticholinergiques sont utilisés afin de contrecarrer l'hyperactivité du détrusor et d'ainsi atténuer des symptômes qui caractérisent l'hyperactivité vésicale soit la pollakiurie, l'impériosité mictionnelle, l'urgenturie et l'incontinence d'urgence. Ces médicaments bloquent de façon plus ou moins sélective les récepteurs muscariniques du détrusor qui sont stimulés par l'acétylcholine (Ach). Il en résulte une diminution de la capacité de la vessie à se contracter, surtout pendant la phase de remplissage. La vessie demeure capable de se contracter lors de la miction, à cause de la libération massive d'Ach.

Traditionnellement, l'oxybutynine a été l'agent le plus utilisé. Elle se lie de façon compétitive aux récepteurs muscariniques, présents non seulement dans la vessie, mais également dans d'autres tissus dont les glandes salivaires. En raison de son profil d'effets secondaires lié à son action anticholinergique (sécheresse buccale, vision trouble, constipation, somnolence, troubles cognitifs), la fidélité au traitement est faible et le taux d'abandon, élevé. L'oxybutynine est disponible sous différentes formulations pour diminuer les effets secondaires, dont les présentations à libération prolongée et transdermique. D'autres agents anticholinergiques sont maintenant utilisés dont la toltérodine, la darifénacine et la solifénacine. Ces molécules possèdent une spécificité plus grande pour les récepteurs muscariniques du détrusor. Leur efficacité est comparable à celle de l'oxybutynine et les effets secondaires moindres. Une autre molécule, le trospium, est aussi utilisée. Sa principale caractéristique est son impossibilité à traverser la barrière hémato-encéphalique et donc l'absence d'effets cognitifs. Des formulations orales à libération prolongée des médicaments anticholinergiques sont disponibles et permettent des doses uniquotidiennes plus élevées, une meilleure observance et moins d'effets secondaires. D'autres substances parasympathicolytiques existent, dont le flavoxate et la probanthéline, mais leur utilisation n'est pas recommandée, car leur efficacité n'a pas été confirmée par des études randomisées.

Finalement, tous les agents anticholinergiques sont contre-indiqués en présence de glaucome à angle aigu, d'occlusion intestinale, de mégacôlon toxique, d'uropathie obstructive ou de myasthénie.

Parasympathicomimétiques

Le chlorure de béthanéchol agit sur les récepteurs cholinergiques de la vessie afin d'accroître la contractilité du détrusor. Toutefois, aucune étude prospective n'a démontré son efficacité clinique, et son utilisation n'est pas recommandée. A ce jour, aucune molécule ne s'est démarquée avec suffisamment de données probantes pour une utilisation clinique dans le but d'augmenter la contractilité vésicale.

Agents agissant sur les récepteurs adrénergiques

Sympathicolytiques (alpha-bloqueurs)

Plusieurs bloqueurs des récepteurs alpha sont disponibles dont la doxazosine, la térazosine, la tamsulosine et l'alfuzosine, ces deux derniers étant les plus utilisés. Ces substances se lient aux récepteurs situés dans les fibres musculaires lisses de la prostate et du col vésical, et diminuent ainsi leur contraction. Le résultat clinique observé est une réduction de la composante dynamique et fonctionnelle de l'obstruction prostatique, et le soulagement des symptômes urinaires obstructifs. L'efficacité de ces médicaments est comparable, mais leurs effets secondaires peuvent varier selon le degré de sélectivité pour les récepteurs alpha de la prostate et de l'urètre proximal. Les effets secondaires les plus fréquemment rapportés sont l'hypotension orthostatique, les étourdissements, l'asthénie, l'anéjaculation ou l'éjaculation rétrograde, et la congestion nasale.

Sympathicomimétiques

Des récepteurs alpha-adrénergiques sont présents dans le muscle lisse et strié de l'urètre et pourraient représenter une cible thérapeutique pour le traitement de l'incontinence urinaire d'effort. Des modèles expérimentaux ont démontré que la stimulation alpha-adrénergique est associée à une augmentation de la pression urétrale. Cependant, les alpha-agonistes disponibles actuellement ne sont pas sélectifs pour l'appareil urinaire et leur efficacité pour le traitement de l'incontinence urinaire d'effort s'est révélée limitée du point de vue clinique. Par ailleurs, ces substances sont associées à des effets secondaires importants tels l'hypertension artérielle, l'insomnie, l'arythmie cardiaque, les tremblements, l'anorexie, l'anxiété et une stimulation du système nerveux central. On trouve ces substances dans des décongestionnants nasaux en vente libre en pharmacie. Elles peuvent provoquer de la rétention urinaire chez certains patients âgés atteints d'hypertrophie bénigne de la prostate.

Autres agents ayant des effets sur l'appareil urinaire inférieur

Œstrogènes

Des récepteurs œstrogéniques sont présents dans le vagin, l'urètre, la vessie et le plancher pelvien. Selon plusieurs études, il est peu probable que les œstrogènes seuls aient un effet sur l'AUI. Il n'y a pas d'évidence que les agents hormonaux agissent sur l'incontinence urinaire d'effort (IUE) ou par hyperactivité vésicale chez les patientes âgées. Par ailleurs, les œstrogènes utilisés localement pourraient aider à diminuer la fréquence urinaire et les symptômes locaux.

Antidépresseurs tricycliques

Les chlohydrates d'amitriptyline, de doxépine et d'imipramine sont des substances qui inhibent le recaptage de la sérotonine et de la noradrénaline dans le système nerveux central. Ces substances exercent également une stimulation des récepteurs alpha-adrénergiques de même qu'une action anticholinergique à l'origine de leurs effets secondaires. Il semble que ces agents puissent améliorer légèrement la continence chez les femmes présentant une IUE, mais aucune étude comparative n'a été menée. Les effets secondaires les plus fréquents sont l'hypotension orthostatique, les tremblements et l'arythmie. Le caractère sérieux de ces effets secondaires de même que les effets cliniques limités de ces substances sur l'IUE en limitent grandement l'utilisation clinique.

Inhibiteurs sélectifs du recaptage de la sérotonine

La duloxétine est un inhibiteur sélectif du recaptage de la sérotonine et de la noradrénaline. Cette substance a été étudiée pour le traitement de l'incontinence d'effort. En bloquant le recaptage de la sérotonine et de la noradrénaline au niveau de la moelle épinière, la duloxétine augmenterait la stimulation du nerf honteux et ainsi la contractilité du sphincter urétral. De façon générale, la duloxétine est bien tolérée, des nausées en début de traitement étant l'effet secondaire le plus fréquemment signalé. Toutefois, l'augmentation possible du taux de suicide chez les patientes traitées a empêché son homologation aux États-Unis et au Canada.

Desmopressine (DDAVP)

Une baisse d'activité de l'hormone antidiurétique, qui présente une variation diurne, semble être une cause de nycturie ou d'énurésie nocturne. L'effet antidiurétique de la desmopressine passe par une réduction de la production urinaire et du remplissage vésical et par un allongement du temps nécessaire pour atteindre la capacité vésicale maximale. Ce médicament doit être utilisé avec prudence étant donné le risque d'hyponatrémie particulièrement chez les patients âgés.

Toxine botulinique de type A

Le mécanisme d'action de la toxine botulinique de type A consiste en un blocage de la libération d'acétylcholine par les terminaisons nerveuses, ce qui entraîne une paralysie musculaire partielle. La toxine botulinique est injectée dans le muscle détrusor par voie transurétrale. Son utilisation est réservée aux patients atteints d'hyperactivité vésicale réfractaire aux traitements médicaux traditionnels et aux blessés médullaires souffrant de dyssynergie vésico-sphinctérienne, population pour laquelle elle a été utilisée de prime abord avec succès. Son principal effet secondaire est la rétention urinaire. La durée d'action de la toxine est d'environ six mois. Les injections doivent donc être répétées pour maintenir l'effet clinique.

Capsaïcine, résinifératoxine

Ces agents destinés à une instillation intravésicale exercent une activité neurotoxique sélective sur les fibres sensorielles C des neurones afférents impliqués dans l'arc réflexe de la miction. Ces médicaments ont été étudiés chez les patients neurologiques, mais leur utilité clinique a été remplacée par l'utilisation de la toxine botulinique.

Nouvelles molécules

Plusieurs médicaments sont à l'étude au moment d'écrire ces lignes. Parmi les plus prometteurs notons :

La **fésotérodine** qui ressemble, tant par sa structure chimique que par ses propriétés pharmacologiques, à la toltérodine. Elle est rapidement et largement hydrolysée par des estérases plasmatiques non spécifiques pour former le dérivé 5-hydroxyméthyle, son métabolite actif principal. Les études réalisées *in vivo* montrent que le métabolite actif agit trois fois plus puissamment sur les muscles de la vessie que sur les glandes salivaires. Par ailleurs, les études contrôlées, en double-aveugle, ont démontré l'efficacité de la fésotérodine sur la fréquence des mictions, les volumes des mictions, l'incontinence urinaire par impériosité et le nombre de jours de continence. La molécule est déjà disponible dans plusieurs pays, mais pas encore au Canada.

Les **Agonistes β-adrénocepteurs** comme l'isoprénaline ont un effet inhibiteur prononcé, c'est-à-dire que leur action augmente la capacité vésicale en agissant sur les récepteurs principalement situés au dôme vésical. Les résultats d'études cliniques suggèrent que les **agonistes β3-AR** puissent être utiles pour le traitement des patients souffrant d'hyperactivité vésicale.

Les **inhibiteurs de la phosphodiestérase (PDE)** ont un effet documenté chez les hommes présentant des symptômes du bas appareil urinaire. L'emploi des inhibiteurs PDE-5 dans le traitement de l'hyperactivité vésicale est à l'étude.

LECTURES SUGGÉRÉES

Buzelin J.-M. et al. Enseignement du Collège d'Urologie : Physiologie et exploration fonctionnelles de la voie excrétrice urinaire, Laboratoires Synthélabo, Paris, 1993.

Walsh, P. et al. Campbell's Urology, 9e édition, W.B. Saunders Company, Philadelphie, 2007.

Mundy, A. R. et al. Urodynamics : Principles, Practice and Application, 2e édition, Churchill Livingstone, Edinburgh, 1994.

Cardozo, L. D. « Stress urinary incontinence : current knowledge and future directions », Urology, 62 : 4A ; 2003.

ABRAMS, P. et al. 4th International Consultation on Incontinence, Health Publications, 2009.

Chapitre 4

Épreuves rénales fonctionnelles et non fonctionnelles

P ierre R obitaille et A ndré G ougoux

Mesures des osmolalités plasmatique et urinaire, et évaluation du pouvoir de concentration et de dilution des urines

Mesure des électrolytes plasmatiques et urinaires

Évaluation de l'équilibre acidobasique

La survie des cellules et de l'organisme tout entier n'est possible que si le volume et la composition du liquide extracellulaire sont constants. Cet équilibre délicat de ce que Claude Bernard appelait le « milieu intérieur » est assuré par le rein et, plus précisément, par la filtration glomérulaire du plasma ainsi que par la réabsorption et la sécrétion tubulaires.

Notion de clairance

Le physiologiste Donald D. Van Slyke a utilisé le terme anglais *clearance*, plus tard francisé en « clairance », pour désigner la capacité des reins à épurer le plasma sanguin d'une substance donnée. Initialement, cette appellation fut employée pour désigner l'efficacité des reins à extraire l'urée du plasma par unité de temps. Plus précisément, on a exprimé la clairance de l'urée en nombre de mL de plasma complètement épurés d'urée en une minute, soit :

$$\frac{urée \cdot V}{P_{urée}} = \frac{quantité\ d'urée\ excrétée\ en\ 1\ min}{quantité\ d'urée\ dans\ 1\ mL\ de\ plasma}$$

$$= nombre\ de\ mL\ de\ plasma\ complètement\ épurés\ d'urée\ en\ 1\ min$$

Par la suite, on a appliqué cette formule à toutes les substances plasmatiques pour en évaluer le rythme d'épuration rénale. Au début, cette théorie de la clairance fut utilisée comme outil d'exploration clinique. Il ne s'agissait pas du concept capital de physiologie rénale qu'elle allait devenir par la suite.

Mesure du débit de filtration glomérulaire

L'inuline, polysaccharide du fructose, substance librement filtrable à travers les membranes capillaires glomérulaires, n'est pas liée aux protéines plasmatiques. Elle est biologiquement inerte, n'étant ni réabsorbée ni sécrétée (encore moins synthétisée) par les tubules. Elle est facilement mesurable avec précision dans le plasma et l'urine. Dans ces conditions, l'inuline filtrée par le glomérule est égale à l'inuline excrétée dans l'urine. Il en résulte que l'inuline filtrée est égale au produit du débit de filtration glomérulaire (DFG) par la concentration de l'inuline plasmatique (Pin) et que l'inuline excrétée est égale au produit de la concentration urinaire d'inuline (Uin) par le volume urinaire (V, exprimé par unité de temps, généralement en mL/min ou en L/24 h), soit :

$$DFG \times Pin = Uin \times V$$
$$ou$$
$$DFG = \frac{Uin \times V}{Pin}$$

Cette dernière équation, celle de la clairance de l'inuline, est une expression adéquate du DFG. Chez un adulte jeune, le DFG est de 80 à 120 mL/min (115 à 207 L/24 h) par 1,73 m^2 de surface corporelle. On tient compte de la surface corporelle, car l'activité métabolique de l'organisme y est proportionnelle ; en plus, ceci permet de comparer des individus de tailles différentes entre eux, ce qui est capital en pédiatrie.

Si l'inuline représente la substance idéale pour mesurer le DFG, son utilisation en clinique n'est malheureusement pas pratique, puisque cette substance n'est pas endogène à l'organisme et qu'il faut la perfuser pendant une assez longue période, de façon à obtenir un taux plasmatique stable, avant de procéder à plusieurs recueils urinaires minutés et prélèvements sanguins. En pratique, on dispose de deux moyens plus efficaces : la mesure de la clairance de l'iothalamate radiomarqué au DTPA, qui peut se faire sans recueil d'urines ou, plus simplement encore, la mesure ou l'estimation de la clairance de la créatinine endogène.

La créatinine est une substance azotée produite par les muscles et excrétée exclusivement par les reins. Sa production est constante et équivaut à son excrétion rénale, ce qui explique que, si la fonction rénale est stable, le taux plasmatique de créatinine (Pcr) ne varie pas. On peut écrire : production de créatinine = excrétion urinaire de créatinine = DFG × Pcr.

De fait, quel que soit le DFG, pourvu qu'il soit constant, le taux plasmatique de la créatinine demeurera stable, mais sera d'autant plus élevé que la clairance sera plus basse ; le produit DFG × Pcr demeure constant.

On mesure facilement la clairance de la créatinine endogène en faisant un recueil urinaire (généralement de 24 heures) et une seule détermination de la créatinine plasmatique, son taux étant stable. Un petit inconvénient cependant : la créatinine urinaire excrétée ne parvient pas dans les urines exclusivement par filtration glomérulaire, mais aussi, bien qu'à un moindre degré, par sécrétion tubulaire ; le DFG est ainsi surestimé de 10 à 20 %. Lorsque la fonction rénale est normale, cette surestimation du DFG n'a pratiquement pas de conséquences cliniques importantes. Cependant, dans le cas où le DFG réel est abaissé de moitié ou plus, alors que la sécrétion tubulaire de créatinine n'est pas affectée, la surestimation du DFG par la mesure de la clairance de la créatinine endogène sera de plus en plus importante et non quantifiable. En pratique, la mesure de la clairance de la créatinine est peu utile lorsque celle-ci est inférieure à la moitié de la normale. Ajoutons enfin qu'une autre limitation à l'utilisation de la clairance de la créatinine est que le recueil urinaire peut être incomplet. On peut toujours y pallier en faisant les corrections nécessaires si l'on sait que l'excrétion urinaire de créatinine est relativement constante et égale à 225 µmol/Kg/24 h chez l'homme et à 180 µmol/Kg/24 h chez la femme. Si l'excrétion mesurée est très inférieure à cette estimation, on conclut que le recueil urinaire est incomplet.

Il existe des formules qui procurent une estimation de la clairance de la créatinine sans recueil d'urines et auxquelles on a souvent recours lorsqu'il s'agit d'ajuster la dose d'un médicament à élimination rénale. En voici deux exemples :

1er exemple : chez l'adulte, on utilise la formule de Cockcroft et Gault :

(soustraire 15 % chez la femme pour tenir compte d'une masse musculaire plus faible pour un poids donné)

$$Ccr\ (mL/min)\ =\ \frac{(140 - \hat{a}ge) \times poids\ en\ kg}{0,8 \times Pcr\ en\ \mu mol/L}$$

ou encore la formule MDRD, qui est plus complexe (il faut un calculateur de poche ou en ligne) mais qui ne requiert pas le poids du patient. Cette formule est préférable à celle de Cockcroft et Gault quand le DFG estimé est inférieur à 60 mL/min.

2e exemple : chez l'enfant, on utilise la formule d'Edelmann :

$$Ccr\ (mL/min/1,73\ m^2)\ =\ \frac{40 \times taille\ en\ cm}{Pcr\ en\ \mu mol/L}$$

Évaluation du débit plasmatique rénal

L'acide para-aminohippurique (PAH) est un acide organique d'origine exogène à l'organisme dont la clairance (C_{PAH}) équivaut approximativement au débit plasmatique rénal (DPR). Cette substance est d'abord filtrée par le glomérule, tout comme l'inuline. Cependant, en plus, à de faibles taux plasmatiques, elle est sécrétée tellement efficacement par les tubules qu'il n'en reste pratiquement plus dans la veine rénale. De fait on peut écrire :

Soit : P_{PAH} la concentration plasmatique du PAH
       U_{PAH} sa concentration urinaire
       V   le volume urinaire par unité de temps

$$P_{PAH} \times DPR = U_{PAH} \times V$$

$$DPR = \frac{U_{PAH} \times V}{P_{PAH}} = C_{PAH}$$

Si l'on corrige pour l'hématocrite (Hct), on obtient le débit sanguin rénal (DSR) :

$$DSR = \frac{C_{PAH}}{1 - Hct}$$

En réalité, la C_{PAH} sous-estime le DPR d'environ 15 %, car le pourcentage d'extraction par le rein du PAH contenu dans le plasma de l'artère rénale est de 85 %. En conséquence, il en reste 15 % dans le plasma de la veine rénale, et donc le dénominateur dans l'équation devrait être la différence entre les concentrations artérielle et veineuse rénales du PAH. Bien évidemment, on ne mesure pas le PAH veineux rénal en clinique, mais on peut faire la correction mathématique appropriée en mettant $0,85 \times P_{PAH}$ au dénominateur. On sait qu'en moyenne le DPR chez l'adulte est de l'ordre de 600 mL/min et donc environ 5 fois le DFG. On a rarement recours en clinique à cette technique de mesure du DPR, car elle comporte les mêmes inconvénients que la mesure du DFG par l'inuline. On utilise plus volontiers la mesure de l'élimination rénale du radiohippuran en médecine nucléaire, dont l'élimination est la même que celle de la molécule non marquée isotopiquement.

Mesure de la protéinurie

Les protéines plasmatiques sont filtrées au glomérule et réabsorbées presque complètement par les tubules. Plus les protéines sont petites, plus elles sont aisément filtrées. Normalement, il y a moins de 150 mg de protéines dans les urines de 24 h chez l'adulte (protéinurie *physiologique*).

En dehors de la protéinurie physiologique, on distingue plusieurs autres types de protéinurie selon qu'elle est fonctionnelle ou pathologique, sélective ou non sélective. La distinction de ces différents types de protéinurie est importante. Elle éclaire le clinicien en le guidant dans son choix du mode de mesure et du type de prélèvement à faire, ainsi que dans l'interprétation des résultats.

On parle de protéinurie *fonctionnelle* si elle survient en orthostatisme, à l'effort ou en cas de fièvre. Le mécanisme de ce type de protéinurie n'est pas clair. En règle générale, cette protéinurie, essentiellement une albuminurie, est rarement supérieure à 1 g/24 h et ne s'accompagne jamais d'œdème, car elle n'abaisse pas suffisamment l'albuminémie ni, par conséquent, la pression oncotique plasmatique. La plus répandue des protéinuries fonctionnelles est la protéinurie orthostatique. On compare dans ce cas la protéinurie dans l'urine au lever, qui devrait être très faible, à celle mesurée après une période de 2 à 3 h d'orthostatisme. Il semble qu'une attitude fortement lordosique accentue ce type de protéinurie.

Une protéinurie est pathologique lorsqu'elle est secondaire à une anomalie glomérulaire ou tubulaire, que celle-ci soit consécutive à une lésion organique ou à un dysfonctionnement. Lorsqu'elle est d'origine *glomérulaire*, la protéinurie est en général d'au moins 1 g/24 h et elle peut être sélective, à savoir essentiellement constituée d'albumine. Dans ce cas, toutes les méthodes de dosage sont valables, car elles détectent toutes l'albumine de façon préférentielle. Si la protéinurie est non sélective, elle contient non seulement de l'albumine, mais aussi des protéines de poids moléculaire plus élevé comme des immunoglobulines. Selon le mode de dosage utilisé, la protéinurie sera de légèrement à modérément sous-estimée, car la réactivité des immunoglobulines est moins forte que celle de l'albumine avec la plupart des méthodes de dosage.

Enfin, la protéinurie *tubulaire* se distingue des autres types de protéinurie par le fait que les protéines sont de faible poids moléculaire, généralement inférieur ou égal à 60 000 daltons, et que

les chaînes légères d'immunoglobulines et de petits peptides représentant des hormones inactivées (parathormone, insuline, etc.)
forment le gros des protéines urinaires. Ceci est lié à la réabsorption
très incomplète, par un tubule dysfonctionnel, des protéines de faible poids moléculaire filtrées par le glomérule sain. Compte tenu
de la faible concentration d'albumine, cette protéinurie peut ne pas
être détectée adéquatement par les méthodes usuelles comme les
bandelettes réactives. Enfin, bien que différente de la protéinurie
tubulaire, la protéinurie faite principalement de chaînes légères
d'immunoglobulines observée dans le myélome (protéinurie *de
Bence-Jones*) est elle aussi mal détectée par les méthodes courantes
de mesure de la protéinurie. Dans ce cas, même si les tubules ne
sont pas dysfonctionnels, leur capacité à réabsorber une quantité
massive de chaînes légères est saturée, ce qui explique leur passage
dans les urines (protéinurie dite *de surcharge*).

Classiquement, la mesure de la protéinurie se fait sur les urines de 24 h. On comprend les inconvénients de recueillir ces urines
à la maison pour ensuite les apporter à l'hôpital ou au laboratoire.
En plus, le recueil risque souvent d'être incomplet (miction perdue
ou urine résiduelle dans la vessie, non comptabilisée dans le volume total). Ainsi, a-t-on de plus en plus recours au dosage simul-
tané de la créatinine dans l'urine recueillie, car l'excrétion de cette
substance produite par les muscles est constante et fonction de la
masse musculaire, comme nous l'avons vu précédemment. La mesure simultanée des protéines et de la créatinine urinaire de 24 h a
permis d'établir qu'un ratio supérieur à 100 mg de protéines/g de
créatinine était anormal; en unités SI, un ratio de 0,050 g/mmol de
créatinine est parfois employé pour définir la limite supérieure de
la normale. Un rapport entre 100 mg/g et 2000 mg/g (l'équivalent
de 200 mg à 3,5 g/24 h) se voit dans une grande variété de maladies
rénales, alors qu'au delà d'un ratio de 2000 mg/g la protéinurie est
de niveau néphrotique (*voir chapitre 11*).

Les techniques de dosage utilisées font appel à la turbidimétrie ou à la calorimétrie. Par turbidimétrie, on fait précipiter les
protéines en milieu acide, ensuite on les quantifie ainsi dénaturées
et dispersées dans une fine suspension en mesurant la turbidité de
la solution.

On peut aussi utiliser la méthode de Biuret qui, elle, est colorimétrique. L'intensité de la coloration dépend du nombre de liaisons

peptidiques et donc de la quantité de protéines présentes. En milieu alcalin, en présence de sulfate de cuivre, les liaisons peptidiques réduisent le cuivre et donnent une coloration mauve dont l'intensité est mesurée à 540 nm.

Par ailleurs, il est souvent avantageux de procéder d'abord à un dosage sur miction par lequel on établit le rapport protéines/créatinine. La première miction matinale doit être préférée, car elle met à l'abri des aléas d'une protéinurie orthostatique. Si ce premier dosage est positif, un dosage plus précis sur les urines de 24 h est indiqué, compte tenu du fait que la protéinurie peut fluctuer au cours de la journée.

Finalement, il faut garder en tête que si l'on soupçonne une protéinurie constituée surtout de chaînes légères ou de petits peptides, comme dans le myélome et les tubulopathies, il faudra avoir recours à l'électrophorèse, voire à l'immuno-électrophorèse, des protéines urinaires pour confirmer le diagnostic. On pourra aussi recourir à la méthode de précipitation à l'acide sulfosalicylique combinée à un dosage turbidimétrique

Microalbuminurie

On a démontré que la présence constante d'une faible quantité d'albumine dans les urines, à une concentration bien inférieure à celle de l'albuminurie décelable à la bandelette, annonçait une atteinte rénale chez les diabétiques. Cette *microalbuminurie* est considérée comme significative si elle excède 30 mg/24 h ou 20 µg/min. Pour mesurer une si faible concentration, on doit utiliser des méthodes très sensibles, radio-immunologiques ou enzymatiques, capables de détecter de façon reproductible aussi peu que quelques microgrammes d'albumine par mL. Compte tenu du fait que l'apparition d'une telle microalbuminurie revêt une importance clinique dans la néphropathie diabétique, la néphropathie du reflux, la polykystose rénale et plusieurs autres affections rénales, son dosage est maintenant de pratique courante dans les laboratoires de biochimie clinique. Il existe aussi des bandelettes réactives qui donnent une évaluation semiquantitative de la microalbuminurie. Ces méthodes se fondent sur une réaction immuno-enzymatique.

Analyse des urines

L'analyse courante des urines est un examen simple, peu coûteux et qui peut avoir une importance clinique capitale. On peut y distinguer trois volets : l'aspect physique, l'aspect chimique et les caractéristiques microscopiques. L'interprétation des résultats est facilitée si l'échantillon prélevé est propre, exempt de toute contamination bactérienne ou de sécrétions vaginales. Si une culture d'urine est requise simultanément, on aura soin au préalable d'effectuer une toilette appropriée de la vulve ou du gland. Une urine recueillie à « mi-jet » dans ces conditions donne un échantillon valable pour l'examen. Exceptionnellement, on a recours à un prélèvement par cathétérisme ou par ponction sus-pubienne de la vessie. L'échantillon est examiné à l'état frais, autant que possible, pour réduire les risques de lyse de certaines cellules ou de cylindres et pour prévenir la prolifération bactérienne. Si l'échantillon ne peut être examiné rapidement, on prendra soin de le placer au frais pour éviter la dégradation rapide des éléments figurés. La première miction du matin – plus concentrée – est préférable, mais un tel prélèvement est souvent impossible si le malade n'est pas hospitalisé.

Aspect physique

L'apparence générale de l'urine, sa limpidité ou, au contraire, sa turbidité méritent d'être notées. Une urine trouble peut signaler la présence d'une infection urinaire, de mucus abondant d'origine vésicale ou tout simplement de nombreux cristaux de phosphates. Une couleur jaune foncé ou orange s'observe en cas d'excès de bilirubine ou d'urobiline. Plusieurs autres substances comme les colorants alimentaires, les carottes, la riboflavine, le pyridium et la nitrofurantoïne peuvent aussi donner une telle couleur à l'urine. Il faut savoir que des urines très concentrées peuvent être d'un jaune foncé presque orangé. Les urines rouges ou rosées sont généralement dues à la présence de sang ou d'hémoglobine, plus rarement à des porphyrines ou à de la myoglobine. Une foule de substances peuvent aussi colorer les urines en rouge, dont les plus connues sont les betteraves, la diphénylhydantoïne, la méthyldopa et les colorants alimentaires. L'hématurie rénale a tendance à donner une coloration souvent brunâtre, thé ou cola (*voir chapitre 11*), alors que l'hématurie basse tend à donner une couleur franchement rouge aux urines. Les urines brunes et noires sont plus rares.

Elles contiennent alors de la bilirubine, de l'acide homogentisique, de l'indican, de la methémoglobine ou des porphyrines. Les composés quinolés, la méthyl- et la levodopa peuvent aussi colorer ainsi les urines. Enfin, une coloration bleue ou verte est typique des urines contenant des pigments de biliverdine ou des bactéries du genre Pseudomonas. Il faut enfin savoir que des substances d'usage assez répandu tels les vitamines du complexe B peuvent aussi donner cette teinte aux urines.

La densité exprime le rapport du poids de l'urine à celui d'un même volume d'eau distillée, à la même température. C'est un indicateur de la concentration des substances dissoutes dans l'urine. Elle ne dépend pas uniquement du nombre de particules dissoutes, mais aussi de leur poids. Elle peut varier de 1003 à 1035 sur une miction et de 1015 à 1025 sur les urines de 24 h chez un sujet ayant une fonction rénale normale et convenablement hydraté. Une urine diluée (hyposthénurique) a une densité de 1003 à 1007. Une urine est isosthénurique si sa densité est située aux environs de 1010, et hypersthénurique si la densité se situe entre 1020 et 1035. La densité est couramment mesurée en laboratoire à l'aide d'un urinomètre, hydromètre calibré pour mesurer cette caractéristique physique de l'urine, habituellement à 20 °C. L'appareil mesure en fait l'indice de flottaison de l'urinomètre dans l'urine. Plus l'urine est concentrée, plus son indice de flottaison est élevé et moins l'urinomètre s'enfonce dans la colonne d'urine. Chez le bébé, le recueil des urines est plus difficile, et on utilise un réfractomètre pour mesurer la densité des urines, car une seule goutte suffit. Cet appareil mesure la vélocité relative de la lumière dans l'air et dans l'urine. La réfraction de la lumière est d'autant plus grande que la solution qu'elle traverse est plus concentrée ; cette proportionnalité permet de mesurer la densité de la solution.

Aspect chimique

L'analyse du contenu chimique des urines a été grandement facilitée par l'avènement des bandelettes réactives qui en 60 secondes peuvent donner une mesure semi-quantitative de la teneur de 9 substances dans les urines. Chaque bandelette est couverte de petits coussinets de papier absorbant qui renferment des réactifs spécifiques à la détection de diverses substances. Selon leur présence et leur concentration dans l'urine, ces substances réagiront avec les coussinets de la bandelette pour en modifier la couleur. C'est ainsi que l'on peut mesurer le pH, la teneur en protéines, le glucose, les corps cétoniques, le «sang» (hémoglobine ou myoglobine), la bilirubine et l'urobilinogène, les nitrites, les leucocytes (estérase leucocytaire) et la densité. Ces bandelettes sont d'un usage très répandu et servent au dépistage, tant en milieu hospitalier qu'au cabinet et même à domicile.

La procédure à suivre pour utiliser ces bandelettes correctement est la suivante.

1. Immerger complètement la bandelette dans une urine fraîche, non centrifugée, en évitant soigneusement de toucher les coussinets réactifs.

2. Retirer tout excès d'urine présent sur la bandelette en touchant le rebord du contenant d'urine avec l'extrémité de la bandelette.

3. Après avoir laissé les coussinets réagir pendant le laps de temps prescrit (habituellement 60 secondes), faire la lecture en comparant la couleur des coussinets au tableau sur l'emballage des bandelettes.

pH

La mesure du pH est basée sur une réaction colorimétrique dans laquelle les ions H^+ libres interagissent avec le rouge méthyle ou le bleu de bromothymol qui couvrent un spectre de pH allant de 5 à 8,5. Les couleurs des bandelettes varient selon le pH, de l'orange au jaune et du vert au bleu. Cette méthode mesure assez précisément le pH à 0,5 unités près. Il peut y avoir une fausse baisse du pH urinaire si l'urine perle à partir de la région «protéines» de la bandelette.

Protéines

Normalement, la protéinurie de 24 h est de l'ordre de 100 à 150 mg, ce qui correspond approximativement à 100 mg/L. Ceci représente la sensibilité maximale de la bandelette qui utilise le tétrabromophénol tamponné dans l'acide citrique comme indicateur. Une concentration croissante de protéines dans l'urine fait passer la couleur de la bandelette du jaune au vert foncé ou de l'état de traces à 4+. «Traces» correspond à une concentration de 150 à 300 mg/L et 4+ à ≥ 2 g/L. Il faut savoir qu'on détecte seulement l'albumine avec cette méthode et donc pas les chaînes légères des immunoglobulines (protéinurie de Bence-Jones) en particulier. Un pH très alcalin ou une hématurie macroscopique peuvent tous deux donner des faux positifs.

Glucose

Une glycosurie apparaît lorsque le seuil de réabsorption rénale du glucose est atteint. Ceci correspond à une concentration sérique de 10 mmol/L, ou moins en cas de dysfonctionnement tubulaire. La glucose oxydase, une enzyme spécifique dans la bandelette, réagit avec le glucose urinaire pour engendrer de l'acide gluconique et du peroxyde. Le peroxyde réagit ensuite avec un chromogène dont la coloration et l'intensité sont proportionnelles à une concentration en glucose allant de 1 g/L (« traces ») à 20 g/L (4+). On aura de faux négatifs si l'urine contient de fortes concentrations d'ascorbate (vitamine C) et de faux positifs si l'échantillon est contaminé par du peroxyde ou de l'hypochlorite (eau de Javel).

Corps cétoniques

La présence dans l'urine de corps cétoniques, les acides acétoacétique et ß-hydroxybutyrique, est la conséquence d'une accumulation d'acétylcoenzyme-A qui résulte elle-même du catabolisme des graisses. Leur détection est rendue possible par l'interaction entre l'acide acétoacétique (ou diacétique) et le nitroprussiate de sodium, un tampon alcalin contenu dans la bandelette. Cette bandelette ne réagit pas avec le ß-hydroxybutyrate. La présence de métabolites de la L-dopa ou de MESNA (2-mercapto-éthane sulfonate) peut donner de faux positifs.

Sang ou hémoglobine

Le sang ou l'hémoglobine, même en quantités infimes dans l'urine, peuvent être détectés facilement par des bandelettes imprégnées d'orthotoluène et de peroxydase. L'hémoglobine, libre ou présente dans les hématies, catalyse une réaction d'oxydation avec les substances contenues dans la bandelette, faisant passer la couleur du coussinet du jaune au bleu foncé selon la quantité d'hémoglobine présente. Ce test est très sensible et peut détecter l'hémoglobine dans une urine qui ne contient que trois à quatre hématies par champ à fort grossissement. Il faut savoir que, tout comme l'hémoglobine, la myoglobine présente dans les urines en cas de rhabdomyolyse réagit à la bandelette, même en l'absence de globules rouges. Il faut soupçonner l'existence d'une hémoglobinurie (hémoglobine libre) ou d'une myoglobinurie chaque fois que ce test à la bandelette est positif et que l'on ne peut identifier des globules rouges dans le sédiment urinaire. Notons que des contaminants oxydatifs telle la povidone iodée peuvent donner un faux positif. Inversement, la présence d'acide ascorbique, une substance fortement réductrice, peut fausser le test négativement.

Bilirubine et urobilinogène

Seule la bilirubine conjuguée (ou directe), soluble dans l'eau, peut se retrouver dans l'urine. La bilirubine non conjuguée (ou indirecte) est liée à l'albumine et par conséquent n'est normalement pas filtrée. La bilirubine est détectée plus facilement dans des urines fraîches qui n'ont pas été exposées longtemps à la lumière susceptible de la dégrader. Une réaction colorimétrique entre la bilirubine et un composé dérivé de l'aniline en permet la détection et la semi-quantification.

L'urobilinogène provient de l'interaction entre la bilirubine et les bactéries dans l'intestin. La majeure partie de l'urobilinogène est éliminée dans les selles, et environ 10 à 15 % est excrétée dans les urines après avoir été réabsorbée par l'intestin (1 à 4 g/24 h). En général, on note une élévation de l'excrétion d'urobilinogène qui va de pair avec celle de la bilirubine conjuguée. Toutefois, lorsqu'une obstruction des voies biliaires empêche la bilirubine d'atteindre l'intestin, seule la bilirubine augmente dans les urines, qui sont alors totalement dépourvues d'urobilinogène.

Bactéries (transformation des nitrates en nitrites)

La plupart des bactéries susceptibles de causer une infection urinaire (*Escherichia coli*, Enterobacter, Citrobacter, Klebsiella et Proteus) possèdent des enzymes réductrices. Celles-ci peuvent transformer les nitrates des urines (qui proviennent notamment des légumes verts) en nitrites. Ces changements deviennent visibles du fait que les nitrites réagissent avec l'acide p-arsanilique pour former un composé qui, à son tour, réagit avec un second réactif présent dans le coussinet de la bandelette pour donner une coloration rosée. Il faut savoir que des faux négatifs peuvent survenir si l'urine ne contient pas de nitrates, si la souche bactérienne est dépourvue d'enzymes réductrices, ou si l'urine contient beaucoup de substances oxydantes comme l'acide ascorbique ou l'urobilinogène. Enfin, signalons que, plus les urines séjournent longtemps dans la vessie, plus il est facile de détecter la présence de nitrites par cette méthode. Ainsi, des urines prélevées au lever constituent l'échantillon de choix. Par ailleurs, le test peut être faussement négatif chez un sujet fortement pollakiurique.

Examen microscopique des urines

L'examen du sédiment urinaire au microscope est une partie importante de l'analyse d'urine, bien qu'on l'omette souvent si l'analyse physicochimique est normale. Il permet de détecter et d'évaluer diverses atteintes du rein et de l'arbre urinaire. La valeur de cet examen est d'autant plus grande que l'examinateur est expérimenté et que l'échantillon est de qualité. Le meilleur échantillon est recueilli à mi-jet et, de préférence, on utilise la première miction du matin. Il doit être examiné à l'état frais, à défaut de quoi il peut être conservé quelques heures à 4 °C avant l'examen. En général, on centrifuge 2-3 mL d'urine pour concentrer les éléments figurés qui sédimentent dans le culot, que l'on resuspend ensuite dans environ 0,25 mL d'urine surnageante. Une goutte déposée sur une lame recouverte d'une mince lamelle de verre suffit pour l'examen. La plupart du temps, l'urine est examinée au microscope optique ordinaire et sans coloration. Exceptionnellement, si l'on veut obtenir de plus belles images, l'examen est fait au microscope à contraste de phase ou en colorant l'urine. L'examen se fait d'abord à faible grossissement (× 100) pour obtenir une vue d'ensemble, puis à fort grossissement (× 400) pour étudier le détail des structures observées. Celles-ci peuvent comprendre des cellules, des cylindres, des cristaux ou des microorganismes.

Cellules

Érythrocytes

Dans l'urine, on observe normalement jusqu'à deux érythrocytes par champ à fort grossissement. Un nombre supérieur est considéré comme anormal. Les érythrocytes peuvent être d'origine glomérulaire ; dans ce cas, ils sont souvent dysmorphiques, c'est-à-dire de taille variable et à contours irréguliers (*voir chapitre 11*), les cellules ayant été déformées par leur passage à travers la paroi glomérulaire, puis dans la médullaire hypertonique. Tout saignement le long de l'arbre urinaire, du bassinet jusqu'au méat urinaire, peut aussi causer une hématurie, que la lésion soit de nature inflammatoire, néoplasique ou traumatique. Dans ces cas, les globules rouges ont une structure assez uniforme, ce qui contraste avec la dysmorphie de l'hématurie glomérulaire.

Leucocytes

Les leucocytes se distinguent facilement des érythrocytes du fait qu'ils sont nucléés. Il s'agit généralement de polynucléaires neutrophiles, et leur présence signe une infection urinaire jusqu'à preuve du contraire, surtout lorsqu'elle s'associe à la présence de bactéries. À l'occasion, ces leucocytes peuvent être des éosinophiles en cas de réaction de nature allergique, comme dans les néphrites interstitielles par allergie à un médicament.

Cellules épithéliales

On trouve une quantité variable de cellules épithéliales dans les urines. Elles peuvent provenir aussi bien des tubules rénaux que de la vessie ou du méat urinaire. Les cellules tubulaires sont particulièrement abondantes en cas de nécrose tubulaire aiguë (*voir chapitre 9*). Une cystite s'accompagne souvent de la présence d'une grande quantité de cellules épithéliales dites transitionnelles qui tapissent la muqueuse vésicale. Enfin, une tumeur du tractus urinaire sera évoquée en présence de cellules ayant toutes les caractéristiques de cellules néoplasiques, leur aspect multinucléé étant un détail important qui permet de les détecter.

Cylindres

Les cylindres urinaires sont des structures allongées formées dans la lumière des tubules distaux et des tubes collecteurs. Leur matrice, de nature glycoprotéïque (protéine de Tamm-Horsfall, sécrétée par la branche ascendante large de l'anse de Henle), est moulée par la lumière tubulaire. Sur cette matrice peuvent éventuellement se fixer, dans la lumière tubulaire, des cellules et d'autres structures microscopiques. Les cylindres sont en général minces, mais ils peuvent être plus gros en cas de dilatation tubulaire, comme cela se voit en cas de néphropathie associée à une atrophie du parenchyme rénal. Quel que soit leur type, les cylindres sont toujours d'origine rénale. Les principaux cylindres sont les cylindres érythrocytaires, leucocytaires, épithéliaux, hyalins, granuleux et graisseux.

Cylindres érythrocytaires (figure 4.1)

Ces cylindres sont caractéristiques d'une hématurie rénale, et leur présence témoigne presque toujours de l'existence d'une affection glomérulaire (*voir chapitre 11*). Il arrive qu'on ne puisse observer clairement le contour des érythrocytes lorsqu'ils sont dégénérés. Les cylindres sont alors pigmentés en brun, et on parle de cylindres hématiques. Ces derniers ne sont pas différents morphologiquement des cylindres colorés par la myoglobine comme on voit dans la myoglobinurie.

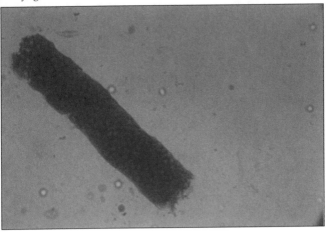

Figure 4.1 Cylindre érythrocytaire (sédiment urinaire × 400). Matrice d'aspect hyalin chargée d'érythrocytes. Ce type de cylindre signe l'origine rénale, et presque toujours glomérulaire, d'une hématurie (gracieuseté de Pfizer Canada).

Cylindres leucocytaires (figure 4.2)

Leur présence est caractéristique d'une infection ou d'une inflammation rénale. On les voit surtout dans la pyélonéphrite aiguë et la néphrite interstitielle aiguë immuno-allergique, parfois dans la glomérulonéphrite aiguë postinfectieuse et les maladies systémiques, telles le lupus érythémateux disséminé.

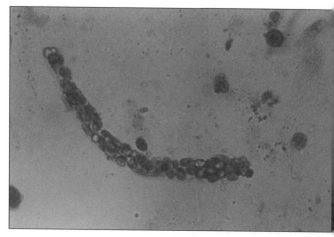

Figure 4.2 Cylindre leucocytaire (sédiment urinaire × 400). Matrice d'aspect hyalin chargée de leucocytes. Ce type de cylindre se voit principalement dans la pyélonéphrite aiguë et dans la néphrite interstitielle aiguë immuno-allergique, parfois également dans la glomérulonéphrite aiguë (gracieuseté de Pfizer Canada).

Cylindres épithéliaux

Ces cylindres comprennent des cellules d'origine tubulaire qui proviennent de la desquamation du revêtement épithélial des tubules. On les observe plutôt rarement. Ils accompagnent surtout la nécrose tubulaire aiguë d'origine ischémique ou toxique.

Cylindres hyalins

Fréquents dans l'urine, ils renferment essentiellement des protéines et sont dépourvus d'éléments figurés. Ceci leur confère une apparence homogène et transparente. On les retrouve dans l'urine normale, surtout chez des sujets déshydratés (urines concentrées) et en cas d'atteintes rénales minimes. Ils ne sont pas associés à une atteinte rénale particulière.

Cylindres granuleux (figure 4.3)

Ces cylindres résultent soit de l'agrégation de protéines sériques à l'intérieur de la matrice glycoprotéique, soit de la dégénérescence de cellules contenues dans les cylindres. Leur présence signe presque à coup sûr une affection rénale sous-jacente.

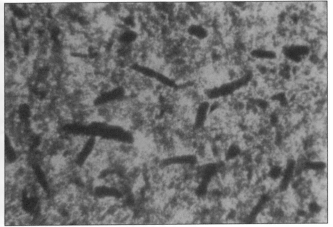

Figure 4.3 Cylindres pigmentés brunâtres caractéristiques de la nécrose tubulaire aiguë. Il s'agit d'une variété de cylindres granuleux (gracieuseté de Pfizer Canada).

Cylindres graisseux

Leur présence est surtout caractéristique de la lipidurie du syndrome néphrotique (*voir chapitre 11*). Celle-ci peut s'exprimer par la présence au sédiment urinaire de fines gouttelettes lipidiques, appelées *corps biréfringents* (figure 11.3B), ou de *corps gras ovalaires* (figure 11.3A). Si le lipide est du cholestérol, on peut observer en lumière polarisée un aspect en croix de Malte typique (figure 11.3B). S'il s'agit de triglycérides, il n'y a pas de polarisation à la lumière, mais on pourra colorer ces derniers avec le Soudan III. Les cylindres graisseux sont faits d'une matrice glycoprotéique sur laquelle se sont fixés des gouttelettes lipidiques et des corps gras ovalaires (figure 11.3C).

Cristaux

Des cristaux sont présents dans l'urine lorsqu'elle est sursaturée par une substance cristalline. Un pH fortement acide ou alcalin favorise la précipitation de cristalloïdes, dont la solubilité dépend en partie de la concentration en ions H^+ du milieu. Généralement, l'urine fraîchement émise ne contient pas de cristaux. Ceux-ci apparaissent lorsque l'urine a reposé quelque temps (30 min environ). La présence de cristaux dans les urines revêt une importance particulière lorsqu'il y a formation de calculs rénaux, avec certaines maladies métaboliques ou lorsqu'un patient reçoit un médicament capable de précipiter dans l'urine (l'acyclovir, par exemple). On peut séparer les cristaux en deux grandes catégories selon qu'ils se forment plus facilement en urine acide ou en urine alcaline.

Urine acide

Les cristaux que l'on rencontre le plus fréquemment dans une urine acide sont ceux d'acide urique, d'oxalate de calcium et d'urates amorphes. On rencontre à l'occasion des cristaux de cystine, de cholestérol ou de sulfamidés. Leur forme et leur coloration permettent à l'observateur expérimenté de connaître leur composition chimique. Ainsi, les cristaux de cystine parfaitement hexagonaux (figure 15.7) sont typiques, et leur présence diagnostique, de la cystinurie.

Urine alcaline

Les principaux cristaux observés dans des urines alcalines sont les triples phosphates (phosphates ammoniaco-magnésiens ou *struvite*), les phosphates amorphes, le carbonate de calcium, le phosphate de calcium et les urates d'ammonium. Chacun de ces cristaux a une apparence microscopique propre. Les triples phosphates, qui prennent l'aspect de prismes de trois à six côtés, ont fréquemment des extrémités tronquées en oblique. Ils sont d'intérêt particulier, parce que souvent associés à des infections urinaires chroniques pouvant entraîner la formation de calculs rénaux récidivants.

Microorganismes

Les microorganismes les plus fréquemment identifiés dans l'urine sont des bactéries. On rencontre surtout des bacilles, mais parfois des coques. Lorsque les bactéries ne sont pas accompagnées d'autres éléments figurés, il peut s'agir d'une contamination ou d'une bactériurie asymptomatique. L'association d'une bactériurie et d'une leucocyturie massive est fortement évocatrice d'une infection du tractus urinaire ou du rein.

D'autres microorganismes moins fréquents incluent *Enterobius vermicularis* (oxyure), *Trichomonas vaginalis* et *Schistosoma haematobium*. La recherche attentive de parasites dans l'urine d'un sujet qui revient d'une région endémique et qui présente une hématurie, par exemple, peut permettre un diagnostic précis et facile.

Mesures des osmolalités plasmatique et urinaire, et évaluation du pouvoir de concentration et de dilution des urines

L'osmolalité plasmatique ou urinaire se mesure directement à l'aide d'un appareil (osmomètre) qui peut quantifier l'abaissement du point de congélation du liquide à étudier par rapport à celui de l'eau pure. Le principe est que l'addition d'une osmole par kilogramme d'eau abaisse le point de congélation de la solution de 1,86 °C. Ce type d'appareil est le plus fréquemment utilisé en clinique, bien que d'autres méthodes existent, tels l'abaissement de la pression de vapeur ou l'élévation du point d'ébullition.

Outre cette mesure directe, l'osmolalité plasmatique peut aussi être estimée par l'équation suivante : osmolalité plasmatique calculée (mOsm/kg) = 2 × Na plasmatique (mmol/L) + glucose (mmol/L) + urée (mmol/L). Lorsque l'osmolalité mesurée est supérieure à l'osmolalité estimée d'au moins 10 mOsm/kg, on a un « trou (ou écart) osmolaire ». Celui-ci témoigne alors de la présence dans le plasma d'osmoles anormales, tel un alcool comme l'éthylène glycol ou le méthanol, à la suite d'une intoxication.

L'osmolalité urinaire est aussi mesurée à l'aide de l'osmomètre ; elle est plus rarement calculée à partir des principales osmoles urinaires (Na, K, urée). L'osmolalité urinaire varie de 50 à 100 mOsm/kg dans des situations de diurèse aqueuse abondante, comme en cas de surcharge hydrique ou de diabète insipide, à plus de 1100 mOsm/kg en état de déshydratation.

Le pouvoir de concentration des urines est surtout évalué en clinique chez des sujets montrant une osmolalité plasmatique élevée, ou ayant présenté un état de déshydratation ou une polyurie mal expliqués. Après s'être assuré que le patient n'est ni urémique ni diabétique (ce qui forcerait une diurèse osmotique par la présence abondante d'urée ou de glucose dans l'urine, respectivement), on le soumet à une période de restriction hydrique pouvant durer de 6 à 12 h. On mesure les osmolalités plasmatique et urinaire avant et après la période de déshydratation. Chez un sujet normal, l'osmolalité plasmatique ne devrait pas varier de façon appréciable (+ 2 à 5 mOsm/L) ; par contre, la diurèse devrait diminuer, et l'osmolalité urinaire devrait être très élevée (supérieure à 800 mOsm/L). Au contraire, chez un sujet atteint de diabète insipide, le volume urinaire baisse peu, l'osmolalité urinaire s'élève peu (< 300-400 mOsm/kg) et il n'est pas possible de pousser l'épreuve de déshydratation bien longtemps tant le patient est assoiffé. Chez des sujets particulièrement vulnérables (enfants et vieillards), on évite de faire un test prolongé à cause des dangers graves de déshydratation.

Si un diabète insipide central ou hypophysaire (déficit d'hormone antidiurétique) est soupçonné, l'administration de vasopressine ou d'un analogue (DDAVP), par voie intranasale ou intraveineuse, devrait permettre au rein de concentrer de façon maximale les urines et de corriger la polyurie. L'impossibilité d'obtenir cet effet chez un sujet polyurique plaide en faveur d'un diabète insipide néphrogénique dans lequel le tube collecteur est insensible à l'effet de l'hormone antidiurétique.

Mesure des électrolytes plasmatiques et urinaires

De façon courante, on mesure un plus grand nombre d'électrolytes dans le plasma que dans l'urine. Les principaux électrolytes mesurés dans le plasma (ou dans le sérum) sont le sodium, le potassium, le chlore, le bicarbonate, le calcium total et ionisé, le phosphore et le magnésium. Dans les urines, on mesure généralement le sodium, le potassium et le chlore. Les mesures sont réalisées soit à l'aide d'électrodes spécifiques, soit par méthode colorimétrique. En tout temps, la somme des charges anioniques est égale à la somme des charges cationiques, autant dans le plasma que dans l'urine. Cette notion est particulièrement utile dans le cas du plasma. Ainsi, dans un plasma normal, $Na^+ - (Cl^- + HCO_3^-) = 10$ mmol/L environ. Ce résultat, appelé le « trou (ou écart) anionique », représente la différence entre les anions non mesurés (phosphate⁻, sulfate⁻ et surtout l'albumine chargée négativement à pH physiologique) et les cations non mesurés (Ca^{++}, Mg^{++}). Si l'écart anionique est élevé, il faut soupçonner la présence d'un anion en concentration inhabituelle dans le plasma (le lactate⁻ ou l'anion d'un autre acide organique, par exemple), en général dans un contexte d'acidose métabolique (*voir chapitre 8*).

La mesure des électrolytes urinaires est particulièrement utile pour établir s'il y a fuite urinaire de ces ions, soit spontanément soit sous l'effet d'un diurétique. Normalement, le rein conserve bien le sodium, et l'excrétion du sodium urinaire reflète essentiellement l'apport exogène. Une natriurèse augmentée chez un sujet soumis à une diète restrictive en sodium indique à coup sûr une fuite rénale. On mesure la kaliurèse surtout lorsque l'on soupçonne une perte de potassium dans les urines, dans certaines tubulopathies, par exemple.

Les troubles de l'équilibre des principaux électrolytes sont traités aux chapitres 6 et 7.

Évaluation de l'équilibre acidobasique

L'organisme tend à maintenir le pH sanguin aux environs de 7,4 (7,35 à 7,45). Il y parvient grâce à l'interaction de divers tampons, par la régulation de la pression partielle du gaz carbonique dans le sang (PCO_2) par le poumon, ainsi que par la réabsorption des bicarbonates et la sécrétion d'ions H^+ par les tubules rénaux. On évalue l'équilibre acidobasique en effectuant des mesures, surtout dans le plasma, mais aussi à l'occasion dans les urines.

Les divers paramètres de l'équilibre acidobasique sont réunis dans l'équation d'Henderson-Hasselbalch :

$$pH = pK' + log\ \frac{[HCO_3]}{\alpha PCO_2} = 6,1 + log\ \frac{[HCO_3]}{0,03PCO_2}$$

où pK' est le pK du système bicarbonate-acide carbonique et α, la constante de dissociation du CO_2 dans le plasma.

Grâce à cette équation, la connaissance de deux des trois variables (pH, PCO_2 ou HCO_3) permet de calculer la troisième. Généralement, on mesure le pH à l'aide d'une électrode reliée à un pH-mètre qui donne directement la lecture de la concentration en ions H^+ en unités pH. La mesure de la PCO_2 se fait généralement sur du sang artériel ou capillaire. Des précautions doivent être prises pour que le CO_2 du sang ne se dilue pas au contact de bulles d'air. L'échantillon préférablement conservé sur de la glace doit être transféré dans une chambre hermétique pour effectuer l'analyse, généralement à l'aide d'une électrode potentiométrique. Connaissant le pH et la PCO_2, on peut facilement déduire les bicarbonates par calcul. Les perturbations de cette équation de Henderson-Hasselbalch permettront d'établir s'il y a acidose ou alcalose, métabolique ou respiratoire. Les détails de l'interprétation des gaz sanguins et la physiopathologie des troubles acidobasiques sont traités au chapitre 8.

On a moins souvent recours à l'analyse des urines qu'à celle du plasma pour évaluer l'équilibre acidobasique. On le fait surtout pour préciser l'origine rénale d'un problème métabolique. Les paramètres mesurés seront avant tout le pH (seul paramètre évalué de façon courante par bandelette réactive), mais parfois aussi les bicarbonates, l'acidité titrable et l'ammoniac urinaire. L'ammoniac et l'acidité titrable sont les deux moyens dont le rein dispose pour excréter des ions H^+. Le nombre total d'ions H^+ ainsi éliminés par jour est de l'ordre de 1mEq/kg/24 h, dont les deux tiers sous forme d'ammoniac (plus précisément d'ions ammonium : NH_4^+) et un tiers sous forme d'acidité titrable, c'est-à-dire d'ions H^+ associés à un radical d'acide fixe tels les phosphates et les sulfates. L'évaluation de l'excrétion d'acidité nette par l'organisme est résumée dans l'équation suivante : acidité nette excrétée = (NH_4^+ acidité titrable) – bicarbonates. L'inconvénient des mesures de toutes ces substances dans l'urine est que si l'on veut avoir un portrait exact de la situation, on doit mesurer la PCO_2, à partir de laquelle on calcule les bicarbonates. Comme le gaz carbonique a tendance à se dissiper dans l'air ambiant, il faut recueillir les urines sous huile. Ces dosages ne sont donc pas d'emploi courant.

LECTURES SUGGÉRÉES

Fauci A.S. et al. Harrison's Principles of Internal Medicine, 17e édition, McGraw-Hill, 2008.

Brenner, B. M. Brenner and Rector's The Kidney, 8e édition, Elsevier, 2007.

Gougoux, A. Approche pratique des patients avec désordres électrolytiques et acido-basiques, 5e édition, STA Communications, Montréal, 2005.

Graff, L. A. Handbook of Routine Urinalysis, J. B. Lipincott Company, Philadelphie, 1983.

Rose, B. D. et Post, T. W. Clinical Physiology of Acid-Base and Electrolyte Disorders, 5e édition, McGraw-Hill, 2001.

Chapitre 5

Méthodes d'exploration de l'appareil urinaire

MICHAEL McCORMACK, DANIEL PHARAND,
HUGUES WIDMER ET LUC VALIQUETTE

Cystographie isotopique
Tomographie par émission de positrons (TEP)

Endoscopies

Cystoscopie
Urétéroscopie
Néphroscopie
Laparoscopie

Évaluation urodynamique

Débitmétrie
Cystométrie
Profil urétral

Imagerie radiologique

Radiographie conventionnelle sans contraste

Cliché simple de l'abdomen

Le *cliché simple de l'abdomen* (figure 5.1) est une radiographie de l'abdomen qui doit inclure dans ses champs l'ensemble de l'abdomen, du diaphragme à la symphyse pubienne. Il permet d'évaluer le rachis dorsal et lombo-sacré, et aussi la distension des divers segments intestinaux. Il permet surtout de repérer les calculs urinaires opaques dans les reins, les uretères et la vessie. Environ 90 % des calculs urinaires sont radio-opaques. La possibilité d'une lithiase urinaire demeure une des principales indications du cliché simple de l'abdomen. Les anglophones utilisent l'acronyme KUB pour désigner cet examen (*K= Kidney, U= Ureter, B= Bladder*). Cet examen a l'avantage d'être facilement accessible et comporte peu de radiation en plus d'être peu coûteux. Par contre, la présence de gaz intestinaux et l'obésité peuvent rendre la détection de calculs difficile. De plus certains calculs ne sont pas radio-opaques (acide urique).

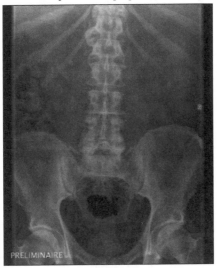

Figure 5.1 Cliché simple de l'abdomen. Plusieurs calcifications en regard de l'appareil urinaire

Radiographie conventionnelle avec contraste

Les substances de contraste

Propriétés chimiques

Les substances de contraste utilisées par voie intravasculaire lors des examens radiologiques sont essentiellement hydrosolubles, éliminées par filtration glomérulaire à plus de 98 % et de poids moléculaire suffisamment élevé pour être radio-opaques. Il en existe deux types : les produits de contraste ioniques, qui sont hyperosmolaires, et les produits non ioniques qui le sont beaucoup moins. Théoriquement, il est beaucoup plus avantageux d'utiliser les substances non ioniques puisqu'elles sont moins allergènes et moins toxiques. Malheureusement, leur coût élevé en limite l'utilisation aux sujets susceptibles de présenter une réaction indésirable aux produits de contraste iodés (*voir ci-dessous*).

Effets secondaires

Il en existe deux types : les réactions allergiques et les réactions dites toxiques.

Les réactions allergiques ou anaphylactoïdes aux produits de contraste sont peu fréquentes et, dans plus de 95 % des cas, il s'agit de réactions légères (éruption cutanée) ou modérées (urticaire généralisée, bronchospasme léger), généralement sans conséquence. Rarement il peut s'agir de réactions graves tels un œdème de la glotte ou un choc anaphylactique. En pratique, même si le risque de décéder d'une telle complication est très faible (inférieur à 1/50 000), il est impératif d'évaluer la susceptibilité des patients aux allergies. En présence d'un sujet qui présente un risque élevé (antécédents d'asthme, d'allergie alimentaire, d'allergie à l'iode), il est possible d'administrer une combinaison de stéroïdes et d'antihistaminiques la veille de l'examen dans le but de minimiser les risques de réaction allergique. Il est important de comprendre que l'expression largement répandue d'une «allergie à l'iode» implique en fait une réaction aux produits de contraste et non pas une allergie à l'iode directement.

Outre leurs propriétés allergéniques, les produits de contraste ont aussi une certaine néphrotoxicité. L'insuffisance rénale aiguë après injection de produits de contraste est une complication bien connue ; elle peut être transitoire ou permanente et son incidence, probablement inférieure à 5 %, peut augmenter de façon substantielle, notamment chez les malades souffrant d'une insuffisance rénale préexistante, les malades atteints de myélome multiple et chez les diabétiques. Il est donc impératif de connaître la fonction rénale du malade avant de procéder à une injection de produit de contraste, puisqu'une hydratation préalable abondante, l'utilisation de produits de contraste non ioniques, et l'administration préventive de bicarbonate de sodium ou de N acétylcystéine peuvent diminuer substantiellement le risque d'insuffisance rénale. Il est cependant contre-indiqué de procéder à l'injection des produits de contraste chez un patient souffrant d'insuffisance rénale modérée ou grave, puisqu'il existe alors un risque très important de détérioration irréversible de la fonction rénale, et ce, malgré une pré-hydratation et l'utilisation de substances non ioniques. De plus, en présence d'une insuffisance rénale grave, la filtration glomérulaire est tellement réduite qu'elle ne permet pas d'excréter le produit de contraste, de sorte que l'examen devient inutile en plus d'être risqué. Il est à noter qu'il existe une relation effet-dose entre la quantité de produit de contraste injectée et l'importance de la toxicité. Il donc impératif de toujours utiliser la plus faible dose possible.

Urographie intraveineuse

L'urographie intraveineuse (UIV) (figure 5.2), parfois aussi appelée pyélographie endoveineuse (PEV), peut être définie comme une série de clichés de l'abdomen que l'on effectue à intervalles de temps standardisés après injection intraveineuse d'un produit de contraste filtré par les reins. Il est à noter que l'UIV est un examen de moins en moins utilisé. En effet, l'uroscan (*voir plus loin*) est maintenant utilisé, car il permet de détecter les calculs sans recourir à l'injection de produits de contraste.

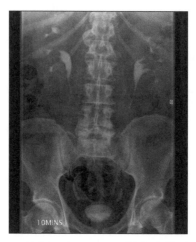

Figure 5.2 Urographie intraveineuse : sur ce cliché pris 10 minutes après l'injection intraveineuse de produit de contraste, on confirme la localisation rénale et urétérale de certaines calcifications. On note de plus une ectasie de l'uretère droit en amont d'un calcul.

Réalisation et interprétation de l'UIV

Après avoir interrogé le patient sur ses allergies et évalué sa fonction rénale, un cliché simple de l'abdomen est effectué, puis on procède à une injection intraveineuse de 1 à 2 mL/kg de produit de contraste. Au cours des trois premières minutes, plusieurs clichés centrés sur les reins sont réalisés : c'est la phase néphrographique. Ces clichés permettent de visualiser le parenchyme rénal dans le but d'obtenir des informations sur le volume des reins, leur emplacement et leur présence uni- ou bilatérale. Il est également possible de bien observer le contour des reins et de détecter la présence éventuelle d'une masse rénale. La non-visualisation d'un rein pendant cette phase peut indiquer que le patient n'a qu'un rein ou que le rein muet ne fonctionne pas, en raison, par exemple, d'une thrombose de l'artère rénale ou d'une obstruction urétérale très importante. La deuxième phase de l'UIV est pyélocalicielle et urétérale : c'est le moment où le produit de contraste, filtré par les glomérules, passe du parenchyme aux cavités excrétrices. Elle débute de deux à cinq minutes après l'injection et permet de bien observer l'anatomie des voies excrétrices supérieures (calices, bassinet, uretère). On peut ainsi évaluer leur symétrie, déterminer s'il y a distension des cavités, blocage, présence de calculs ou d'une tumeur de l'appareil urinaire supérieur (AUS). À propos des calculs, il est à noter que ceux d'acide urique ne sont pas opaques aux rayons X et donc invisibles sur les clichés simples. On pourra toutefois y penser en présence d'un obstacle et d'une image lacunaire à l'UIV. L'échographie est alors utilisée pour confirmer leur présence. La majorité des calculs (de calcium, de struvite, de cystine) sont toutefois opaques aux rayons X.

Les principales indications de l'UIV sont l'hématurie, la possibilité d'un obstacle urétéral et la colique néphrétique. L'UIV permet de déterminer la présence, la localisation et le degré d'une obstruction et souvent sa cause. En plus des contre-indications déjà mentionnées (insuffisance rénale et allergie aux produits de contraste), il est habituellement contre-indiqué de procéder à une UIV chez les femmes enceintes; en effet, l'irradiation est potentiellement tératogène. Le risque augmente avec la quantité d'irradiation utilisée et est particulièrement important durant le premier trimestre. On retiendra donc qu'il est impératif d'évaluer la susceptibilité aux allergies, de connaître la fonction rénale et finalement de procéder à un test de grossesse chez toute femme en âge de procréer, avant de procéder à une UIV.

L'UIV permet donc d'évaluer de façon dynamique et physiologique l'AUS. L'évaluation du parenchyme rénal demeure un point faible de cette technique. Souvent, les petites tumeurs du parenchyme ne sont pas visibles.

Urétrographie

L'*urétrographie* est une radiographie de l'urètre obtenue après y avoir injecté un produit de contraste (au moyen d'une sonde urinaire ou non). Elle permet une évaluation du calibre, de la longueur et de la perméabilité de l'urètre. Ses principales indications sont l'appréciation de l'intégrité de l'urètre à la suite d'un traumatisme et l'évaluation préopératoire des sténoses urétrales. Chez la femme, la principale indication est la recherche d'un diverticule urétral.

Cystographie radiologique

Cet examen consiste à radiographier la vessie après l'avoir remplie de produits de contraste à l'aide d'une sonde vésicale (figure 5.3). On peut ainsi évaluer le volume, l'intégrité et le contour de la vessie. Les deux principales indications de la *cystographie* sont l'évaluation de l'intégrité vésicale après un traumatisme et la recherche d'un reflux vésico-urétéral, généralement attribuable à une malformation de la jonction urétéro-vésicale ; on parle alors d'une cystographie mictionnelle.

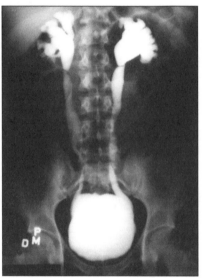

Figure 5.3 Cystographie radiologique : sur ce cliché pris durant la phase mictionnelle, on observe une vessie déformée et un reflux vésico-urétéral bilatéral.

Pyélographie rétrograde (pyélo-urétérographie rétrograde)

Cet examen consiste à injecter un produit de contraste, après avoir canulé avec un cathéter urétéral un ou les deux orifices urétéraux, au moyen d'un cystoscope inséré dans la vessie (figure 5.4). Il permet de visualiser l'AUS uni- ou bilatéralement. La *pyélographie rétrograde* exige dans la majorité des cas une forme d'anesthésie ou de sédation et utilise une bonne dose de radiation. Elle permet d'établir la localisation et la cause des obstructions urétérales et également de mieux définir la nature des images de soustraction (défauts de remplissage) détectées lors des UIV. Par contre, la pyélographie rétrograde ne donne aucune information sur la fonction rénale, contrairement à l'UIV. Ses principales indications sont l'évaluation du siège et de la cause d'un obstacle urétéral, l'évaluation de traumatisme urétéral, l'évaluation d'une image de soustraction découverte au cours de l'UIV ou d'un pyéloscan et, en général, l'évaluation de l'uretère et des cavités rénales lorsque l'UIV est contre-indiquée. Il est contre-indiqué de procéder à une pyélographie rétrograde en présence d'une infection urinaire non traitée, étant donné les risques de septicémie secondaire aux manipulations. De plus, la grossesse constitue habituellement une contre-indication, compte tenu de la radiation utilisée lors de cet examen.

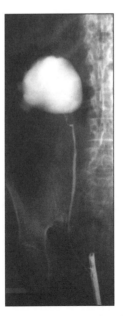

Figure 5.4 Pyélographie rétrograde : par injection rétrograde de produit de contraste, on a pu mettre en évidence une sténose de la jonction pyélo-urétérale chez ce patient ayant un rein peu visible à l'urographie intraveineuse.

Pyélographie antégrade (pyélo-urétérographie antégrade)

Cet examen consiste à ponctionner le système collecteur (calices et bassinet) du rein à l'aide d'une aiguille introduite à travers la peau en direction du rein et à y injecter directement un produit de contraste. Il est possible de pratiquer cet examen sous anesthésie locale. Les indications de la *pyélographie antégrade* sont les mêmes que celles de la pyélographie rétrograde. On utilise cette technique effractive principalement lorsqu'il est techniquement impossible de procéder à une pyélographie rétrograde. On peut également l'utiliser pour installer un tube afin de désobstruer un rein (tube de *néphrostomie*), pour placer un drain urétéral (sonde urétérale double-J) de façon antégrade, ou pour procéder à l'exérèse de calculs rénaux (chirurgie percutanée pour lithiase). Elle est contre-indiquée chez les patients souffrant d'une dyscrasie sanguine prédisposant au saignement et chez les sujets anticoagulés.

Artériographie

L'*artériographie* (figure 5.5) consiste à opacifier les artères en y injectant un produit de contraste. Sa principale indication est l'évaluation de l'anatomie artérielle du rein à la recherche d'une sténose de l'artère rénale (dans certains cas d'hypertension artérielle) ou d'une fistule artérioveineuse (hématurie macroscopique inexpliquée, traumatisme rénal). Une autre indication occasionnelle est l'évaluation de la vascularisation du rein avant une chirurgie pour tumeur rénale. Par exemple, chez un patient porteur d'une tumeur sur rein unique, il est important de déterminer l'anatomie vasculaire afin d'évaluer la possibilité d'une néphrectomie partielle qui évitera l'insuffisance rénale et la dialyse. Les complications liées à l'artériographie sont le saignement, l'hématome ou la thrombose au siège de la ponction et l'embolisation artérielle accidentelle. La mise au point des techniques angiographiques moins effectives (angio-*scan* ou angio-RMN) font que l'artériographie est de plus en plus réservée à des fins thérapeutiques (embolisation de lésions traumatiques, de fistules artérioveineuses ou de tumeurs) plutôt que diagnostiques.

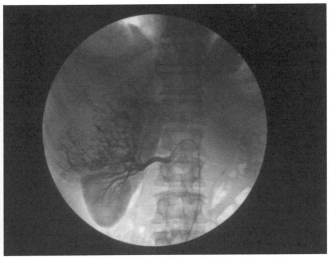

Figure 5.5 Artériographie rénale : par injection de produit de contraste directement dans l'artère rénale, on observe une masse très vascularisée au pôle supérieur du rein droit.

Échographie

L'*échographie* (figure 5.6 A, B, C et D) est une technique simple qui ne requiert ni injection ni ponction, n'utilise aucune substance de contraste, n'exige aucune préparation et n'émet aucune radiation toxique. Aucun effet secondaire n'est associé à cette technique. L'appareil utilisé a la propriété d'émettre des ultrasons et de recueillir les échos réfléchis par les structures qu'ils frappent. En fonction du nombre d'échos recueillis et du temps qui s'écoule entre l'émission et le recueil des échos, il est possible de reproduire une image (échographie). L'eau, les tissus graisseux et les os n'absorbent pas et ne réfléchissent pas les ondes de la même façon. Ainsi, en plus d'offrir des images anatomiques, l'échographie permet également de déterminer la composition des structures identifiées (solides, kystiques ou graisseuses). Les indications de l'échographie sont multiples et on ne retiendra ici que les principales.

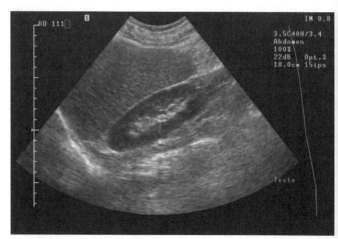

Figure 5.6A Image échographique d'un rein normal avec une bonne visualisation du contour cortical et de la médullaire

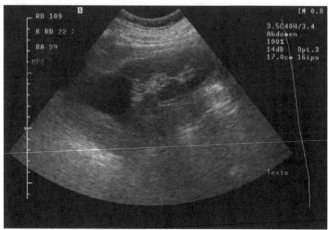

Figure 5.6B Sur ce cliché échographique, on observe un kyste rénal.

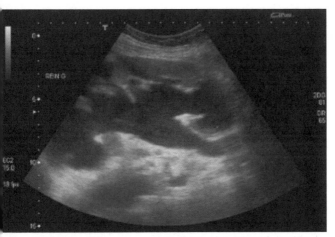

Figure 5.6C Image échographique d'une dilatation importante du bassinet, des calices et de l'uretère proximal

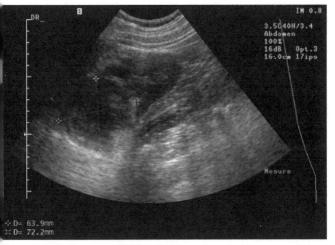

Figure 5.6D On reconnaît ici la moitié d'un rein normal, l'autre moitié étant complètement déformée par une masse solide.

Échographie rénale

Pour ce qui est des reins, l'échographie permet d'évaluer leur présence (uni- ou bilatérale), leur emplacement, leur volume. Elle précise la présence d'une masse (et sa nature kystique ou solide) de même que son degré d'extension. L'hématurie et la recherche d'une tumeur rénale sont donc les principales indications de l'échographie. En présence d'une tumeur rénale, l'échographie permet de déterminer la présence et l'extension d'un thrombus néoplasique dans la veine rénale ou dans la veine cave inférieure. On peut aussi, pendant la même séance, examiner le foie à la recherche de métastases hépatiques.

En ce qui concerne les uretères et les cavités excrétrices, l'échographie permet de déterminer s'il y a une dilatation des cavités (*hydronéphrose*) souvent causée par un obstacle urétéral, le plus souvent un calcul. Certains calculs ne sont pas visibles sur les radiographies simples, mais tous bloquent le passage des ultrasons et sont visibles en échographie. Par contre, les calculs de petit calibre (moins de 5 mm) et les calculs de l'uretère distal peuvent être difficiles à détecter par l'échographie, particulièrement chez les patients obèses.

Échographie prostatique

Dans le cas de la prostate, l'échographie permet d'évaluer le volume, la présence de nodules, de kystes, d'abcès et de calculs. La principale indication de l'échographie prostatique est de permettre à la personne qui fait l'échographie de faire des biopsies dans les 6 sextants de la prostate pour avoir un échantillonnage le plus fiable possible.

Échographie testiculaire

En ce qui a trait aux testicules, l'échographie permet d'en préciser le volume et de déterminer la présence et la nature solide ou kystique d'une masse. On peut aussi évaluer le degré de perfusion vasculaire du testicule, ce qui est très utile si l'on soupçonne une torsion testiculaire. Les masses scrotales et les orchialgies constituent les principales indications de l'échographie scrotale.

Échographie vésicale

Certaines pathologies peuvent être visualisées incluant les lithiases, les tumeurs vésicales et certaines malformations incluant les diverticules et les urétérocèles. Il demeure qu'une échographie normale n'élimine pas la présence de tumeurs vésicales car elles sont souvent petites et non détectables par l'échographie. Cet examen peut aussi mesurer le résidu postmictionnel. Le terme «BladderScan» est souvent utilisé en clinique pour décrire la mesure du volume vésical. En fait, le terme «BladderScan» est le nom d'un instrument commercial portable destiné à la mesure du volume de la vessie et ne devrait pas être utilisé.

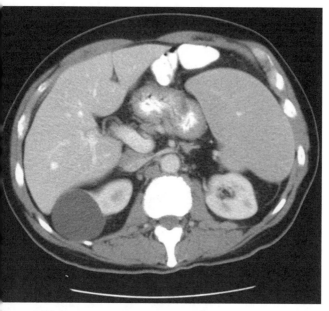

Figure 5.7A Tomodensitométrie: présence d'un gros kyste simple au niveau du rein D

Tomodensitométrie

CT-scan
Angioscan
Uroscan
Pyéloscan

La tomodensitométrie (figure 5.7) fait appel au même type de radiation que la radiographie classique, mais à plus forte dose. Il s'agit d'un procédé complexe que l'on peut résumer ainsi : en balayant une section du corps à l'aide de multiples petits faisceaux, le balayage étant couplé non pas à des pellicules photographiques mais à un récepteur lui-même relié à un ordinateur, il est possible d'obtenir des images en coupes transversales. L'image est reproduite sur une échelle de gris, allant du blanc au noir. À l'aide de l'ordinateur, il est possible de déterminer la densité tissulaire à partir des tons de gris. Ainsi, non seulement la tomodensitométrie offre-t-elle des images anatomiques très précises, mais elle permet aussi de déterminer la composition des structures que l'on observe (kyste, tumeur graisseuse ou néoplasique). La tomodensitométrie permet d'évaluer de façon précise les cavités abdominale, pelvienne et le rétro-péritonéale. Ses principales indications en urologie sont l'évaluation de masses rénales, surrénaliennes et pelviennes, de même que celles du rétropéritoine, telles que les adénopathies.

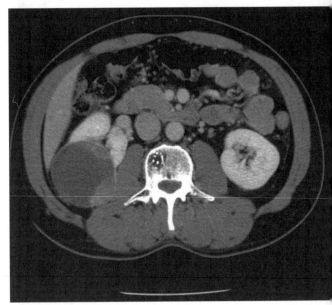

Figure 5.7B Tomodensitométrie : présence d'un kyste complexe à conten solide au niveau du rein D. Cette présentation est en faveur d'une lésion néopla sique. Le rein G est normal.

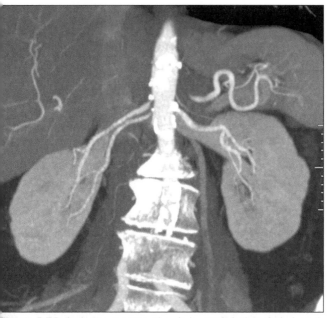

Figure 5.7C Angioscan : reconstruction de la vascularisation rénale à partir d'images obtenues par tomodensitométrie

Outre le fait qu'il est possible de déterminer la nature des lésions visualisées, il est également possible de déterminer leur extension à distance et par rapport aux organes adjacents (processus localisé ou métastatique). Il est généralement recommandé de procéder à une tomodensitométrie avant de procéder à l'exérèse d'une tumeur de l'appareil urinaire, afin de déterminer la présence éventuelle de métastases. Les appareils de tomodensitométrie les plus récents permettent aussi de reconstruire des images anatomiques, tant en coupes sagittales que coronales.

Angioscan

L'angioscan (figure 5.7C) est un examen qui permet la visualisation des vaisseaux sanguins (veines ou artères). Grâce à l'arrivée d'appareils de tomodensitométrie à multiples détecteurs (multi-barrette) et la mise au point de cartes graphiques à trois dimensions, il est maintenant possible d'obtenir des images de grande définition de l'anatomie vasculaire (angio-*scan*) et de réaliser ainsi une angiographie de façon peu invasive. Les contre-indications de la tomodensitométrie rénale sont les mêmes que celles de l'UIV, puisque les deux examens utilisent les produits de contraste et la radiation.

Uroscan

L'uroscan est un examen tomodensitométrique sans injection de produits de contraste dédié à la recherche des calculs urinaires. En effet, la presque totalité des calculs urinaires sont radio denses et sont facilement visualisés. Un désavantage de cet examen est la dose de radiation pour le patient en comparaison avec la plaque simple de l'abdomen. Pour minimiser la dose de radiation, la résolution de l'image ainsi que le nombre de coupes d'imagerie sont restreints au minimum. En plus, cet examen permet de détecter d'autres pathologies non-urologiques (diverticulite, appendicite), contrairement à la PSA ou l'UIV.

Pyéloscan

Le pyéloscan est un examen tomodensitométrique avec injection de produits de contraste. Cet examen permet l'opacification des voies urinaires d'une façon comparable à l'UIV et de bien visualiser le parenchyme rénal. Cet examen est particulièrement utile pour l'investigation de l'hématurie (surtout macroscopique) et pour la détection de tumeurs transitionnelles de l'arbre urinaire supérieur.

Imagerie par résonance magnétique (IRM) et angio-IRM

Lorsqu'un patient est placé dans un champ magnétique de forte puissance, les atomes d'hydrogène mobiles ont tendance à orienter leurs pôles magnétiques le long de l'axe nord-sud du champ magnétique ainsi créé. Ce changement d'orientation produit un signal radio qui est ensuite capté et traduit en images. Les tissus peuvent donner des signaux très distincts, permettant de poser des diagnostics très précis. En somme, la résonance magnétique (figure 5.8) n'est qu'un immense champ magnétique couplé à des récepteurs radio reliés à un ordinateur. Ce type d'imagerie médicale permet aussi de reproduire des images anatomiques tant en coupes sagittales que coronales. Contrairement à la tomodensitométrie, l'*imagerie par résonance magnétique* (IRM) n'utilise aucune radiation. Elle peut donc être utilisée en toute sécurité chez la femme enceinte. Par contre, on comprendra que la présence d'un corps étranger métallique (clips chirurgicaux, stimulateur cardiaque, etc.) peut constituer une contre-indication à cet examen. Les indications de procéder à une IRM dans l'évaluation de l'appareil urinaire sont plutôt restreintes, car elle n'apporte pas beaucoup plus d'information que la tomodensitométrie. L'évaluation des masses surrénaliennes et de la perméabilité de la veine cave inférieure en constituent les deux principales indications. On l'utilise aussi pour aider à caractériser certaines lésions rénales et pour préciser l'origine d'une masse quand celle-ci pourrait provenir de deux organes adjacents. La mise au point d'appareils à résonance magnétique plus puissants permet également d'obtenir des images de l'anatomie vasculaire de grande qualité (angio-IRM ou angio-résonance), très utiles dans le diagnostic des sténoses des artères rénales (*voir chapitre 18*).

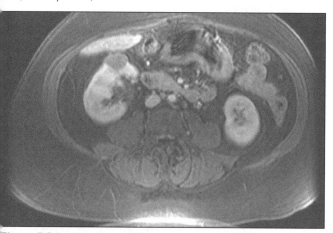

Figure 5.8 La résonance magnétique permet de bien visualiser les reins et le rétropéritoine. Ici, on note une lésion solide exophytique au niveau du rein droit.

Les principaux inconvénients de la résonance magnétique sont le temps d'exécution de l'examen, le coût et le peu de disponibilité de ces appareils en dehors des grands centres. Il faut aussi faire attention quand on l'utilise chez des patients souffrants d'insuffisance rénale si on injecte du gadolinium. En effet, le gadolinium peut alors s'accumuler dans les tissus mous et causer une toxicité appelée « fibrose systémique néphrogénique ».

Imagerie en médecine nucléaire

Les scintigraphies sont des examens effectués au laboratoire de médecine nucléaire. Le procédé consiste à utiliser un produit radioactif (le radiotraceur) fixé sur une molécule (le vecteur) qui, une fois injectée, sera distribuée dans l'organisme. À l'aide de scinti-caméras, on peut suivre le radiotraceur couplé à son vecteur et obtenir des images d'une ou plusieurs parties du corps selon le vecteur utilisé. La scintigraphie ne permet pas d'obtenir des images anatomiques aussi précises que la radiographie classique. Par contre, elle offre des images fonctionnelles nettement plus intéressantes que les autres méthodes d'imagerie, en plus d'utiliser 100 fois moins de radiation. Les vecteurs et les radiotraceurs utilisés dépendent de l'organe à étudier et des caractéristiques que l'on veut définir.

Scintigraphie rénale

La *scintigraphie rénale* (figure 5.9A et B) est un examen fréquemment utilisé pour évaluer le débit de filtration glomérulaire, le débit plasmatique rénal, la vidange urinaire pyélo-urétérale et son importance en cas d'obstruction, la fonction tubulaire et la présence ou non d'une infection rénale.

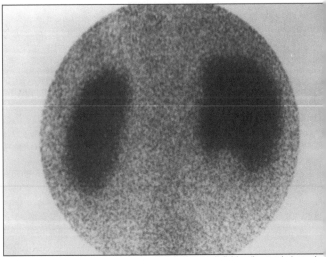

Figure 5.9A Scintigraphie rénale: cliché obtenu à l'aide d'une scinti-caméra. Accumulation de radiotraceur dans le rein droit (enregistrement réalisé en postérieur).

Les combinaisons traceur-vecteur les plus souvent utilisées pour les scintigraphies rénales sont
– le 99mTcDMSA (acide dimercaptosuccinique) pour évaluer la fonction tubulaire ;
– le 99mTcDTPA (acide diéthylène-triamine pentacétique) pour évaluer la filtration glomérulaire et l'obstruction pyélo-urétérale ;
– le 99mTcMAG 3 (mercaptoacétyltriglycine) pour l'évaluation de l'obstruction pyélo-urétérale.

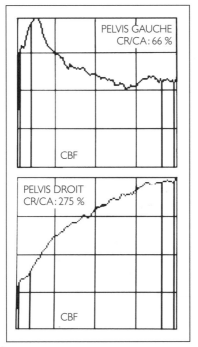

Figure 5.9B À l'aide de courbes, on peut quantifier la vidange de chaque rein. On note ici une vidange rapide à gauche et un retard de vidange à droite.

Scintigraphie osseuse

Cet examen permet d'évaluer la présence de métastases osseuses de toute origine. Ainsi, dans l'évaluation de la majorité des processus néoplasiques de l'appareil urinaire (rein, uretère, vessie et surtout prostate), la *scintigraphie osseuse* est souvent utilisée. Elle est plus sensible que les examens radiologiques pour détecter des métastases osseuses, parfois plusieurs mois avant qu'elles ne soient visibles à la radiographie classique.

Scintigraphie testiculaire

La scintigraphie testiculaire permet de déterminer le degré de perfusion testiculaire. Il est ainsi possible d'établir la cause des douleurs testiculaires aiguës, surtout en vue de distinguer une épididymite aiguë d'une torsion testiculaire. Dans le cas d'une infection, la perfusion se trouve augmentée à la scintigraphie, alors que dans le cas de la torsion testiculaire, la perfusion est grandement diminuée ou totalement supprimée. L'échographie testiculaire couplée au doppler a, à toutes fins pratiques, remplacé la scintigraphie testiculaire.

Cystographie isotopique

La cystographie isotopique est souvent utilisée en pédiatrie chez les patients suivis pour un reflux vésico-urétéral. Une fois le reflux évalué à l'aide d'une cystographie radiologique classique, on peut faire le suivi périodique à l'aide de scintigraphies mictionnelles en médecine nucléaire. L'injection d'un radiotraceur dans la vessie et la miction devant une scinti-caméra, permettent d'évaluer la présence ou l'absence de reflux en utilisant beaucoup moins de radiation que la cystographie radiologique.

Tomographie par émission de positrons (TEP)

La *tomographie par émission de positrons* (TEP) est une technique d'imagerie de la médecine nucléaire qui permet une mesure *in vivo* très précise du métabolisme cellulaire. Elle se distingue par l'utilisation d'atomes radioactifs de petite taille tels le carbone (^{11}C), l'oxygène (^{15}O), l'azote (^{13}N) et le fluor (^{18}F). Ces atomes sont des émetteurs de positrons. Le positron est une particule analogue à l'électron, mais chargée positivement et provenant du noyau de l'atome. Il est considéré comme l'anti-particule de l'électron. Lorsque le noyau émet un positron, ce dernier parcourt une courte distance dans le tissu humain et fait collision avec un électron d'un autre atome. Lorsque ces deux anti-particules se rencontrent, leurs masses disparaissent (annihilation) et l'énergie est dissipée en deux photons de 511 keV. Ces 2 rayonnements sont émis à 180° l'un de l'autre et sont détectés par le tomographe TEP. À la limite, n'importe quelle molécule de l'organisme humain peut être marquée par un atome émetteur de positron et son métabolisme étudié avec le tomographe TEP.

Les images corporelles créées par TEP dépendent donc de la nature de la molécule utilisée. La substance la plus fréquemment utilisée en TEP actuellement est un analogue du glucose sur lequel est fixé un atome de fluor-18, qui se nomme le ^{18}F-fluoro-désoxy-glucose ou FDG. Cette molécule permet d'étudier le métabolisme cérébral (qui consomme beaucoup de glucose) ainsi que divers types de tumeurs.

En urologie, on utilise la caméra TEP pour la détection des cancers ou des récidives après traitement. L'utilisation du FDG permet en particulier de localiser les récidives des néoplasies testiculaires lorsqu'il y a élévation des marqueurs sériques en l'absence de lésion clinique ou radiologique. Le FDG est très performant pour différencier les adénomes surrénaliens des métastases surrénaliennes. Le FDG peut aussi aider à évaluer l'étendue des néoplasies du rein et les récidives à distance. De nouvelles molécules sont à l'étude pour l'évaluation avant traitement et pour le suivi des cancers prostatiques.

Endoscopies

Cystoscopie (ou urétrocystoscopie)

Le *cystoscope* est constitué d'une tige rigide ou flexible de 4 à 8 mm de diamètre. Cette tige est couplée à une lentille ou à des fibres optiques que l'on connecte à une source lumineuse de forte intensité et le plus souvent à un moniteur ou un écran LCD. En introduisant le cystoscope dans l'urètre sous vision directe jusque dans la vessie, il est possible d'obtenir des images anatomiques extrêmement précises de l'appareil urinaire inférieur (AUI) dans son ensemble.

La cystoscopie, réalisée sous anesthésie locale, permet donc d'évaluer l'AUI. Ses principales indications sont l'hématurie, la recherche d'une obstruction urétrale, le dépistage et le suivi des tumeurs vésicales. Il est également possible de procéder à des interventions à l'aide du cystoscope.

Chirurgie à l'aide du cystoscope

L'*exérèse de tumeurs vésicales et prostatiques et de calculs vésicaux*, de même que l'*incision d'une sténose urétrale* constituent les principales applications de cette technique. Ces interventions sont effectuées sous anesthésie générale ou régionale. De plus, c'est à l'aide de la cystoscopie que l'on canule les orifices urétraux pour pratiquer une pyélographie rétrograde. La principale contre-indication de la cystoscopie est la présence d'une infection urinaire active étant donné les risques de septicémie à la suite de telles manipulations. Il est donc impératif de procéder à une culture des urines avant cet examen et de traiter l'infection le cas échéant.

Urétéroscopie

L'*urétéroscope* est un endoscope d'environ 3 à 5 mm de diamètre et d'environ 60 cm de longueur qui permet de visualiser l'AUS. En l'introduisant dans la vessie par l'urètre, il est possible de repérer les orifices urétraux et de progresser dans l'uretère jusqu'au rein. Contrairement à la cystoscopie, l'urétéroscopie doit être réalisée sous anesthésie générale ou régionale.

Ses principales indications sont l'évaluation d'une image de soustraction découverte à l'UIV ou au pyéloscan, la présence d'une hématurie latéralisée dans l'AUS, l'exérèse d'un calcul urétéral, une cytologie urinaire anormale en présence d'une vessie normale et, enfin, la découverte d'un rétrécissement urétéral au cours d'une imagerie urologique. La principale contre-indication de l'urétéroscopie est la présence d'une infection urinaire active pour les mêmes raisons que dans le cas de la cystoscopie.

Néphroscopie

La *néphroscopie* fait appel à des instruments optiques semblables à l'urétéroscopie et à de la cystoscopie, mais contrairement aux techniques précédentes, elle s'effectue de façon antégrade au moyen d'une ponction percutanée (*néphrostomie*) jusqu'aux cavités rénales. Cette ponction percutanée se fait généralement sous guidage échographique ou fluoroscopique. La néphroscopie est généralement pratiquée sous anesthésie générale. On l'utilise dans le traitement des calculs rénaux, pyéliques et parfois urétéraux. Très rarement, on utilise cette voie d'abord pour évaluer une image de soustraction de l'AUS ou le traitement d'un cancer transitionnel de l'AUS. Des problèmes d'hémostase et une infection urinaire active constituent les deux principales contre-indications de la néphroscopie.

Laparoscopie

La *laparoscopie* consiste à visualiser l'intérieur de la cavité abdominale en y introduisant un *laparoscope* (endoscope pour laparoscopie) par une petite incision de 1 cm, après avoir insufflé du CO_2. Cet examen s'effectue toujours sous anesthésie générale. La recherche d'un testicule manquant ou ectopique, le prélèvement de ganglions pelviens en présence d'une néoplasie prostatique ou vésicale et la biopsie d'une masse pelvienne ou rétropéritonéale constituent les principales indications de la laparoscopie diagnostique. Il est également possible de procéder par laparoscopie à plusieurs interventions urologiques, en particulier la surrénalectomie, la néphrectomie totale ou partielle, la pyéloplastie et la prostatectomie radicale. Une dyscrasie sanguine et la présence de multiples adhérences intestinales, comme on en trouve chez des malades ayant déjà été opérés ou ayant déjà souffert d'une péritonite, sont les principales contre-indications à la laparoscopie. En effet, en présence d'adhérences intestinales, il devient impossible de gonfler la cavité abdominale et d'y introduire les instruments de façon sécuritaire.

Évaluation urodynamique

L'*évaluation urodynamique* consiste en un ensemble de techniques permettant l'étude des paramètres physiologiques et pathologiques des phases de remplissage et de vidange de la vessie. Les principales indications de l'évaluation urodynamique sont le prostatisme, l'incontinence urinaire et les vessies neurogènes. Les trois examens les plus fréquemment utilisés sont la débitmétrie, la cystométrie et le profil urétral. Lorsque ces examens sont réalisés de façon synchrone, on parle de *bilan* ou d'*étude urodynamique complète* (figure 5.10).

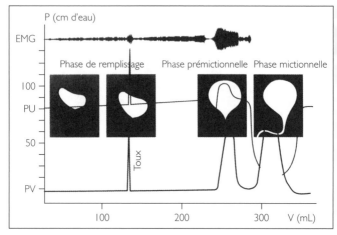

Figure 5.10 Bilan urodynamique complet: enregistrement synchrone de l'EMG du sphincter strié urétral, de la pression urétrale et de la pression vésicale. La débitmétrie accompagne habituellement cet enregistrement.

Débitmétrie

La *débitmétrie* (figure 5.11) consiste à mesurer le volume d'urine vidangée par unité de temps (mL/s). Cet examen consiste tout simplement à faire uriner le patient dans un bac relié à des capteurs informatisés et à obtenir un tracé. La débitmétrie est un examen simple qui permet d'objectiver la miction, mais ne permet pas de différencier un obstacle infravésical d'une atonie vésicale.

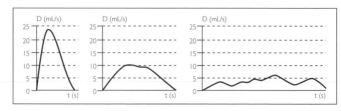

Figure 5.11 Quelques courbes de débitmétrie: de gauche à droite, débit normal, dysurie modérée, dysurie importante

Cystométrie

La *cystométrie* (ou *cystomanométrie*) permet d'étudier la vessie durant ses phases de remplissage et de vidange en enregistrant les pressions vésicales pendant le cycle mictionnel (figure 5.12). On réalise cet examen à l'aide d'une sonde à canaux multiples que l'on introduit dans la vessie. Il est ainsi possible de déterminer la capacité, la sensibilité et la contractilité vésicales. Normalement, la vessie peut se remplir à pleine capacité (environ 300 à 700 mL) sans que l'on note d'augmentation substantielle de pression. On retiendra, à titre indicatif, qu'en présence d'une vessie neurogène hyperactive (*voir chapitre 14*) non seulement la capacité vésicale est diminuée, mais en plus on note l'apparition de contractions vésicales involontaires pendant le remplissage vésical. On retiendra également qu'une vessie acontractile peut accumuler une grande quantité d'urine sans apparition de contractions vésicales. La cystométrie permet d'objectiver les contractions vésicales (volontaires ou involontaires) et l'atonie vésicale.

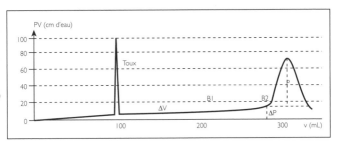

Figure 5.12 Cystométrie : durant la phase de remplissage, on obtient des données sur la capacité vésicale, la sensation vésicale, la compliance et l'activité vésicale. Durant la phase de vidange, on obtient des renseignements sur la contraction vésicale.

Profil urétral

Le *profil urétral* permet d'évaluer le tonus de l'urètre et son fonctionnement. On pratique cet examen à l'aide d'un cathéter intra-urétral permettant d'enregistrer les pressions. Il est particulièrement utile dans certains cas d'incontinence urinaire et dans certains troubles mictionnels comme la dyssynergie vésico-sphinctérienne (*voir chapitre 14*). Il est réalisé au repos ou à l'effort. L'évaluation du fonctionnement de l'urètre peut aussi inclure la mesure de la pression de fuite, c'est-à-dire la pression intravésicale au moment où survient une fuite d'urine.

LECTURES SUGGÉRÉES

Urologie, Collège universitaire des enseignants d'urologie, 4e édition, 364 p., 2010.

Walsh, P. et al. *Campbell-Walsh Urology*, 9e édition, W.B. Saunders Company, Philadelphie, 2007.

Chapitre 6

Troubles de l'équilibre de l'eau et du sodium

André Gougoux, Robert Charbonneau et
Daniel Bichet

La natrémie, ou concentration de sodium dans le plasma, se situe normalement autour de 140 mEq/L (ou 140 mmol/L). Cette valeur n'indique qu'un rapport entre la quantité de sodium d'environ 2000 mEq dans le compartiment extracellulaire et le volume de celui-ci, qui représente approximativement 20 % de la masse corporelle ou 14 L chez un individu de 70 kg. La natrémie diminue s'il y a perte de sodium ou gain d'eau dans le liquide extracellulaire, tandis qu'elle augmente s'il y a gain de sodium ou perte d'eau.

L'osmolarité plasmatique se situe normalement autour de 290 milliosmoles/litre (mOsm/L). Elle dépasse de peu le double de la natrémie, parce que le sodium et les anions qui l'accompagnent constituent la presque totalité des particules contribuant à l'osmolarité plasmatique. La concentration normale du glucose et de l'urée est voisine de 5 mmol/L. On calcule donc l'osmolarité plasmatique en utilisant la formule suivante : osmolarité plasmatique = (natrémie x 2) + glucose + urée.

À cause de la diffusion libre de l'eau selon le gradient osmotique à travers la membrane cellulaire semi-perméable, l'osmolarité intracellulaire est toujours égale à l'osmolarité plasmatique ou extracellulaire. On retrouve la même osmolarité dans tous les liquides corporels à l'exception de la sueur, dont l'osmolarité est voisine du tiers de celle du plasma, et de l'urine qui varie de l'hypertonie (jusqu'à 1200 mOsm/L) à l'hypotonie (jusqu'à 50 mOsm/L).

Bilan sodique et volume du liquide extracellulaire

Le bilan sodique détermine le volume du liquide extracellulaire (LEC), parce que le sodium ne peut être ni ingéré ni excrété seul sans des quantités proportionnelles d'eau et qu'il constitue avec les anions (surtout le chlore) qui l'accompagnent, la très grande majorité des particules dans le LEC. Le contenu en sodium et le volume du LEC varient de façon parallèle afin de maintenir constante l'osmolarité du liquide extracellulaire (tableau 6.1).

Tableau 6.1

Signification des bilans sodique et hydrique

Bilan sodique	Volume extracellulaire
Normal	Normal
Positif	Expansion
Négatif	Contraction
Bilan hydrique	**Natrémie**
Normal	Normale
Positif	Hyponatrémie
Négatif	Hypernatrémie

Volume extracellulaire normal

Si l'ingestion et l'absorption digestive de sodium sont égales à son excrétion urinaire (valeur moyenne de 150 mEq/24 h), le bilan en sodium est équilibré et le volume du LEC demeure normal, représentant environ 20 % de la masse corporelle ou 14 L chez un adulte de 70 kg. Normalement, le volume du LEC ne varie pas malgré l'ingestion de quantités minimes ou importantes de sodium (jusqu'à plusieurs centaines de mEq/24 h), puisque cette ingestion de sodium s'accompagne d'un changement proportionnel de son excrétion urinaire.

Expansion du volume extracellulaire

Si l'ingestion de sodium dépasse son excrétion urinaire, le bilan sodique devient positif et le volume du LEC est en expansion. Cette expansion, produite par la rétention d'eau et de sel, se manifeste cliniquement par de l'œdème lorsqu'elle atteint trois ou quatre litres.

Contraction du volume extracellulaire

Si l'excrétion de sodium dépasse son ingestion, le bilan en sodium devient négatif et le volume du LEC est contracté. Cette contraction des volumes plasmatique et extracellulaire, résultant de la déplétion d'eau et de sel, diminue la pression artérielle, un phénomène observé d'abord en position debout (hypotension orthostatique).

Bilan hydrique et natrémie

Le bilan hydrique détermine la natrémie et l'osmolarité des liquides corporels, car l'eau peut être ingérée ou excrétée seule sans des quantités proportionnelles de sodium.

Natrémie normale

Si l'ingestion et l'absorption digestive d'eau sont égales à son excrétion urinaire (valeur moyenne 1,5 L/24 h ou 1 mL/min), le bilan hydrique, la natrémie et l'osmolarité plasmatique demeurent normaux. Ces trois paramètres ne sont pas modifiés si l'ingestion de quantités plus grandes (jusqu'à 10 à 15 L/24 h) ou plus faibles (jusqu'à 400 mL/24 h) d'eau s'accompagne d'un changement proportionnel du débit urinaire.

Hyponatrémie

Si l'ingestion d'eau dépasse son excrétion urinaire, le bilan hydrique devient positif, et la rétention d'eau diminue la natrémie et l'osmolarité plasmatique par dilution des liquides corporels. Une hyponatrémie est caractérisée par une concentration plasmatique de sodium inférieure à 135 mEq/L. Il s'agit de l'anomalie électrolytique la plus fréquente chez les malades hospitalisés.

Hypernatrémie

Si l'excrétion dépasse l'ingestion d'eau, le bilan hydrique devient négatif, et le manque d'eau augmente la natrémie et l'osmolarité plasmatique par contraction des liquides corporels. Une hypernatrémie est présente lorsque la concentration plasmatique de sodium dépasse 145 mEq/L.

Causes des hyponatrémies

Physiopathologie de la rétention d'eau

L'hyponatrémie s'accompagne habituellement d'une diminution proportionnelle de l'osmolarité plasmatique et reflète toujours un surplus d'eau par rapport à la quantité de sodium présente dans le compartiment extracellulaire.

Il est rare qu'une hyponatrémie résulte simplement d'un apport hydrique dépassant la capacité maximale des reins (environ 10 mL/min) à excréter une charge d'eau. Trois voies différentes permettent un tel apport exagéré en eau : 1) l'ingestion d'un verre d'eau (180 mL) toutes les 5 minutes chez un polydipsique dans un contexte de tentative suicidaire, de délire religieux ou de psychose ; 2) l'administration intraveineuse de dextrose 5 % dans l'eau durant la période postopératoire immédiate ou en même temps que de l'ocytocine pour l'induction du travail avant l'accouchement ; 3) l'absorption de quantités considérables de liquide hypotonique d'irrigation durant une résection transurétrale trop laborieuse de la prostate. Parfois, la quantité d'eau ingérée est moindre, mais l'excrétion urinaire d'osmoles (électrolytes et urée) est tellement faible qu'elle ne permet pas l'excrétion de toute l'eau ingérée : par exemple, la personne âgée qui ne consomme que quelques tranches de pain rôties (les glucides ne produisant pas d'urée) avec beaucoup de thé ou le grand buveur de bière qui ingère peu de protéines et de sel.

Une diminution de la capacité des reins à excréter normalement une charge d'eau est beaucoup plus souvent responsable d'une hyponatrémie. Dans le tubule proximal, la réabsorption d'eau et de sel est stimulée par la contraction du volume plasmatique et de celui du liquide extracellulaire (LEC) qui résulte d'une perte de sodium et d'eau. Une diminution du volume plasmatique « efficace » en présence d'œdème et d'une expansion du volume du LEC produit le même résultat. Dans le tubule distal et collecteur, la réabsorption d'eau est stimulée par un excès de vasopressine ou hormone antidiurétique (ADH), observé lors d'une contraction volémique importante (sécrétion appropriée d'ADH) ou dans le syndrome de sécrétion inappropriée d'ADH (SIADH).

En clinique, il est très important de toujours évaluer si un patient hyponatrémique présente de l'œdème (hyponatrémie avec expansion importante du volume du LEC) ou non (hyponatrémie avec expansion légère du volume du LEC dans le SIADH) ou au contraire des signes cliniques évidents de contraction du volume du LEC (hyponatrémie par perte de sodium) (tableau 6.2).

Hyponatrémie avec expansion importante du LEC (œdème)

Dans les états cliniques se manifestant par de l'œdème, comme l'insuffisance cardiaque congestive et la cirrhose hépatique, la baisse

---

Tableau 6.2

Causes des hyponatrémies

Avec expansion importante du LEC (œdème)
   Insuffisance cardiaque
   Cirrhose hépatique
   Insuffisance rénale

Avec expansion légère du LEC (SIADH)
   Maladies du SNC
   Épithélioma bronchique
   Médicaments
   Postopératoire

Avec contraction volémique
   Perte rénale : diurétiques
   Perte digestive
   «Troisième espace»

---

du volume plasmatique «efficace», celui qui est détecté par les reins, augmente considérablement la réabsorption proximale. La capacité rénale à excréter une charge d'eau et de sel est donc nettement réduite. Une contraction du volume plasmatique «efficace» stimule également la sécrétion d'ADH et la réabsorption d'eau dans le tubule distal et collecteur. L'insuffisance rénale aiguë ou chronique, avec sa chute marquée du débit de filtration glomérulaire, diminue aussi l'excrétion rénale d'eau et de sel. Lorsqu'une hyponatrémie accompagne une expansion importante du volume du LEC, les bilans hydrique et sodique sont toujours tous deux très positifs, le bilan hydrique l'étant encore plus que le bilan sodique.

Hyponatrémie avec expansion légère du LEC (SIADH)

Dans la SIADH, l'expansion de trois à quatre litres du volume du LEC est trop modeste pour se manifester cliniquement par de l'œdème. La rétention d'eau résultant de sa réabsorption augmentée par l'ADH dans le tubule distal et collecteur, entraîne une expansion hypotonique modérée qui, elle, augmente l'excrétion urinaire de sodium en diminuant sa réabsorption proximale. La rétention d'eau et la perte rénale de sodium contribuent donc toutes les deux à la genèse de l'hyponatrémie dans la SIADH.

On peut observer une SIADH dans un grand nombre d'états cliniques. D'abord, puisque l'ADH est produite par la neurohypophyse, toute atteinte de cette région du système nerveux central (SNC) peut produire une SIADH, que cette atteinte soit traumatique, chirurgicale, vasculaire, inflammatoire ou néoplasique. L'épithélioma bronchique à petites cellules est la cause classique de SIADH. On observe aussi ce syndrome avec d'autres maladies pulmonaires et plusieurs autres tumeurs malignes.

L'administration de vasopressine (ou de ses analogues) dans le traitement du diabète insipide ou la perfusion d'ocytocine dans le but de provoquer l'accouchement peuvent évidemment reproduire le syndrome si la quantité d'eau libre administrée est importante. De plus, plusieurs médicaments augmentent la libération de vasopressine ou son activité au tubule rénal : la carbamazépine, la morphine, la vincristine et certains psychotropes. Enfin, dans la période postopératoire immédiate, plusieurs facteurs contribuent à augmenter la libération ou l'activité de la vasopressine : le stress, l'anesthésie, la chirurgie, les nausées, la douleur et certains analgésiques. Il faut donc éviter les solutés hypotoniques (dextrose 5 % dans l'eau ou dans un demi-salin) durant la chirurgie et en période postopératoire.

Hyponatrémie avec contraction volémique

Certains malades ne présentent ni œdème ni ascite, mais plutôt des signes cliniques, comme l'hypotension orthostatique, reflétant une contraction importante du volume du LEC. Lorsqu'une hyponatrémie accompagne une contraction volémique, les bilans hydrique et sodique sont toujours tous deux négatifs, mais la perte de sodium dépasse la perte d'eau. Dans cette hyponatrémie avec contraction volémique, la perte de chlorure de sodium ne survient jamais seule, mais toujours accompagnée d'une perte proportionnelle d'eau. Le patient demeure donc normonatrémique tant qu'il n'y a pas ingestion ou administration d'eau. Toutefois, il devient hyponatrémique lorsque la perte d'eau et de sel est compensée seulement par de l'eau ou par d'autres liquides hypotoniques.

La perte de sodium est d'origine rénale lorsque la concentration urinaire de sodium dépasse 10 à 20 mmol/L. Une telle situation résulte surtout de l'emploi de diurétiques et moins souvent de tubulopathies avec perte de sel ou d'une insuffisance surrénalienne. L'hyponatrémie secondaire aux diurétiques est surtout observée avec les thiazides qui diminuent la capacité des reins à excréter l'eau libre.

La perte de sodium est extrarénale lorsque la concentration urinaire de sodium est inférieure à 10 à 20 mmol/L. Cette perte peut être d'origine digestive haute ou basse ; elle est rarement cutanée (s'il y a perte de quantités considérables de sueur). Elle peut aussi résulter du passage et de la séquestration du LEC dans un « troisième espace ». La cavité abdominale dans une péritonite, l'intestin dilaté dans un iléus ou la peau chez les grands brûlés constituent des exemples de « troisième espace ».

Hyponatrémie sans hypoosmolarité

Dans deux situations, une diminution proportionnelle de l'osmolarité plasmatique n'accompagne pas l'hyponatrémie. D'abord, une hyperosmolarité plasmatique accompagne une hyponatrémie lorsqu'il y a accumulation, dans la phase extracellulaire, de glucose ou de mannitol. Le glucose s'accumule en cas de manque d'insuline dans le diabète sucré déséquilibré, tandis que le mannitol, administré à des fins thérapeutiques, s'accumule lorsqu'il n'est pas excrété par les reins. Ces deux solutés ainsi retenus dans la phase extracellulaire déplacent l'eau hors des cellules et diluent ainsi le sodium dans le compartiment extracellulaire. Par exemple, la natrémie diminue de 3 mEq/L chaque fois que la glycémie augmente de 10 mmol/L. Par ailleurs, l'osmolarité plasmatique est normale malgré une hyponatrémie lorsqu'une hyperlipémie ou une hyperprotéinémie considérable diminue la fraction d'eau dans le plasma. Cette pseudohyponatrémie est une situation très rare qui ne requiert aucun traitement, puisque la concentration de sodium dans l'eau plasmatique demeure normale.

Causes des hypernatrémies

L'hypernatrémie résulte le plus souvent d'une perte d'eau avec contraction des volumes liquidiens de l'organisme. En présence d'une hypernatrémie, il faut d'abord observer le volume et la teinte pâle ou foncée de l'urine, ou, d'une façon plus précise, sa densité ou son osmolarité. Ces deux caractéristiques de l'urine permettent en effet de différencier l'une de l'autre les deux principales causes d'hypernatrémie par perte d'eau. Un faible volume d'urine (oligurie) foncée et concentrée reflète une diminution de l'ingestion d'eau, tandis qu'un fort volume d'urine (polyurie) pâle et diluée témoigne d'une augmentation de l'excrétion rénale d'eau (tableau 6.3).

Tableau 6.3

Causes des hypernatrémies

Diminution de l'ingestion d'eau
Augmentation de l'excrétion rénale d'eau
    Diabète insipide hypophysaire ou néphrogénique
    Diurèse osmotique : glucose, urée, mannitol

Diminution de l'ingestion d'eau

Lorsque l'ingestion d'eau est faible, les pertes liquidiennes continuent par les reins, la peau et les voies respiratoires. Une sécrétion accrue de vasopressine diminue le volume urinaire jusqu'à 0,3 mL/min et concentre l'urine jusqu'à 1200 mOsm/L. Une ingestion insuffisante d'eau se rencontre dans diverses situations cliniques. D'abord, l'eau peut ne pas être disponible, dans le désert, par exemple. Le sujet peut être incapable de boire, parce qu'il est comateux, confus ou restreint physiquement, une situation fréquente chez les sujets âgés ou handicapés. Enfin, la soif peut être diminuée dans le syndrome du «dérèglement de l'osmostat» (centre osmorégulateur) qui accompagne certaines affections neurologiques telles que l'hydrocéphalie, les néoplasies cérébrales et les traumatismes crâniens.

Augmentation de l'excrétion rénale d'eau

Le diabète insipide hypophysaire ou néphrogénique et la diurèse osmotique sont les deux principaux états caractérisés par une polyurie. Dans le diabète insipide hypophysaire, une lésion du SNC (traumatique, chirurgicale, vasculaire, inflammatoire ou néoplasique) empêche la synthèse ou la libération de vasopressine. L'urine est alors très diluée, sa densité et son osmolarité pouvant atteindre des valeurs aussi basses que 1,001 et 50 mOsm/L. L'administration de vasopressine exogène concentre de façon marquée l'urine et réduit la diurèse.

    Par ailleurs, un potomane inhibe physiologiquement sa production de vasopressine et excrète par conséquent une grande quantité d'urine très diluée. La natrémie et l'osmolarité plasmatique permettent de distinguer facilement le diabète insipide de la potomanie. Tandis que la perte d'eau et la contraction des liquides corporels élèvent ces paramètres chez le malade souffrant d'un diabète insipide, le surplus d'eau et la dilution des liquides corporels les abaissent chez le potomane.

Dans le diabète insipide néphrogénique, congénital ou acquis (lithium, déméclocycline, néphropathies avec atteinte médullaire), le tubule rénal est moins sensible que normalement à la vasopressine endogène ou exogène.

Une diurèse osmotique résulte de l'excrétion urinaire augmentée d'osmoles telles que le glucose (accompagnant l'hyperglycémie du diabète sucré), l'urée (lors d'un gavage fait de protéines métabolisées en urée) ou le mannitol (diurétique osmotique). L'osmolarité urinaire est alors autour de 400 mOsm/L et la concentration urinaire de chlorure de sodium, autour de 75 mEq/L.

Il est beaucoup plus rare qu'une hypernatrémie résulte d'un gain de sodium, que ce soit par hypercorticosurrénalisme ou par l'administration intraveineuse de solution saline hypertonique (chlorure ou bicarbonate de sodium). Une expansion du volume du LEC caractérise alors cette hypernatrémie.

Signes et symptômes neurologiques de l'hyponatrémie

Même si l'hyponatrémie hypoosmolaire entraîne un gonflement de toutes les cellules de l'organisme, les signes et les symptômes sont surtout neurologiques, parce que le cerveau est emprisonné dans une boîte crânienne rigide. Une encéphalopathie métabolique résulte du gonflement osmotique du tissu cérébral (œdème cérébral) et d'une augmentation de la pression intracrânienne. La gravité de cette encéphalopathie est en corrélation avec la baisse de la natrémie, mais surtout avec la rapidité avec laquelle elle s'installe. Une hyponatrémie chronique est le plus souvent asymptomatique. Au contraire, dans le cas d'une hyponatrémie aiguë, on observe une altération progressive de l'état de conscience jusqu'au coma, des convulsions et divers signes et symptômes psychiques (irritabilité, délire, psychose).

Signes et symptômes neurologiques de l'hypernatrémie

Même si l'hypernatrémie par déplacement osmotique de l'eau intracellulaire à travers la membrane cellulaire diminue le volume de toutes les cellules de l'organisme, les symptômes sont, comme pour l'hyponatrémie, surtout neurologiques. La contraction du volume des neurones cérébraux produit une encéphalopathie métabolique dont la gravité est en corrélation avec la hausse de la natrémie, mais surtout avec la rapidité avec laquelle elle s'installe. On observe une altération progressive de l'état de conscience allant jusqu'au coma, des convulsions et divers signes et symptômes psychiques dont l'irritabilité, les hallucinations et le délire. Avec une hausse très rapide de la natrémie observée surtout chez le jeune enfant, la contraction brusque du volume du cerveau peut déchirer les vaisseaux méningés et entraîner des hémorragies cérébrales qui peuvent menacer la vie du malade. Une élévation, même modeste, de la natrémie et de l'osmolarité plasmatique entraîne une soif intense chez le malade conscient dont le mécanisme de la soif est intact.

Traitement de l'hyponatrémie

D'abord, les signes et les symptômes neurologiques sont plus importants que la natrémie. Ainsi, une hyponatrémie profonde et chronique chez un sujet asymptomatique ne nécessite pas le traitement énergique d'une hyponatrémie moins marquée, mais symptomatique. Il faut toujours préciser le type d'hyponatrémie avant de traiter, puisque le traitement est très différent d'un type à l'autre. Par exemple, on doit diminuer les apports en sodium et en eau chez le malade œdématié mais, au contraire, administrer du sel et de l'eau au malade présentant une contraction volémique (tableau 6.4).

Tableau 6.4
Traitement de l'hyponatrémie

Avec expansion importante du LEC (œdème)
  Restriction hydrosodée
  Furosémide

Avec expansion légère du LEC (SIADH)   Restriction hydrique
Avec contraction volémique   Soluté salin isotonique

Hyponatrémie avec expansion importante du LEC (œdème)

Chez les patients œdémateux, le sodium corporel total est toujours très élevé, malgré la présence d'une hyponatrémie, et l'eau corporelle totale l'est encore plus. Il faut donc corriger progressivement les bilans hydrique et sodique, tous deux très positifs. Le traitement doit toujours inclure une restriction hydrosodée modérée et le recours aux diurétiques. En pratique, on oublie souvent de limiter l'ingestion d'eau à environ 1000 à 1200 mL par jour et de diminuer modérément l'ingestion de chlorure de sodium (régime sans salière ni aliments contenant beaucoup de sel). D'autre part, des doses adéquates de furosémide permettent d'augmenter l'excrétion urinaire d'eau et de chlorure de sodium. Il ne faut pas tenter de corriger l'hyponatrémie par du sérum salin isotonique ou hypertonique, puisque cette manœuvre ne fait qu'accroître davantage l'expansion, déjà considérable, du volume du LEC.

Hyponatrémie avec expansion légère du LEC (SIADH)

Il faut d'abord éliminer si possible la cause sous-jacente, par exemple en enlevant chirurgicalement un épithélioma bronchique ou en cessant l'administration d'un médicament responsable de la libération ou de la potentialisation de la vasopressine. Une restriction hydrique modérée, entre 800 et 1000 mL/24 h, demeure la façon la plus simple et la plus efficace de corriger l'hyponatrémie accompagnant une SIADH. En effet, un excès d'ADH ne peut pas produire une rétention d'eau et une hyponatrémie en l'absence d'ingestion d'eau. Il faut toutefois s'assurer qu'un apport adéquat de sodium permet de remplacer les pertes urinaires de cet électrolyte.

Si un malade souffrant d'hyponatrémie aiguë est comateux ou présente des convulsions, on lui administre prudemment un soluté salin hypertonique (NaCl 3 %). Afin de prévenir un œdème aigu du poumon chez un patient dont le volume du LEC est déjà en expansion, on peut ajouter de petites doses de furosémide. Lorsque l'hyponatrémie est chronique, on peut administrer simultanément de petites doses de furosémide, un diurétique de l'anse qui diminue la concentration des urines, et du chlorure de sodium et de potassium. Si le patient ne respecte pas la restriction hydrique, deux médicaments permettent d'inhiber l'effet de la vasopressine sur le tubule rénal : la déméclocycline, une tétracycline, ou le tolvaptan, un antagoniste du récepteur de la vasopressine.

Hyponatrémie avec contraction volémique

On corrige cette hyponatrémie par l'administration intraveineuse d'un soluté salin isotonique (NaCl 0,9 %) à la vitesse de 100 à 125 mL/h. On cesse le soluté lorsque la natrémie et le volume du LEC sont revenus à la normale. Toutefois, si le malade est très hypotendu ou en état de choc, on administre le soluté aussi rapidement que possible en surveillant les paramètres hémodynamiques.

Précautions en cas d'hyponatrémie chronique

Lorsque l'hyponatrémie est chronique, il ne faut pas la corriger plus rapidement qu'à raison de 8 mEq/L/jour afin d'éviter une perte trop rapide d'eau par les neurones cérébraux. La démyélinisation osmotique des neurones de la protubérance qui résulte d'une correction trop rapide, la myélinolyse pontique, entraîne des séquelles neurologiques dévastatrices allant jusqu'à la quadriparésie flasque ou spastique.

Traitement de l'hypernatrémie

Le traitement doit d'abord être étiologique. Par exemple, on administre de la vasopressine ou l'un de ses analogues (DDAVP) lorsqu'un diabète insipide hypophysaire résulte de la destruction ou de l'exérèse chirurgicale de l'hypophyse.

Apport d'eau

Il faut corriger le déficit en eau par l'ingestion d'eau ou par l'administration intraveineuse de dextrose (glucose) 5 % dans l'eau. Lorsqu'on calcule la quantité d'eau nécessaire à la correction d'une hypernatrémie, il faut considérer la perte dans l'eau corporelle totale, soit 60 % du poids corporel, et non pas seulement celle du compartiment extracellulaire. Par exemple, un malade de 70 kg a, avant la perte d'eau, 42 L de liquides corporels. Si la natrémie augmente de 140 à 154 mEq/L, on multiplie la hausse de 10 % par le volume de 42 L d'eau corporelle totale. Le patient doit donc recevoir, durant une période d'au moins 24 h, environ 4 L d'eau ou de dextrose 5 % dans l'eau. À cette quantité, il faut ajouter les pertes hydriques prévues durant cette période de 24 heures.

Lorsque l'hypernatrémie résulte d'une diurèse osmotique avec sa concentration urinaire de chlorure de sodium autour de

75 mEq/L, l'administration d'un soluté demi-salin (NaCl 0,45 %) remplace de façon appropriée les pertes hypotoniques d'eau et de sel. D'autre part, si la contraction volémique est assez grave pour abaisser la pression artérielle, il faut d'abord, avant de traiter l'hypernatrémie, corriger en partie cette contraction par l'administration d'un soluté normal salin (NaCl 0,9 %) qui demeure dans le compartiment extracellulaire.

Précautions

Lorsque l'hypernatrémie est chronique, ce qui est souvent le cas chez le patient incapable de boire adéquatement, il ne faut jamais la corriger à une vitesse dépassant 0,5 mEq/L/h afin de prévenir un œdème cérébral et une hypertension intracrânienne résultant du déplacement osmotique de l'eau vers les neurones cérébraux. Lorsqu'on administre du dextrose 5 % dans l'eau, la vitesse du soluté ne doit pas dépasser 300 mL/h afin que la quantité de glucose administrée (15 g/h) ne soit pas supérieure à la capacité totale de l'organisme d'un patient alité à le métaboliser. Sinon, l'apport d'une trop grande quantité de glucose entraîne une hyperglycémie grave, résistante à l'administration d'insuline.

LECTURES SUGGÉRÉES

Adrogue, H. J. et Madias, N. E. « Hyponatremia », *New Engl J Med*, 2000 ; 342 : 1581-1589.

Berl, T. *et al.* « Oral tolvaptan is safe and effective in chronic hyponatremia », *J Am Soc Nephrol*, 2010 ; 21 : 705-712.

Bichet, D. G. « Polyuria and diabetes insipidus », dans Alpern, R. J. et Hebert, S. C. *The Kidney : Physiology and Pathophysiology*, Academic Press Elsevier, Amsterdam, 2008.

Ellison, D. H. et Berl, T. « The syndrome of inappropriate antidiuresis », *N Engl J Med*, 2007 ; 356 : 2064-2072.

Gougoux, A. et Bichet, D. G. « Control of extracellular fluid volume », dans Jacobson, H. R. *et al. The Principles and Practice of Nephrology*, Mosby Year Book, St. Louis, 1995.

Kamel, K. S. et Halperin, M. L. « Managing overly rapid correction of chronic hyponatremia : an ounce of prevention or a pound of cure ? », *J Am Soc Nephrol*, 2010 ; 21 : 2015-2016.

Sterns, R. H. et Silver, S. M. « Hyponatremia », dans Alpern, R. J. et Hebert, S. C. *The Kidney : Physiology and Pathophysiology*, Academic Press Elsevier, Amsterdam, 2008.

Verbalis, J. *et al.* « Hyponatremia treatment guidelines 2007 : expert panel recommendations », *Am J Med,* 2007 ; 120 : S1-S21.

Chapitre 7

Troubles de l'équilibre du potassium

ANDRÉ GOUGOUX ET TEWFIK NAWAR

Signes et symptômes de l'hyperkaliémie

Cardiaques

Neuro-musculaires

Traitement de l'hypokaliémie

Indications

Risques

Prévention

Traitement de l'hyperkaliémie

Arrêt du potassium et des diurétiques épargnant le potassium

Entrée du potassium dans la cellule

Excrétion du potassium

Calcium

La kaliémie, ou concentration plasmatique de potassium, est normalement voisine de 4 mEq/L (ou 4 mmol/L). Cette concentration de potassium dans le liquide extracellulaire est maintenue à l'intérieur des limites physiologiques par l'équilibre des deux bilans, externe et interne, de potassium. D'une part, le bilan potassique externe règle la quantité totale de potassium dans l'organisme. Normalement, la quantité de potassium amenée de l'extérieur dans le liquide extracellulaire est égale à l'excrétion définitive de cet électrolyte par l'organisme. D'autre part, le bilan interne du potassium reflète sa distribution entre les liquides extracellulaire et intracellulaire. L'entrée du potassium dans la cellule doit demeurer égale à sa sortie vers le liquide extracellulaire.

Bilan externe du potassium : potassium corporel total

Ce bilan est maintenu normal lorsque l'ingestion et l'absorption digestives quotidiennes d'environ 100 mEq de potassium (présent surtout dans les fruits et légumes) sont égales à son excrétion, en grande partie rénale. L'excrétion dans les selles et la sueur équivaut à moins de 10 % du potassium ingéré dans les aliments. Normalement, le bilan potassique externe est voisin de zéro, de sorte que la quantité totale de potassium dans l'organisme ne varie pas. Lorsque l'ingestion quotidienne de potassium change considérablement, les reins n'adaptent que lentement leur excrétion urinaire de potassium, et non pas immédiatement comme c'est le cas pour l'eau et le sodium.

Bilan interne du potassium : distribution dans l'organisme

La quasi-totalité du potassium corporel (plus de 98 %) se retrouve à l'intérieur du compartiment intracellulaire, tandis que le liquide extracellulaire en contient moins de 2 %. Ce potassium intracellulaire est surtout localisé dans les cellules musculaires striées, lisses et cardiaques. La concentration de potassium est voisine de 120 mEq/L dans le liquide intracellulaire qui en contient au total plus de 3000 mEq. Par contre, le liquide extracellulaire n'en contient que 60 mEq, soit le produit d'un volume de 15 L par une concentration de 4 mEq/L.

Il faut souligner que la quantité de potassium présente dans le compartiment extracellulaire est plus faible que celle qui est absorbée et excrétée chaque jour de la phase extracellulaire. Après un repas, l'insuline stimule l'activité de la Na-K-ATPase et permet à la majeure partie du potassium absorbé de pénétrer temporairement dans le liquide intracellulaire, ce qui permet de prévenir une hyperkaliémie potentiellement fatale.

La concentration élevée de potassium dans le compartiment intracellulaire (Ki) est essentielle au fonctionnement de la cellule. Cette concentration est environ 30 fois plus grande que la valeur mesurée dans le plasma et le liquide extracellulaire (Ke). Le rapport Ki/Ke, autour de 30, lorsqu'on l'incorpore dans l'équation de Nernst, permet de calculer un potentiel de membrane au repos voisin de −90 millivolts. Lorsque ce potentiel négatif à l'intérieur de la cellule est modifié par un potentiel d'action, il y a excitation et conduction nerveuses, et contraction des cellules musculaires striées, lisses et cardiaques.

La répartition normale du potassium extracellulaire et intracellulaire résulte de l'équilibre entre l'entrée active du potassium dans la cellule et sa diffusion passive hors de celle-ci. Le transport actif du potassium dans la cellule dépend de l'activité de la Na-K-ATPase, une enzyme membranaire stimulée par l'aldostérone, les catécholamines (ou les agonistes bêta-adrénergiques) et l'insuline.

Déséquilibres du bilan potassique

Une hypokaliémie ou une hyperkaliémie survient lorsque l'équilibre est rompu entre l'ingestion et l'excrétion de potassium (bilan externe) ou lorsque sa distribution est perturbée entre les phases extracellulaire et intracellulaire (bilan interne).

Bilan externe

La kaliémie dépend d'abord du bilan externe de potassium, c'est-à-dire de la différence entre l'apport de potassium et son excrétion. Ce bilan devient positif ou négatif lorsque l'excrétion urinaire du potassium diffère nettement de son ingestion et de son absorption. Quand l'ingestion de potassium dépasse son excrétion rénale, le bilan potassique positif qui en résulte peut engendrer rapidement une hyperkaliémie mortelle. Au contraire, quand l'ingestion de potassium est moindre que son excrétion urinaire, le bilan potassique négatif produit une hypokaliémie.

Bilan interne

Trois autres facteurs peuvent modifier la kaliémie en changeant le bilan interne de potassium ou sa distribution entre les phases extracellulaire et intracellulaire : une destruction cellulaire, l'acidose et l'alcalose métaboliques et l'action de diverses hormones. En fait, le passage d'un compartiment à l'autre de seulement 1 % du potassium corporel total modifie considérablement la kaliémie.

Diminution de la kaliémie

Une hypokaliémie se déclare lorsque la concentration plasmatique de potassium est inférieure à 3,5 mEq/L. Trois mécanismes peuvent engendrer une hypokaliémie : 1) une diminution de l'apport de potassium à l'organisme, 2) une augmentation de l'excrétion digestive ou rénale du potassium, 3) une redistribution du potassium du liquide extracellulaire vers le compartiment intracellulaire, sans changement du potassium corporel total. L'augmentation de l'excrétion urinaire du potassium demeure cependant le mécanisme le plus fréquent.

Augmentation de la kaliémie

L'hyperkaliémie est définie par une concentration plasmatique de potassium dépassant 5,0 mEq/L. L'hyperkaliémie peut résulter de trois mécanismes : 1) une augmentation de l'apport externe de potassium, 2) une diminution de l'excrétion rénale de potassium, 3) un passage du potassium du compartiment intracellulaire vers la phase extracellulaire. Une diminution de l'excrétion urinaire de potassium est toutefois le mécanisme le plus fréquent.

Causes des hypokaliémies

À cause de l'utilisation très répandue des diurétiques, l'hypokaliémie est probablement l'anomalie électrolytique la plus fréquente en clinique (tableau 7.1).

Tableau 7.1	
Causes de l'hypokaliémie	
Apport réduit en potassium	
Excrétion accrue de potassium	
Digestive :	Vomissements
	Diarrhée
Rénale :	Diurétiques
	Hyperaldostéronisme
	Acidocétose diabétique
	Acidose tubulaire rénale
	Médicaments
Entrée de potassium dans la cellule	
Alcalose	
Aldostérone, catécholamines, insuline	

Apport réduit en potassium

Parce que les reins s'adaptent lentement et de façon incomplète aux variations de l'ingestion de potassium, les pertes urinaires de potassium continuent, même en l'absence d'ingestion de potassium. Ainsi, on observe toujours une hypokaliémie et un bilan potassique externe négatif quand on cesse toute ingestion de potassium lors d'un jeûne total ou quand on omet de mettre du potassium dans un soluté intraveineux.

Excrétion accrue du potassium

On peut observer des pertes importantes de potassium dans les sécrétions digestives hautes et basses, et dans l'urine. Lorsque les pertes de potassium résultent de vomissements, d'une aspiration du liquide gastrique, d'une diarrhée ou d'un abus de laxatifs, l'excrétion urinaire de potassium est réduite à moins de 20 mEq/24 h. Par contre, si les pertes sont rénales, l'excrétion urinaire de potassium est alors considérable.

L'emploi de diurétiques agissant avant le tubule collecteur, c'est-à-dire au niveau de la branche ascendante large de l'anse de Henle (furosémide) ou du tubule distal (thiazides), est certainement la cause la plus fréquente d'hypokaliémie et de déplétion potassique dans les pays industrialisés (tableau 7.2).

Tableau 7.2

Hypokaliémie

1. Elle résulte le plus souvent d'une perte exagérée de potassium.
2. La cause la plus fréquente est la prise de diurétiques.
3. En l'absence d'anomalies du bilan interne de potassium, le déficit potassique est d'environ 100 mEq par 0,3 mEq/L de baisse de la kaliémie.

En diminuant la réabsorption du sodium dans l'anse de Henle ou dans le tubule distal, ces diurétiques amènent plus de sodium dans la lumière du tubule collecteur. Cette arrivée accrue de sodium augmente sa réabsorption à ce niveau ainsi que la sécrétion de potassium et, par conséquent, l'excrétion urinaire de potassium. Une ingestion accrue de sodium amplifie cet effet des diurétiques. La perte urinaire de potassium consécutive aux diurétiques est donc fonction de leur puissance, de leur posologie et surtout de la quantité de sodium alimentaire.

Parmi les autres états entraînant des pertes rénales exagérées de potassium avec hypokaliémie et déplétion potassique, il faut mentionner l'hyperaldostéronisme, primaire ou secondaire, l'acidocétose diabétique, l'acidose tubulaire rénale de type proximal ou distal, la déplétion en magnésium, le syndrome de Bartter et l'administration de certains médicaments comme le cisplatine, l'amphotéricine B et la carbénicilline. La kaliémie normale observée chez plusieurs sujets en acidocétose diabétique masque toujours une déplétion intracellulaire importante en potassium; cette déplétion devient rapidement évidente durant l'administration d'insuline.

Entrée de potassium dans la cellule

Une distribution inadéquate du potassium entre les phases extracellulaire et intracellulaire abaisse la kaliémie, sans diminuer le potassium corporel total. Dans l'alcalose métabolique et, à un degré moindre, dans l'alcalose respiratoire, la sortie d'ions hydrogène du liquide intracellulaire favorise l'entrée du potassium dans la cellule. Un surplus d'aldostérone, de catécholamines (situations de stress) ou d'insuline (traitement de l'acidocétose diabétique) produit aussi une hypokaliémie, en favorisant la captation cellulaire de potassium. L'utilisation de médicaments comme les bêta-2-agonistes (albutérol ou salbutamol) et les xanthines (théophylline, caféine) accroît également l'entrée du potassium dans la cellule.

Causes des hyperkaliémies

Apport accru en potassium

À cause d'une adaptation rénale lente et incomplète, l'ingestion de quantités considérables de potassium dans l'alimentation ou sous la forme de suppléments potassiques ou de substituts du chlorure de sodium entraîne une hyperkaliémie avec bilan potassique positif. Toutefois, un apport accru de potassium cause rarement une hyperkaliémie en l'absence d'un déficit d'excrétion rénale. Un apport excessif peut résulter aussi de l'administration trop rapide d'un bolus de chlorure de potassium par voie intraveineuse (tableau 7.3).

Tableau 7.3
Causes de l'hyperkaliémie
Apport accru en potassium
Excrétion réduite de potassium
Insuffisance rénale
Hypoaldostéronisme
Diurétiques épargnant le potassium
Autres médicaments
Sortie de potassium de la cellule
Destruction cellulaire
Déficience hormonale
Succinylcholine
Acidose métabolique

Excrétion réduite de potassium

L'insuffisance rénale aiguë ou chronique est la cause la plus fréquente d'hyperkaliémie, puisque l'excrétion du potassium hors de l'organisme est surtout rénale. L'hypoaldostéronisme sélectif ou accompagnant une insuffisance corticosurrénalienne généralisée, de même que la résistance à l'aldostérone, diminuent aussi l'excrétion urinaire du potassium, puisque celle-ci dépend, en grande partie, de l'aldostérone. Le triméthoprime, l'héparine, les inhibiteurs de l'enzyme de conversion, les antagonistes des récepteurs de l'angiotensine II, les inhibiteurs de la rénine, les anti-inflammatoires non stéroïdiens (AINS) et les immunosuppresseurs cyclosporine et tacrolimus sont tous des médicaments qui diminuent l'excrétion rénale du potassium.

Enfin, trois diurétiques épargnant le potassium inhibent, au niveau du tubule collecteur, la réabsorption de sodium et la sécrétion de potassium, et par conséquent l'excrétion urinaire de potassium. La spironolactone inhibe de façon compétitive l'aldostérone et la réabsorption de sodium à travers les membranes luminale et basolatérale. Le triamtérène et l'amiloride sont des cations organiques qui bloquent les canaux à sodium et la réabsorption du sodium à travers la membrane luminale. En cas d'insuffisance rénale grave (moins de 25 % de la fonction rénale normale), ou si celle-ci résulte d'une néphropathie diabétique avec hypoaldostéronisme hyporéninémique, il ne faut pas utiliser ces diurétiques épargnant le potassium.

Sortie de potassium de la cellule

La sortie, même de faibles quantités, de potassium de la cellule vers le compartiment extracellulaire élève considérablement la kaliémie, même si le potassium corporel total n'augmente pas. On observe une telle redistribution transcellulaire du potassium dans plusieurs situations. La hausse la plus rapide de la kaliémie résulte de la libération de potassium qui accompagne la destruction de globules rouges lors d'une hémolyse ou celle des cellules musculaires lors d'une rhabdomyolyse chez le traumatisé ou chez l'électrocuté. Une déficience en aldostérone, en épinéphrine ou en insuline et l'emploi de médicaments comme la succinylcholine ralentissent l'entrée du potassium dans la cellule. Enfin, certaines acidoses métaboliques, par accumulation d'acides inorganiques tels que l'acide chlorhydrique, accélèrent l'entrée des ions hydrogène dans la cellule et la sortie du potassium. Par contre, en cas de production exagérée d'acide lactique ou de corps cétoniques, la sortie de potassium n'est pas nécessaire, parce que l'anion organique pénètre dans la cellule avec le proton.

Signes et symptômes de l'hypokaliémie

Une hypokaliémie légère ou même modérée est généralement asymptomatique. Puisqu'on retrouve la plus grande partie du potassium corporel dans les cellules musculaires, une hypokaliémie et une déplétion potassique plus marquées se manifestent surtout au niveau des muscles squelettiques, cardiaques et lisses. Toutefois, le diagnostic d'hypokaliémie se fait surtout par la détermination de la kaliémie et non par les manifestations cliniques qui ne sont pas spécifiques.

Muscles squelettiques

Une faiblesse musculaire pouvant aller jusqu'à la paralysie flasque atteint surtout les muscles des membres inférieurs et ceux de la respiration, produisant une hypoventilation et même un arrêt respiratoire. Durant un effort physique intense, la déplétion potassique entraîne une ischémie musculaire avec rhabdomyolyse aiguë.

Muscle cardiaque

L'atteinte du myocarde diminue la contractilité cardiaque, déprime le segment ST, fait disparaître ou inverse l'onde T, et parfois fait apparaître une onde U. Dans le système de conduction, l'hypokaliémie potentialise d'abord l'effet de la digitale jusqu'à l'intoxication. Elle produit aussi un bloc auriculo-ventriculaire et diverses arythmies ventriculaires dont la fibrillation ventriculaire et l'arrêt cardiaque.

Muscles lisses

Un dysfonctionnement des cellules musculaires lisses du tube digestif en ralentit la motilité, ce qui explique la dilatation gastrique et l'iléus paralytique qui accompagnent certaines hypokaliémies.

Signes et symptômes de l'hyperkaliémie

Comme pour l'hypokaliémie, on fait le diagnostic d'une hyperkaliémie presque toujours par la mesure de la kaliémie et non par des manifestations cliniques non spécifiques. Les conséquences d'une hyperkaliémie peuvent être catastrophiques, l'hyperkaliémie aiguë étant beaucoup plus dangereuse que l'hyperkaliémie chronique, à cause de la baisse plus marquée du rapport Ki/Ke.

Cardiaques

Les fibres musculaires cardiaques et le système de conduction sont extrêmement vulnérables à l'hyperkaliémie. L'atteinte du myocarde fait disparaître l'onde P, élargit le complexe QRS et rend l'onde T pointue et étroite surtout dans les dérivations précordiales. Au sein du système de conduction, l'hyperkaliémie diminue l'effet de la digitale. Elle entraîne aussi un bloc auriculo-ventriculaire et diverses arythmies ventriculaires dont la fibrillation ventriculaire et l'arrêt cardiaque.

Neuro-musculaires

Il est rare d'observer des symptômes neuro-musculaires de faiblesse, surtout dans les membres inférieurs, et de paralysie flasque, parce que les complications cardiaques s'avèrent rapidement mortelles.

Traitement de l'hypokaliémie

Indications

Certaines situations constituent une indication absolue de traiter rapidement une hypokaliémie. Par exemple, il faut traiter immédiatement un malade symptomatique qui présente une arythmie cardiaque ou une faiblesse musculaire importante des muscles respiratoires. Parmi les autres indications d'un traitement rapide, il faut mentionner la prise de digitaliques, le traitement de l'acidocétose diabétique, l'alcalose métabolique et une kaliémie inférieure à 3,0 mEq/L. Par exemple, si un patient hospitalisé et traité au furosémide et à la digitale présente une hypokaliémie à 2,7 mEq/L, on peut lui injecter du chlorure de potassium par voie intraveineuse, en ajoutant 40 mEq à chaque litre de soluté, et lui en administrer aussi par la bouche, à raison d'une dose de 20 mEq, 3 à 4 fois par jour. Toutefois, on ne peut pas estimer avec précision le déficit en potassium responsable d'une hypokaliémie, parce que seulement 2 % du potassium corporel total est extracellulaire. Ce déficit est d'environ 100 mEq par 0,3 mEq/L de baisse de la kaliémie, en l'absence d'anomalies du bilan potassique interne.

Risques

Les suppléments potassiques, idéalement sous forme de chlorure, et les diurétiques épargnant le potassium doivent être administrés avec beaucoup de prudence en cas d'insuffisance rénale, à cause du risque important d'hyperkaliémie iatrogénique. L'administration intraveineuse de potassium comporte le risque d'une thrombo-phlébite par irritation chimique si la concentration de potassium dépasse 40 mEq/L, ou 60 mEq/L si le cathéter est dans un gros vaisseau. Si l'administration intraveineuse de potassium dépasse 1 mEq/min, on risque aussi de produire une hyperkaliémie fatale.

Prévention

Il faut toujours ajouter du potassium aux solutés intraveineux, sauf si une insuffisance rénale importante le contre-indique. Le seul traitement permettant de prévenir l'hypokaliémie secondaire aux diurétiques consiste à restreindre modérément l'ingestion de sel dans l'alimentation et à diminuer, si possible, la puissance et la dose du diurétique. L'efficacité des suppléments potassiques dans la prévention de l'hypokaliémie demeure controversée, et l'utilisation des diurétiques épargnant le potassium peut entraîner une hyperkaliémie grave en présence d'insuffisance rénale sévère. Un régime plus riche en fruits et légumes peut aussi aider.

Traitement de l'hyperkaliémie

L'hyperkaliémie représente l'anomalie électrolytique la plus dangereuse à cause de ses complications cardiaques rapidement fatales. Il faut donc considérer l'hyperkaliémie comme une urgence médicale exigeant un traitement énergique lorsqu'elle dépasse 6,5 mEq/L ou qu'elle produit les anomalies électrocardiographiques caractéristiques. Après avoir éliminé une erreur de laboratoire (pseudohyperkaliémie) résultant d'une hémolyse *in vitro*, d'une leucocytose ou d'une thrombocytose marquée, le traitement d'une hyperkaliémie comprend quatre manœuvres.

Arrêt du potassium et des diurétiques épargnant le potassium

Il faut cesser immédiatement toute administration de potassium, IV ou PO, et de diurétiques épargnant le potassium. Il faut aussi arrêter tout autre médicament contribuant à augmenter la kaliémie, que ce soit en modifiant la redistribution transcellulaire du potassium ou en diminuant son excrétion rénale (inhibiteur de l'enzyme de conversion de l'angiotensine, antagoniste des récepteurs de l'angiotensine, AINS).

Entrée du potassium dans la cellule

On peut administrer par voie intraveineuse trois substances qui favorisent l'entrée du potassium dans la cellule : de l'insuline, du bicarbonate de sodium et des bêta-2-agonistes. D'abord, la kaliémie diminue avec l'administration de 10 à 20 unités d'insuline ordinaire, combinée, si le patient n'est pas hyperglycémique, à 100 g de glucose sous forme de dextrose 50 % (25 g dans 50 mL) ou de dextrose 10 % (100 g/L) afin de prévenir l'hypoglycémie. L'administration de 1 ou 2 doses de 50 mEq de bicarbonate de sodium abaisse aussi la kaliémie et corrige en partie l'acidose métabolique qui accompagne souvent l'hyperkaliémie. En l'absence d'acidose métabolique, la production d'une légère alcalose métabolique s'avère beaucoup moins dangereuse qu'une hyperkaliémie potentiellement mortelle. Enfin, l'administration par voie intraveineuse ou par nébulisation de bêta-2-agonistes, comme l'albutérol ou le salbutamol, diminue également la kaliémie. Ces mesures ont un effet rapide, mais transitoire. La correction définitive de l'hyperkaliémie requiert une élimination de l'excès de potassium des liquides corporels.

Excrétion du potassium

On peut augmenter l'élimination du potassium des liquides corporels par trois voies différentes : le rein, le tube digestif et un liquide de dialyse (dialysat). D'abord, une amélioration de la fonction rénale, si elle est possible, et l'administration de furosémide, si on a un débit urinaire, peuvent augmenter l'excrétion urinaire de potassium. On peut aussi forcer l'excrétion digestive de potassium en administrant par la bouche 20 à 30 g d'une résine échangeuse de cations qui agit au niveau du côlon, le sulfonate de polystyrène sodique. Il faut y ajouter du sorbitol 20 %, un laxatif destiné à prévenir la constipation et même le fécalome. Ce traitement peut toutefois entraîner une nécrose du côlon. Enfin, une hémodialyse ou une hémofiltration permet de diriger le potassium des liquides corporels vers un dialysat ne contenant pas de potassium.

Calcium

L'administration IV en 3 à 5 min de 1 ou 2 flacons de 10 mL de gluconate de calcium 10 %, en surveillant si possible l'électrocardiogramme, renverse les effets membranaires de l'hyperkaliémie, mais n'a aucun effet sur la kaliémie.

Par exemple, si un patient présente une hyperkaliémie à 7 mEq/L accompagnée d'ondes T pointues dans les dérivations précordiales, il faut d'abord enlever tout chlorure de potassium dans le soluté, si le patient en reçoit un. On diminue ensuite la kaliémie en administrant par voie IV 40 mg de furosémide, 2 seringues de

50 mEq de bicarbonate de sodium et un soluté de 1000 mL de dextrose 10 % dans l'eau contenant 20 unités d'insuline ordinaire (5 g de glucose par unité d'insuline).

En présence d'une hyperkaliémie chronique, il faut d'abord arrêter les suppléments potassiques et tout médicament susceptible d'augmenter la kaliémie. On peut aussi diminuer l'ingestion de potassium dans l'alimentation en évitant les excès de certains fruits et légumes. Parmi les autres manœuvres thérapeutiques, mentionnons le furosémide qui augmente l'excrétion urinaire de potassium, le polystyrène sodique qui augmente l'excrétion fécale de potassium et, en présence d'un hypoaldostéronisme ou d'une résistance à l'aldostérone, la fludrocortisone, un minéralocorticoïde exogène. Le tableau 7.4 résume quelques données importantes à propos de l'hyperkaliémie.

Tableau 7.4

Hyperkaliémie

1. La quantité de potassium ingérée quotidiennement dépasse la quantité totale présente dans le compartiment extracellulaire. Des mécanismes efficaces, rénaux et extrarénaux, protègent contre l'hyperkaliémie.
2. En pratique, il est rare d'observer une hyperkaliémie en l'absence d'un défaut d'excrétion rénale du potassium.
3. L'hyperkaliémie est plus dangereuse que l'hypokaliémie, et son traitement est urgent si la kaliémie dépasse 6,5 mEq/L.

LECTURES SUGGÉRÉES

Allon, M. «Treatment and prevention of hyperkalemia in end-stage renal disease», *Kidney Int,* 1993 ; 43 : 1197-1209.

Cohn, J. N. *et al.* «New guidelines for potassium replacement in clinical practice», *Arch Intern Med,* 2000 ; 160 : 2429-2436.

Gennari, F. J. «Hypokalemia», *New Engl J Med,* 1998 ; 339 : 451-458.

Gennari, F. J. et Segal, A. S. «Hyperkalemia : an adaptive response in chronic renal insufficiency», *Kidney Int,* 2002 ; 62 : 1-9.

Sterns, R. H. *et al.* «Ion-exchange resins for the treatment of hyperkalemia : are they safe and effective ?», *J Am Soc Nephrol,* 2010 ; 21 : 733-735.

Weiner, I. D. et Wingo, C. S. « Hypokalemia : consequences, causes, and correction », *J Am Soc Nephrol*, 1997 ; 8 : 1179-1188.

Weiner, I. D. et Wingo, C. S. « Hyperkalemia : a potential silent killer », *J Am Soc Nephrol*, 1998 ; 9 : 1535-1543.

Weir, M. R. et Rolfe, M. « Potassium homeostasis and renin-angiotensin-aldosterone system inhibitors », *Clin J Am Soc Nephrol*, 2010 ; 5 : 531-548.

Chapitre 8

Déséquilibres acidobasiques

ANDRÉ GOUGOUX ET GÉRARD E. PLANTE

Alcalose métabolique

Physiopathologie

Étiologie

Signes et symptômes

Compensation physiologique

Traitement

Alcalose respiratoire

Étiologie

Signes et symptômes

Compensation physiologique

Traitement

Équilibre acidobasique normal

L'organisme est soumis à une agression acide continuelle puisque le métabolisme cellulaire normal produit des quantités considérables de deux sortes de déchets acides : les acides fixes ou non volatils, et le gaz carbonique ou CO_2.

Bilan en protons

Environ 70 mEq, soit 1 mEq/kg/24 h, d'acides fixes sont produits sous forme d'acide phosphorique, d'acide sulfurique et de divers acides organiques. Normalement, l'excrétion rénale de ces acides, ou acidité nette, est égale à leur production métabolique. Cet équilibre maintient à l'intérieur de limites physiologiques le bilan externe en protons et la concentration de bicarbonate dans le liquide plasmatique et extracellulaire.

Bilan en CO_2

L'oxydation complète des glucides, des lipides et des protides produit chaque jour environ 15 000 mmol de CO_2, un composé volatil excrété par les poumons. Le CO_2 lui-même n'est pas un acide, mais est converti par hydratation en un acide faible, l'acide carbonique ou H_2CO_3. Normalement, l'excrétion pulmonaire de CO_2 est égale à sa production métabolique et la pression partielle de CO_2 ou PCO_2 se maintient à 40 mmHg dans le sang artériel.

Paramètres acidobasiques

L'activité enzymatique nécessaire au métabolisme cellulaire exige que l'acidité des liquides corporels soit maintenue à l'intérieur de limites bien précises. Les tampons intracellulaires et extracellulaires, ainsi que la régulation respiratoire et rénale, maintiennent normalement le pH sanguin entre 7,35 et 7,45, et la concentration des ions hydrogène entre 45 et 35 nanoEq/L. Les valeurs normales de la concentration plasmatique de bicarbonate (HCO_3) et de la pression partielle sanguine en gaz carbonique (PCO_2) sont respectivement 24 mEq/L et 40 mmHg dans le sang artériel, 27 mEq/L et 46 mmHg dans le sang veineux. En pratique clinique, on considère la concentration plasmatique de CO_2 total, dont la valeur normale est de 25 à 28 mmol, identique à celle du bicarbonate (*voir « Définitions et valeurs normales de laboratoire » en annexe*).

Systèmes tampons

Les tampons extracellulaires et intracellulaires constituent la première barrière de défense contre les agressions acidobasiques. Les systèmes tampons sont tous à l'équilibre, c'est-à-dire que si la concentration plasmatique de bicarbonate est réduite de moitié par une surcharge aiguë d'acide, par exemple, les sels des autres tampons extracellulaires (comme l'albumine) et intracellulaires (comme l'hémoglobine) sont diminués en proportion. Le système tampon bicarbonate/acide carbonique a la particularité d'avoir une partie acide en équilibre avec la pression partielle du gaz carbonique éliminé par les poumons (figure 8.1). De plus, le système tampon bicarbonate est facile à mesurer en biochimie clinique.

Figure 8.1

$$\frac{HCO_3}{H_2CO_3} = \frac{A}{H} = \frac{B}{H} = \frac{C}{H} = \frac{D}{H}$$

$$pH = pK + log \frac{sel}{acide}$$

$$\text{Reins}$$
$$\updownarrow$$
$$7,4 = 6,1 + log \quad \frac{HCO_3 \ [24]}{H_2CO_3 \ [1,2]}$$
$$\updownarrow$$
$$PCO_2$$
$$\updownarrow$$
$$\text{Poumons}$$

Figure 8.1 Systèmes tampons en équilibre et équation d'Henderson-Hasselbalch

Déséquilibres acidobasiques

Les variations de l'acidité ou du pH du sang ne peuvent résulter que de changements des concentrations de bicarbonate et d'acide carbonique. La concentration de bicarbonate dépend du bilan externe en protons tandis que celle d'acide carbonique résulte du bilan externe en CO_2.

Bilan en protons

Dans les déséquilibres acidobasiques d'origine métabolique, la production d'acides non volatils est différente de leur excrétion rénale. On observe un bilan positif en protons quand la production métabolique, qui peut être accélérée, dépasse l'excrétion rénale, parfois réduite en cas d'insuffisance rénale. Les ions hydrogène retenus sont tamponnés par les bicarbonates extracellulaires et divers tampons intracellulaires. La concentration plasmatique de bicarbonate diminue, ce qui abaisse le pH sanguin et entraîne une acidose métabolique (tableau 8.1). Au contraire, le bilan externe en protons est négatif lorsque l'excrétion rénale ou digestive haute dépasse la production. La perte d'ions hydrogène engendre une quantité équivalente de bicarbonates, ce qui augmente leur concentration plasmatique et le pH sanguin, et produit une alcalose métabolique.

Tableau 8.1	
Déséquilibres acidobasiques	
Bilan en protons	
Positif	Acidose métabolique
Négatif	Alcalose métabolique
Bilan en CO_2	
Positif	Acidose respiratoire
Négatif	Alcalose respiratoire

Bilan en CO_2

Dans les déséquilibres acidobasiques d'origine respiratoire, l'excrétion pulmonaire de CO_2 diffère significativement de sa production métabolique. On observe un bilan positif en CO_2 quand la production dépasse l'excrétion pulmonaire, diminuée par l'hypoventilation alvéolaire qui caractérise une insuffisance respiratoire. La rétention de CO_2 augmente la pression partielle de ce gaz dans le sang, ce qui diminue le pH sanguin et produit une acidose respiratoire. Par contre, le bilan en CO_2 est négatif lorsque l'excrétion pulmonaire de CO_2, si elle est augmentée par une hyperventilation alvéolaire, dépasse sa production métabolique. La perte de CO_2 diminue la pression partielle de CO_2 dans le sang, ce qui accroit le pH sanguin et entraîne une alcalose respiratoire.

Identification des déséquilibres acidobasiques

Afin de les identifier correctement, il faut d'abord considérer le pH sanguin. Un pH sanguin inférieur à 7,35 indique une acidose, tandis qu'un pH sanguin dépassant 7,45 signifie une alcalose. La PCO_2 et la concentration plasmatique de bicarbonate permettent ensuite de préciser l'origine métabolique ou respiratoire du déséquilibre. Une acidose est métabolique lorsque la concentration plasmatique de bicarbonate est inférieure à 20 mEq/L, ou respiratoire quand la PCO_2 artérielle dépasse 45 mmHg. Au contraire, une alcalose est métabolique si la concentration de bicarbonate dépasse 30 mEq/L, ou respiratoire si la PCO_2 artérielle est inférieure à 35 mmHg.

Compensation physiologique incomplète

Chaque déséquilibre acidobasique entraîne une réponse physiologique qui minimise les variations du rapport HCO_3/H_2CO_3 et, par conséquent, celles du pH et de l'acidité des liquides corporels. Dans l'acidose et l'alcalose métaboliques, les modifications primaires de la concentration plasmatique de bicarbonate font varier dans la même direction la PCO_2 sanguine. Dans l'acidose et l'alcalose respiratoires, les variations primaires de la PCO_2 sanguine modifient la concentration plasmatique de bicarbonate dans la même direction.

Toutefois, le changement induit par la compensation physiologique est toujours quantitativement moindre que le déséquilibre primaire, de sorte que la compensation tend seulement à ramener le pH sanguin vers sa valeur normale de 7,40. En présence d'un déséquilibre acidobasique important, un pH sanguin de 7,40 ne signifie pas une compensation parfaite, puisque ce phénomène n'existe pas physiologiquement. Il reflète plutôt la présence simultanée de deux déséquilibres acidobasiques chez le même malade. Par exemple, une alcalose métabolique peut être associée à une acidose respiratoire chronique, ou une acidose métabolique peut se surajouter à une alcalose respiratoire.

Acidose métabolique

L'acidose métabolique se caractérise par une diminution du pH sanguin (< 7,35) et de la concentration plasmatique de bicarbonate (< 20 mEq/L).

Écart anionique

Il est nécessaire de calculer l'écart anionique en présence d'une acidose métabolique. Cette valeur représente la différence entre la concentration plasmatique de sodium (Na) et la somme des concentrations des anions chlore (Cl) et bicarbonate (HCO_3) :

$$écart\ anionique = Na - (Cl + HCO_3)$$

L'écart anionique normal est d'environ 10 mEq/L, soit la différence entre la concentration plasmatique de sodium de 140 mEq/L et la somme de 130 mEq/L de celles des anions chlore et bicarbonate. Le calcul de cet écart anionique permet de diviser les acidoses métaboliques en deux groupes selon leur physiopathologie. Lorsque l'écart anionique est normal, l'acidose métabolique résulte d'une perte digestive ou rénale de bicarbonate. Au contraire, quand l'écart anionique est augmenté, un gain d'ions hydrogène produit l'acidose métabolique.

Acidose métabolique avec écart anionique normal (perte de bicarbonate)

Lorsqu'une acidose métabolique résulte d'une perte de bicarbonate survenant dans la dernière partie du tube digestif ou dans le rein, l'écart anionique demeure inchangé, parce que la baisse de la concentration plasmatique de bicarbonate s'accompagne d'une hausse correspondante et équivalente du chlore plasmatique. Les quatre principaux états caractérisés par une perte de bicarbonate sont la diarrhée, les pertes digestives alcalines, la dérivation chirurgicale des urines dans le tube digestif et l'acidose tubulaire rénale ou l'inhibition de l'anhydrase carbonique (tableau 8.2).

Une diarrhée abondante est la cause la plus fréquente de perte importante de bicarbonate par voie digestive basse. La concentration de bicarbonate dans les sécrétions intestinales peut atteindre 70 à 80 mEq/L. On rencontre typiquement la diarrhée chez de jeunes enfants et durant les épidémies de choléra. Quant aux autres formes de pertes digestives alcalines, on les observe après un drainage des sécrétions biliaires, pancréatiques ou de l'intestin grêle, ou lorsqu'une fistule externe complique une chirurgie abdominale.

Tableau 8.2
Acidose métabolique
Avec écart anionique normal (perte de bicarbonate)
Diarrhée
Pertes digestives alcalines
Vessie iléale
Acidose tubulaire rénale ou inhibition de l'anhydrase carbonique
HCl et précurseurs
Avec écart anionique augmenté (gain d'acide)
Acidose lactique
Cétose
Intoxication
Insuffisance rénale

Avec une vessie iléale ou implantation des uretères dans un segment d'iléon, la réabsorption du chlore de l'urine entraîne une sécrétion de bicarbonate dans la lumière intestinale et son excrétion hors de l'organisme.

L'acidose tubulaire rénale, proximale ou distale, entraîne une perte rénale de bicarbonate. L'utilisation des inhibiteurs de l'anhydrase carbonique, comme l'acétazolamide, diminue également la réabsorption rénale de bicarbonate.

Enfin, l'administration d'acide chlorhydrique (HCl) ou de l'un de ses précurseurs (métabolisés en urée et en HCl par le foie) tels que le chlorure d'ammonium, l'arginine HCl et la lysine HCl, est la seule situation produisant une acidose métabolique avec écart anionique normal en l'absence de perte de bicarbonate.

Acidose métabolique avec écart anionique augmenté (gain d'acide)

Lorsqu'une rétention d'acides organiques produit une acidose métabolique, le proton de l'acide organique est tamponné par un ion bicarbonate qu'il détruit, ce qui laisse un anion organique qui creuse l'écart anionique. La baisse de la concentration plasmatique de bicarbonate s'accompagne donc d'une hausse correspondante et équivalente de la concentration plasmatique des anions organiques et de l'écart anionique, la concentration plasmatique de chlore demeurant inchangée. On observe une telle rétention d'acide en cas de production accrue d'acides organiques dans l'acidose lactique, l'acidocétose et l'acidose due à diverses intoxications, et d'excrétion d'acide diminuée qui accompagne l'insuffisance rénale.

L'acidose lactique est une accumulation d'acide lactique produite par une accélération considérable de la glycolyse anaérobie. On l'observe lorsque les besoins d'oxygène dépassent la quantité livrée aux tissus. Quelques minutes d'hypoxie tissulaire peuvent suffire à engendrer une acidose métabolique très grave. Tout état qui entraîne une diminution de la perfusion tissulaire ou du contenu en oxygène du sang peut causer une acidose lactique. Un exercice musculaire violent ou des convulsions généralisées augmentent les besoins en oxygène et produisent également une acidose lactique. En l'absence d'hypoxie, une diminution du métabolisme hépatique du lactate est une cause moins fréquente d'acidose lactique.

L'acidocétose est l'accumulation de corps cétoniques (acides acétoacétique et bêtahydroxybutyrique) qui résulte d'un manque d'insuline et de l'absence de métabolisme glucidique. Cette accumulation entraîne une cétonurie (excrétion de corps cétoniques dans l'urine). L'acidocétose est modeste durant le jeûne, mais beaucoup plus importante dans le diabète sucré déséquilibré ou chez l'alcoolique dénutri. Une hyperglycémie marquée et l'odeur fruitée caractéristique de l'acétone dans l'haleine suggèrent le diagnostic de diabète déséquilibré.

L'acidose par intoxication résulte de l'ingestion de méthanol ou alcool de bois, d'éthylène glycol contenu dans l'antigel ou, surtout chez l'enfant, de salicylates. Toutes ces substances augmentent la production de divers acides organiques. Un diagnostic rapide est essentiel à cause de la très grande toxicité des métabolites du méthanol et de l'éthylène glycol. Par leurs effets sur la rétine, les métabolites du méthanol peuvent entraîner une cécité permanente, tandis que, sur le plan rénal, les métabolites de l'éthylène glycol peuvent produire une nécrose tubulaire aiguë et une insuffisance rénale aiguë. Un écart osmolaire plasmatique augmenté par ces deux alcools de faible poids moléculaire suggère le diagnostic d'une intoxication. L'osmolarité plasmatique mesurée par l'osmomètre dépasse alors nettement la valeur calculée par la formule suivante :

$$osmolarité\ plasmatique = (natrémie \times 2) + glucose + urée$$

Une diminution de l'excrétion rénale d'acides en regard d'une production normale de ceux-ci explique l'acidose observée dans l'insuffisance rénale aiguë ou chronique. L'insuffisance rénale est donc la seule situation dans laquelle l'acidose métabolique avec écart anionique augmenté ne résulte pas d'une production accrue d'acides organiques.

En général, l'anamnèse et le calcul de l'écart anionique plasmatique permettent de préciser la cause d'une acidose métabolique. Par exemple, si un patient en acidose métabolique avec écart anionique augmenté présente une créatinine plasmatique normale, n'a pas de cétose et n'a pas ingéré de substances toxiques, une acidose lactique est sans doute présente. D'autre part, si un patient en acidose métabolique avec écart anionique normal n'a pas de diarrhée, de pertes digestives ni de dérivation chirurgicale d'une obstruction urinaire, et qu'il n'a pas ingéré d'acétazolamide ou d'acide chlorhydrique, il doit souffrir, par exclusion, d'acidose tubulaire rénale.

Signes et symptômes

L'acidose métabolique produit plusieurs manifestations cliniques dont la gravité dépend du degré d'acidose et de la rapidité avec laquelle elle survient. D'abord, l'hyperventilation compensatrice se manifeste par une respiration rapide et profonde, caractéristique de la respiration de Küssmaul. La diminution marquée de la contractilité du myocarde entraîne une insuffisance cardiaque et la vasodilatation périphérique abaisse la tension artérielle. Le ralentissement du métabolisme cérébral altère progressivement l'état de conscience jusqu'au coma. L'acidose métabolique produit également de l'inappétence avec nausées et vomissements et, en cas d'hyperkaliémie, diverses arythmies cardiaques. Dans l'acidose chronique accompagnant l'insuffisance rénale chronique, l'acidose tubulaire rénale ou l'urétéro-sigmoïdostomie, une déminéralisation osseuse importante résulte des effets du tamponnement des acides par les systèmes tampons contenus dans la matrice osseuse.

Compensation physiologique

L'augmentation physiologique de la ventilation alvéolaire diminue normalement la PCO_2 sanguine d'environ 1 mmHg chaque fois que la concentration plasmatique de bicarbonate s'abaisse de 1 mEq/L. Par conséquent, une chute de la concentration plasmatique de bicarbonate de 25 à 5 mEq/L abaisse la PCO_2 artérielle de 40 à 20 mmHg. En l'absence de toute compensation respiratoire et avec le maintien de la PCO_2 artérielle à 40 mmHg, une concentration plasmatique de bicarbonate de 5 mEq/L abaisse le pH sanguin à 6,72, valeur difficilement compatible avec la survie. L'hyperventilation compensatrice élève toutefois le pH sanguin de 6,72 à 7,02. La PCO_2 artérielle est habituellement égale à environ 15 plus la concentration plasmatique de bicarbonate. Toutefois, la PCO_2 sanguine ne s'abaisse pas en dessous de 10 mmHg, parce que le travail considérable requis par les muscles respiratoires produit alors une très grande quantité de CO_2.

Traitement

Il faut d'abord traiter la cause de l'acidose métabolique. Par exemple, il faut arrêter toute diarrhée, administrer de l'oxygène et corriger toute hypotension afin de ralentir la production très rapide d'acide lactique, ou encore administrer de l'insuline dans l'acidocétose diabétique afin de faire cesser la production accrue de corps cétoniques. Dans l'intoxication sévère au méthanol ou à l'éthylène glycol, il faut immédiatement administrer de l'éthanol et pratiquer une hémodialyse. L'administration de 120 mL d'alcool fort par la bouche ou de 0,6 g/kg de poids corporel en IV bloque le catabolisme du méthanol ou de l'éthylène glycol en leurs dérivés toxiques. On peut aussi bloquer ce métabolisme à l'aide d'un autre antagoniste de l'alcool déshydrogénase, le fomépizole. L'hémodialyse élimine ensuite définitivement des liquides corporels le méthanol ou l'éthylène glycol et leurs métabolites toxiques. Dans l'intoxication aux salicylates, l'alcalinisation des urines par le bicarbonate de sodium accélère l'excrétion urinaire des salicylates.

L'administration IV d'une seringue de 50 mEq de bicarbonate de sodium chez un patient de 70 kg élève sa concentration plasmatique de bicarbonate d'environ 1,5 mEq/L. En effet, la moitié du bicarbonate perfusé reste dans le liquide extracellulaire et l'autre moitié se disperse dans le compartiment intracellulaire. La distribution de 25 mEq de bicarbonate dans 14 L de liquide extracellulaire explique la hausse de concentration de 1,5 mEq/L. En d'autres termes, la quantité de bicarbonate administrée doit être égale au produit de l'augmentation désirée de la concentration plasmatique de bicarbonate par 40 % de la masse corporelle ou deux fois le volume du compartiment extracellulaire. En effet, durant la production de l'acidose métabolique, le bicarbonate extracellulaire a tamponné la moitié de la charge acide tandis que l'autre moitié l'a été par les divers tampons intracellulaires.

Certaines complications potentiellement fatales résultent du ralentissement, par l'acidose, du métabolisme cérébral et myocardique. Il faut donc traiter immédiatement l'acidose métabolique lorsque la concentration plasmatique de bicarbonate est inférieure à 10 mEq/L ou le pH sanguin < 7,10. Ainsi, un malade présentant une acidose métabolique grave avec un pH sanguin à 7,02 et une concentration plasmatique de bicarbonate à 5 mEq/L peut recevoir par voie IV deux seringues de 50 mEq de bicarbonate de sodium. On lui administre ensuite un litre de dextrose 5 % dans l'eau auquel on a ajouté le contenu de 2 ou 3 autres seringues de bicarbonate de sodium et 40 mEq de chlorure de potassium. Dans le traitement de l'acidose lactique, toutefois, l'administration de bicarbonate de sodium n'est pas utile. Dans une acidose métabolique aiguë, il n'existe aucun avantage à utiliser des anions organiques, comme le lactate, qui sont éventuellement métabolisés en bicarbonate. Enfin, l'hémodialyse avec un dialysat contenant du bicarbonate s'avère très utile dans le traitement de l'acidose métabolique si une insuffisance cardiaque ou rénale engendre une surcharge circulatoire.

L'administration IV de bicarbonate de sodium comporte toutefois plusieurs dangers. D'abord, elle fait toujours entrer le potassium dans la cellule et peut ainsi produire une hypokaliémie très prononcée et potentiellement fatale par paralysie des muscles respiratoires ou par arythmie cardiaque. En présence d'une déplétion potassique importante, comme dans l'acidocétose diabétique, il faut donc s'abstenir d'administrer du bicarbonate ou le faire avec une très grande prudence et sous surveillance électrocardiographique. De plus, parce que le sodium accompagnant le bicarbonate demeure dans le compartiment extracellulaire, on produit une expansion du volume du liquide extracellulaire et on risque une surcharge circulatoire.

Il ne faut jamais corriger plus de la moitié du déficit en bicarbonate afin d'éviter, en présence d'un liquide céphalo-rachidien qui demeure acide, une hyperventilation persistante et une alcalose respiratoire. Enfin, il faut souligner que la correction du trouble métabolique sous-jacent, par exemple une hypoxie ou un manque d'insuline, permet le métabolisme de l'acide lactique ou des corps cétoniques qui se sont accumulés. La production de bicarbonate par ce métabolisme peut alors causer une alcalose métabolique.

Enfin, il faut noter que, dans l'insuffisance rénale chronique, le tamponnement des protons par l'albumine déplace une fraction importante du calcium normalement lié à cette protéine anionique. Cette libération de calcium protège l'insuffisant rénal chronique de la tétanie résultant d'une baisse de la calcémie ionisée. La correction brutale d'une acidose métabolique en pareil cas risque d'abaisser la calcémie ionisée par un retour brusque du calcium libre sur l'albumine.

Acidose respiratoire

L'acidose respiratoire consiste en une baisse du pH sanguin (< 7,35) accompagnant une hausse de la PCO_2 artérielle (> 45 mmHg).

Étiologie

Une hypoventilation alvéolaire et une diminution de l'excrétion pulmonaire de CO_2 sont toujours responsables de la rétention de CO_2 qui caractérise l'acidose respiratoire aiguë ou chronique. On observe une hypoventilation alvéolaire dans au moins quatre catégories différentes de situations cliniques : la dépression du centre respiratoire, les maladies neuromusculaires, l'obstruction des voies respiratoires et les syndromes pulmonaires restrictifs. La maladie pulmonaire obstructive chronique (MPOC) est cependant la cause la plus fréquente d'acidose respiratoire chronique.

Signes et symptômes

Parce que les symptômes sont liés à l'importance et à la rapidité de l'élévation de la PCO_2 sanguine, les manifestations cliniques sont beaucoup plus évidentes durant une acidose respiratoire aiguë. Ces symptômes sont surtout d'ordre neurologique, avec diminution progressive de l'état de conscience jusqu'au coma. La vasodilatation cérébrale produite par la rétention de CO_2 augmente la pression intracrânienne et explique la céphalée.

Dans l'acidose respiratoire aiguë, l'examen physique peut montrer de l'astérixis, de l'œdème papillaire et des signes neurologiques focaux. Dans l'acidose respiratoire chronique, on observe en plus les signes d'une maladie pulmonaire chronique avec ou sans cœur pulmonaire.

Compensation physiologique

La concentration plasmatique de bicarbonate permet de préciser si l'acidose respiratoire est aiguë ou chronique. Si la PCO_2 artérielle s'élève subitement de 40 à 80 mmHg en l'absence de toute hausse compensatrice de la concentration plasmatique de bicarbonate, le pH sanguin diminuera de 7,40 à 7,10. Cependant, cette possibilité n'est que théorique, puisque la titration des tampons autres que le bicarbonate produit assez de bicarbonate pour en élever la concentration plasmatique d'environ 4 mEq/L, c'est-à-dire 1 mEq/L chaque fois que la PCO_2 sanguine augmente de 10 mmHg. Cette compensation aiguë est complète en quelques minutes, mais ne corrige que très partiellement l'acidose respiratoire.

Si l'élévation de la PCO_2 sanguine se prolonge quelques jours, l'adaptation rénale produit de nouveaux bicarbonates afin d'augmenter leur concentration plasmatique d'environ 3 mEq/L chaque fois que la PCO_2 sanguine s'élève de 10 mmHg. Cette compensation chronique corrige alors environ la moitié de la chute du pH sanguin, mais ne ramène toutefois pas celui-ci à sa valeur normale de 7,40.

Si une hausse plus marquée de la concentration plasmatique de bicarbonate ramène le pH sanguin à l'intérieur des limites physiologiques, il ne s'agit pas d'une acidose respiratoire chronique parfaitement compensée. On est plutôt en présence de deux déséquilibres acidobasiques simultanés, une alcalose métabolique, souvent causée par les diurétiques, se surajoutant alors à l'acidose respiratoire chronique.

Traitement

Dans l'acidose respiratoire aiguë, il faut d'abord rétablir aussitôt que possible la perméabilité des voies aériennes et, si nécessaire, recourir à l'intubation trachéale et à la ventilation mécanique. L'amélioration de la ventilation alvéolaire permet de ramener la PCO_2 artérielle à la normale. Il faut aussi administrer immédiatement de l'oxygène, parce que l'hypoxémie menace davantage la survie que l'hypercapnie.

Dans l'acidose respiratoire chronique, plusieurs interventions thérapeutiques non spécifiques peuvent améliorer la ventilation alvéolaire et ramener la PCO_2 vers la normale. On peut mentionner les antibiotiques appropriés destinés à traiter une infection pulmonaire surajoutée, les bronchodilatateurs qui corrigent la résistance accrue des voies aériennes, les diurétiques qui diminuent la congestion vasculaire pulmonaire et l'œdème qui en résulte. L'administration prudente d'oxygène améliore l'état de plusieurs malades, surtout si leur hypoxémie est sévère. Toutefois, parce que ces patients sont partiellement insensibles à la stimulation du CO_2, il ne faut pas leur enlever la stimulation hypoxémique de leur centre respiratoire. Enfin, lorsqu'on utilise un respirateur mécanique, il faut éviter une correction trop brutale de l'hypercapnie et la production d'une alcalose métabolique posthypercapnique.

Alcalose métabolique

L'alcalose métabolique se caractérise par une hausse du pH sanguin (> 7,45) et de la concentration plasmatique de bicarbonate (> 30 mEq/L). L'élévation du bicarbonate plasmatique s'accompagne toujours d'une baisse réciproque et équivalente de la concentration plasmatique de chlore.

Physiopathologie

Une perte de chlore survient par l'estomac lorsqu'on élimine de l'acide chlorhydrique (HCl) par vomissements ou aspiration gastrique, ou par les reins lorsque les diurétiques augmentent la perte urinaire de chlorure de sodium et de potassium. Cette déplétion en chlore en réduit la concentration plasmatique, sa filtration par le glomérule, et sa réabsorption par le tubule rénal sous forme de chlorure de sodium. Les reins doivent donc accroître la réabsorption de bicarbonate de sodium; ils produisent ainsi une alcalose métabolique. L'alcalose métabolique stimule, dans le tubule distal, la réabsorption de sodium et la sécrétion de potassium, et la kaliurèse massive produit une hypokaliémie avec déplétion potassique.

La déplétion en chlore maintient basse la quantité de cet anion et élevée celle de l'anion bicarbonate, ces deux anions étant réabsorbés avec le sodium. D'ailleurs, les reins ne peuvent pas corriger cette alcalose métabolique tant qu'on ne corrige pas le déficit de chlore. L'administration de quantités adéquates de chlorure de sodium et de potassium est la seule façon de corriger cette alcalose métabolique avec contraction volémique, de loin la forme la plus fréquente d'alcalose métabolique.

Étiologie

La concentration urinaire de chlore mesurée à distance de toute administration récente de diurétiques permet de classer les alcaloses métaboliques en deux groupes très différents. D'abord, l'alcalose métabolique se rencontre avec une contraction du volume du liquide extracellulaire et une concentration urinaire de chlore inférieure à 10 mEq/L. Beaucoup moins souvent on observe une alcalose métabolique avec une expansion du volume du liquide extracellulaire et une concentration urinaire de chlore dépassant 10 mEq/L.

L'alcalose métabolique avec contraction volémique résulte d'une perte de HCl dans le liquide gastrique, par vomissements ou par aspiration gastrique, ou de chlorure de sodium et de potassium dans l'urine avec l'emploi de tous les diurétiques sauf ceux qui épargnent le potassium (tableau 8.3). Ces deux situations cliniques représentent les deux causes de loin les plus fréquentes d'alcalose métabolique. On peut rencontrer aussi une alcalose métabolique après correction d'une acidose respiratoire chronique et dans deux affections beaucoup plus rares du côlon : l'adénome villeux et la diarrhée congénitale en chlorure.

Tableau 8.3
Alcalose métabolique
Avec contraction volémique Vomissements ou aspiration gastrique Diurétiques **Avec expansion volémique** Bicarbonate ou précurseurs Hypercorticosurrénalisme

L'alcalose métabolique avec expansion volémique est beaucoup moins fréquente. Elle résulte habituellement d'un hypercorticosurrénalisme ou de l'administration d'une quantité considérable de bicarbonate ou de l'un de ses précurseurs : lactate, acétate ou citrate. On observe un hypercorticosurrénalisme dans l'hyperaldostéronisme primaire, le syndrome de Cushing et le syndrome de Bartter. L'ingestion de quantités importantes de réglisse produit aussi une alcalose métabolique, parce que l'action de l'acide glycyrrhizique imite celle des minéralocorticoïdes.

Signes et symptômes

Comme dans l'acidose métabolique, le ralentissement du métabolisme cérébral altère progressivement l'état de conscience jusqu'au coma. Les convulsions et la tétanie reflètent une excitabilité accrue du système nerveux central et périphérique. L'alcalose métabolique facilite aussi la production de plusieurs arythmies cardiaques, surtout s'il y a hypokaliémie.

Compensation physiologique

Une hypoventilation relativement modeste élève la PCO_2 sanguine de 0,5 mmHg chaque fois que la concentration plasmatique de bicarbonate augmente de 1 mEq/L. Une hausse de la bicarbonatémie de 25 à 55 mEq/L entraîne donc une élévation de la PCO_2 artérielle de 40 à 55 mmHg, une compensation qui abaisse le pH sanguin de 7,76 à 7,62. Toutefois, la PCO_2 artérielle ne dépasse pas habituellement 55 mmHg, parce que l'hypoxémie qui en résulte limite l'hypoventilation. Si l'absence de toute compensation respiratoire maintient la PCO_2 artérielle à 40 mmHg, une concentration plasmatique de bicarbonate de 55 mEq/L augmente le pH sanguin à 7,76, valeur peu compatible avec la survie.

Traitement

Il faut d'abord diminuer ou cesser la prise de diurétiques et, dans certains cas, inhiber pharmacologiquement la sécrétion acide de l'estomac et la perte digestive de chlore. L'administration de quantités suffisantes de chlore sous la forme d'un soluté salin isotonique (154 mEq NaCl/L) contenant 40 mEq de KCl/L demeure la façon la plus simple de corriger l'alcalose métabolique avec contraction volémique. L'administration de chlore sous la forme de HCl ou de ses précurseurs (chlorure d'ammonium, arginine HCl, lysine HCl) est à déconseiller à cause de divers inconvénients dont certains peuvent devenir majeurs.

Par exemple, un malade, traité au furosémide et chez qui on a observé un drainage abondant des sécrétions gastriques, présente une alcalose métabolique marquée avec un pH sanguin à 7,60. On le traite par administration intraveineuse, à raison de 125 mL/h, d'un soluté salin isotonique auquel on ajoute 40 mEq/L de chlorure de potassium. On enlève le diurétique et on ajoute un médicament inhibant la proton-ATPase gastrique et la sécrétion acide de l'estomac.

Alcalose respiratoire

L'alcalose respiratoire consiste en un pH sanguin augmenté (> 7,45) accompagnant une baisse de la PCO_2 artérielle (< 35 mmHg).

Étiologie

Une hyperventilation alvéolaire et une augmentation de l'excrétion pulmonaire de CO_2 sont toujours responsables d'une perte de CO_2 et de l'alcalose respiratoire. Parmi les causes fréquentes d'alcalose respiratoire, on retrouve d'abord l'hyperventilation mécanique (tableau 8.4). De plus, une stimulation nerveuse ou chimique du centre respiratoire se rencontre dans plusieurs situations. Mentionnons le syndrome d'anxiété avec hyperventilation et diverses maladies du système nerveux central (SNC) touchant le centre respiratoire du tronc cérébral. L'hypoxémie, l'ammoniac (au cours de l'insuffisance hépatique), l'éthanol, la progestérone (augmentée durant la grossesse), les salicylates et les toxines bactériennes (dans les septicémies à Gram négatif) stimulent chimiquement le centre respiratoire. L'alcalose respiratoire aiguë survient surtout avec l'anxiété ou l'hyperventilation mécanique, et chez les malades devant être hospitalisés à l'unité de soins intensifs. D'autre part, on observe une alcalose respiratoire chronique chez des sujets vivant à haute altitude et chez des personnes souffrant d'une maladie du SNC ou d'une insuffisance hépatique.

Tableau 8.4

Alcalose respiratoire

Hyperventilation mécanique
Stimulation du centre respiratoire
Anxiété
Maladie du SNC
Hypoxémie
Stimulation chimique

Signes et symptômes

Le patient souffrant d'alcalose respiratoire légère ou chronique est le plus souvent asymptomatique. La tachypnée, pas toujours évidente, reflète l'hyperventilation. Dans le syndrome d'anxiété avec hyperventilation, le malade peut présenter des paresthésies autour de la bouche et aux extrémités des membres. Une vasoconstriction cérébrale assez marquée diminue le débit sanguin cérébral de plus de 50 % au cours de l'alcalose respiratoire aiguë et peut expliquer la sensation de tête légère, l'altération des fonctions mentales, la confusion, et même produire une syncope. Des convulsions et une tétanie reflètent une excitabilité accrue du système nerveux central et périphérique. En présence d'une insuffisance coronarienne, l'alcalose respiratoire facilite la production de diverses arythmies cardiaques.

Compensation physiologique

La concentration plasmatique de bicarbonate permet d'établir si l'alcalose respiratoire est aiguë ou chronique. Si la PCO_2 artérielle diminuait rapidement de 40 à 20 mmHg en l'absence de toute baisse compensatrice de la bicarbonatémie, le pH sanguin s'élèverait de 7,40 à 7,70. Ceci ne survient jamais puisque la titration des tampons autres que le bicarbonate utilise assez de bicarbonate pour diminuer la bicarbonatémie d'environ 4 mEq/L, c'est-à-dire de 2 mEq/L chaque fois que la PCO_2 sanguine s'abaisse de 10 mmHg. Cette compensation aiguë est complète en quelques minutes, mais ne corrige que partiellement l'alcalose respiratoire.

Si la chute de la PCO_2 se prolonge quelques jours, l'adaptation rénale diminue l'excrétion urinaire d'acidité nette, un phénomène qui abaisse la bicarbonatémie de 4 mEq/L, chaque fois que la PCO_2 sanguine chute de 10 mmHg. Cette compensation chronique corrige alors environ la moitié de la hausse du pH sanguin, sans ramener cependant celui-ci à sa valeur normale.

Si une baisse encore plus importante de la bicarbonatémie ramène le pH sanguin à la normale, il ne s'agit pas d'une alcalose respiratoire chronique parfaitement compensée. On évoque plutôt la présence simultanée de deux troubles acidobasiques, une acidose métabolique et une alcalose respiratoire chronique.

Traitement

Il faut toujours diminuer une ventilation alvéolaire exagérée. En présence d'une hyperventilation mécanique, on peut normaliser immédiatement la PCO_2 en diminuant la fréquence respiratoire ou le volume courant, ou les deux paramètres. Si le patient déclenche lui-même le respirateur, il faut augmenter l'espace mort en allongeant la tubulure.

Lorsque le centre respiratoire est stimulé, la seule manœuvre valable, si possible, est d'éliminer ou de traiter directement la cause sous-jacente. Par exemple, dans le syndrome d'anxiété avec hyperventilation, on peut mettre fin à la crise par une sédation et en faisant respirer le patient dans un sac de papier afin d'augmenter la PCO_2 de l'air inspiré. Lorsqu'une hypoxémie est responsable de l'hyperventilation, l'administration d'oxygène corrige à la fois l'hypoxémie sous-jacente et l'alcalose respiratoire.

LECTURES SUGGÉRÉES

Adrogué, H. J. et Madias, N. E. « Management of life-threatening acid-base disorders », *New Engl J Med*, 1998 ; 338 : 26-34.

Adrogué, H. J. et Madias N. E. « Management of life-threatening acid-base disorders », *New Engl J Med*, 1998 ; 338 : 107-111.

Galla, J. H. « Metabolic alkalosis », *J Am Soc Nephrol*, 2000 ; 11 : 369-375.

Gougoux, A. et Vinay, P. « Respiratory acidosis », dans Hurst, J. W. *Medicine for the Practicing Physician*, Appleton and Lange, Stamford, 1996.

Gougoux, A. et Vinay, P. « Respiratory alkalosis », dans Hurst, J. W. *Medicine for the Praticing Physician*, Appleton and Lange, Stamford, 1996.

Luft, F. C. « Lactic acidosis update for critical care clinicians », *J Am Soc Nephrol*, 2001 ; 12 : S15-S19.

Palmer, B. F. et Alpern, R. J. « Metabolic alkalosis », *J Am Soc Nephrol*, 1997 ; 8 : 1462-1469.

Sabatini, S. et Kurtzman, N. A. « Bicarbonate therapy in severe metabolic acidosis », *J Am Soc Nephrol*, 2009 ; 20 : 692-695.

Salem, M. M. et Mujais, S. K. « Gaps in the anion gap », *Arch Intern Med*, 1992 ; 152 : 1625-1629.

Chapitre 9

Insuffisance rénale aiguë

Josée Bouchard, Martine Leblanc et
Ève-Reine Gagné

Épidémiologie

On considère généralement que l'insuffisance rénale aiguë (IRA) affecte environ 5 % des patients hospitalisés et jusqu'à 20 % de ceux qui sont admis aux soins intensifs. Deux classifications assez similaires ont récemment été proposées pour l'IRA, celles de RIFLE et de AKIN (tableau 9.1). Ces classifications ont permis de démontrer que la gravité de l'IRA est en corrélation avec la mortalité (plus la créatininémie augmente, plus la mortalité augmente également). Ces classifications incluent maintenant de plus faibles augmentations de la créatininémie, de l'ordre de 27 µmol/L, ou de plus faibles baisses du débit de filtration glomérulaire (DFG), car de tels changements ont été associés à une augmentation de la mortalité. Avec ces nouvelles données, le terme «insuffisance rénale aiguë» peut paraître inapproprié dans certaines situations où l'atteinte rénale est relativement mineure. En anglais, le terme *acute kidney injury* (parfois traduit en français par «atteinte rénale aiguë») a été proposé pour catégoriser l'ensemble des dysfonctionnements rénaux aigus. Dans ce chapitre, par souci de simplicité, nous emploierons l'abréviation IRA pour désigner toutes les formes d'atteintes rénales aiguës.

Alors que le pronostic des cas d'IRA en l'absence de tout autre dysfonctionnement systémique majeur est relativement favorable (mortalité de 10 à 15 %), il est beaucoup plus réservé lorsque l'IRA survient aux soins intensifs, dans un contexte d'atteinte multisystémique (deux insuffisances d'organes et plus). En effet, chez ce type de malades, les taux de mortalité varient de 50 à 90 % et ne se sont que légèrement améliorés depuis trois décennies. Il faut reconnaître que le traitement offert aux patients des unités de soins intensifs est de plus en plus complexe et se prolonge pendant de plus longues périodes, d'une part, et que d'autre part, des patients de plus en plus âgés et de plus en plus malades sont traités dans la plupart de ces unités. Les causes les plus fréquentes de décès chez les malades atteints d'IRA incluent les *infections secondaires* et la *maladie de base* (responsable des complications subséquentes dont l'IRA), mais rarement l'IRA elle-même en raison du recours à la dialyse.

Longtemps considérée comme n'ayant pas de conséquence à long terme sur la fonction rénale, à quelques exceptions près, l'IRA causée par une nécrose tubulaire aiguë paraît favoriser une détérioration progressive de la fonction rénale chez certains patients, et ce de façon plus marquée chez ceux déjà atteints d'insuffisance rénale chronique.

Tableau 9.1	
Définitions de l'IRA	
RIFLE (2004)	**AKIN (2007)**
En 7 jours, soit :	En 48h, soit :
1. Diminution du DFG > 25 %	1. Augmentation de la créatinine de ≥ 27 µmol/L
2. Augmentation de 1,5 x la valeur de base de la créatinine *ou*	2. Augmentation de 1,5 x la valeur de base de la créatinine *ou*
3. Diurèse < 0,5 mL/kg/h x 6 heures	3. Diurèse < 0,5 mL/kg/h x 6 heures

Facteurs étiologiques et physiopathologie

L'IRA n'est pas *une* maladie, mais plutôt une réponse rénale à une variété d'agressions qui déclenchent des mécanismes physiopathologiques différents. Les causes d'IRA sont généralement regroupées en trois grandes catégories (tableau 9.2) :

1) *IRA prérénale*, la majorité des cas (40 à 80 %)
2) *IRA rénale (parenchymateuse)*
3) *IRA postrénale* (tout au plus 10 % des cas)

Tableau 9.2		
Classification des insuffisances rénales aiguës		
Prérénale	**Rénale**	**Postrénale** (tableau 9.5)
Perte de volume extracellulaire	Glomérulonéphrites	Obstruction urétérale
Séquestration de volume	Nécrose tubulaire aiguë (tableau 9.4)	Obstruction vésicale
Réduction du débit cardiaque	Néphrite interstitielle aiguë	Obstruction urétrale
Vasodilatation périphérique	Atteintes vasculaires	
Vasodilatation de l'artériole efférente		
Vasoconstriction intrarénale		

Insuffisance rénale aiguë de type prérénal

Toute baisse de perfusion rénale peut être responsable d'une IRA de type prérénal, aussi appelée *IRA fonctionnelle*. Il s'agit en fait d'une réponse physiologique à une diminution du volume circulant efficace. L'hypoperfusion rénale qui en résulte entraîne les changements hémodynamiques décrits ci-dessous, le parenchyme rénal demeurant intact.

Une baisse de perfusion rénale peut faire suite à plusieurs événements ou phénomènes :

– une *perte de volume extracellulaire* (par hémorragie, diarrhée profuse, brûlures extensives ou diurèse excessive) ;
– une *séquestration de volume* (formation d'un troisième espace après une chirurgie abdominale extensive ou une pancréatite, formation d'ascite dans le cadre d'une cirrhose ou formation d'œdème généralisé chez un sujet néphrotique) ;
– une *réduction du débit cardiaque* (par insuffisance cardiaque gauche ou droite ou tamponnade péricardique) ;
– une *vasodilatation périphérique* qui s'accompagne d'une vasodilatation intrarénale (lors d'une anaphylaxie, ou après l'administration d'agents vasodilatateurs puissants) ;
– une *vasodilatation de l'artériole efférente* par les inhibiteurs de l'enzyme de conversion de l'angiotensine (IECA) ou les bloqueurs des récepteurs de l'angiotensine II (BRA) lorsque combinés à une autre perturbation hémodynamique ;
– une *vasoconstriction intrarénale* par des médiateurs endogènes tels que les catécholamines, l'angiotensine II, l'endothéline lors d'un sepsis, ou des agents exogènes tels que les vasopresseurs, les anti-inflammatoires non stéroïdiens (AINS), la cyclosporine ou le tacrolimus.

Chez le sujet normal, la régulation de la filtration glomérulaire est dépendante des mécanismes d'*autorégulation* intrinsèque (réflexe myogénique), de la sécrétion d'angiotensine II et de la rétroaction (*feedback*) *tubuloglomérulaire* (*voir chapitre 2*).

En cas d'hypoperfusion rénale, on constate normalement une augmentation de l'activité adrénergique et du système rénine-angiotensine-aldostérone à l'origine d'une vasoconstriction rénale, de même qu'une augmentation de l'hormone antidiurétique. Ceci se solde par un accroissement de la réabsorption tubulaire de sodium, d'urée et d'eau, ainsi que par une urine très concentrée.

Normalement, les effets vasoconstricteurs de l'angiotensine II sont contrebalancés par des vasodilatateurs endogènes intrarénaux agissant au niveau de l'artériole afférente, notamment les prostaglandines et l'oxyde nitrique. Ces substances permettent de maintenir un débit sanguin rénal adéquat.

Une réduction du DFG, autrement dit une IRA prérénale, ne survient que lorsque les défenses physiologiques deviennent insuffisantes et inadaptées. Les mécanismes de régulation de l'hémodynamique systémique sont activés pour maximiser la perfusion cérébrale et coronarienne et ne permettent plus le maintien d'une pression de filtration glomérulaire adéquate. L'activation soutenue du système nerveux sympathique et la libération d'angiotensine II et d'hormone antidiurétique entraînent alors une vasoconstriction rénale et une baisse du coefficient d'ultrafiltration glomérulaire.

Une inhibition aiguë de la cyclo-oxygénase contribue à augmenter la vasoconstriction intrarénale (artériole afférente) et à réduire le DFG ; c'est pourquoi l'administration d'AINS est particulièrement nocive en situation prérénale. D'autre part, l'administration d'IECA ou de BRA peut être associée à une IRA s'il existe en même temps une hypovolémie, même en l'absence de sténose des artères rénales bilatérales (*voir chapitre 18*). En effet, pour maintenir le DFG en présence d'une hypovolémie, l'angiotensine II exerce son effet constricteur, tout particulièrement sur l'artériole efférente. En empêchant la formation ou l'action de l'angiotensine II par un IECA ou un BRA, on induit une vasodilatation relative de l'artériole efférente et une baisse du DFG.

Un autre exemple clinique d'IRA en partie prérénale est le sepsis. Lors d'une septicémie, il se produit une vasodilatation périphérique marquée. Toutefois, au niveau des reins, il se produit plutôt un phénomène de vasoconstriction secondaire à l'auto-inhibition de certains vasodilatateurs endogènes. En fait, plusieurs médiateurs (cytokines, endotoxines, lipopolysaccharides, leukotriènes, thromboxane, oxyde nitrique) affectant la microcirculation rénale, l'intégrité de l'épithélium cellulaire, ou la cascade de la coagulation avec formation de microthrombi semblent impliqués dans la genèse de l'IRA associée aux infections graves.

Insuffisance rénale aiguë de type rénal

Il s'agit ici d'une forme d'IRA avec atteinte du parenchyme rénal. La cause la plus fréquente d'IRA de type rénal est la *nécrose tubulaire aiguë* qui sera discutée ci-dessous.

Une hypoperfusion rénale qui se prolonge suffisamment longtemps entraîne une ischémie, puis une nécrose tubulaire aiguë. Un processus d'IRA de type prérénal devient à proprement parler de type rénal s'il est soutenu ; ces deux entités peuvent ainsi être considérées comme faisant partie d'un continuum. La cause première de nécrose tubulaire aiguë est l'*ischémie rénale* qui fait suite à une hypoperfusion rénale suffisamment prolongée (baisse du volume circulant secondaire à une hypovolémie vraie ou à une baisse de la volémie efficace associée à une insuffisance cardiaque ou hépatique, une interruption du débit sanguin rénal ou un phénomène de vasodilatation périphérique avec vasoconstriction rénale tel qu'observé dans les états septiques). Il a été démontré, par exemple, qu'un clampage aortique de 60 minutes était la durée maximale au-delà de laquelle une ischémie rénale avait de fortes chances de survenir. Environ 60 % des cas de nécrose tubulaire aiguë surviennent dans un contexte chirurgical ou posttraumatique et 40 % dans un contexte purement médical.

Afin de mieux comprendre le phénomène de l'ischémie rénale, il est utile de revoir brièvement la distribution de l'oxygénation du rein et de comparer sa consommation d'oxygène à celle d'autres organes (tableau 9.3). La médullaire externe du rein est la zone la plus exposée à un manque d'oxygène puisqu'elle en est la plus grande consommatrice. On comprendra aussi que les glomérules seront relativement épargnés, étant situés dans le cortex rénal, et que les tubules sont les plus affectés, d'où l'appellation « nécrose *tubulaire* aiguë ». Par opposition, la *nécrose corticale*, affection peu fréquente, correspond à une ischémie du cortex, dans lequel sont situés les glomérules. Elle survient à la suite d'une souffrance rénale prolongée (choc profond, arrêt circulatoire, hypoxémie grave, complications obstétricales et coagulation intravasculaire disséminée), est habituellement irréversible et s'accompagne d'une anurie complète.

Tableau 9.3

Apport et consommation d'oxygène de divers organes

Organes	O₂ transporté	Débit sanguin	O₂ consommé	% extraction
		(mL/min/100 g de tissu)		
Foie	11,6	58	2,2	18
Rein	84	420	6,8	8
Médullaire rénale	**7,6**	**190**	**6,0**	**79**
Cerveau	10,8	54	3,7	34
Peau	2,6	13	0,4	15
Muscle	0,5	2,7	0,2	34
Cœur	16,8	84	11	65

Les autres variantes de nécrose tubulaire aiguë sont secondaires à diverses *néphrotoxines*. Celles-ci peuvent être **exogènes** (produits de contraste iodés, aminosides et plusieurs autres médicaments) ou **endogènes** (pigments) : il s'agit dans ce dernier cas de myoglobine (secondaire à une rhabdomyolyse) ou d'hémoglobine (après hémolyse intravasculaire) (tableau 9.4). Seulement 10 à 20 % des patients recevant des antibiotiques de type aminosides font une insuffisance rénale aiguë ; les patients les plus vulnérables sont ceux chez qui il existe une hypovolémie, ceux à qui un diurétique ou une autre néphrotoxine est administré de façon concomitante, les sujets âgés et enfin ceux qui présentent déjà une néphropathie sous-jacente. Les patients les plus susceptibles de présenter une IRA à la suite de l'administration de produits de contraste iodé sont ceux atteints de néphropathie diabétique et tous ceux ayant une insuffisance rénale chronique sous-jacente. De ceux-là, 10 à 40 % feront une IRA. Dans cette situation, la créatinine atteint habituellement un plateau en 2 à 4 jours. L'insuffisance cardiaque et possiblement la prise d'IECA, de BRA et d'AINS sont également des facteurs de risque de néphropathie aux produits de contraste iodés. Quant à la rhabdomyolyse, qui fait suite à un traumatisme ou à une autre forme d'atteinte musculaire, elle produit initialement un œdème musculaire et, conséquemment, une hypovolémie. De plus, il y a relargage de cytokines et d'endotoxines, responsables d'une vasoconstriction intrarénale. Ces deux phénomènes favorisent la phase *prérénale* de l'IRA par rhabdomyolyse. Par la suite, la quantité de myoglobine libérée par les cellules musculaires et filtrée par les glomérules surpasse la capacité d'endocytose et de réabsorption du tubule proximal ; la myoglobine en excès se retrouve dans le tubule distal où elle précipite. Cette précipitation est nettement favorisée en pH luminal acide. La myoglobine pourrait également avoir un effet cytotoxique direct, principalement sur le tubule proximal. Par ces deux phénomènes, on assiste donc à la phase *rénale* de l'IRA par rhabdomyolyse. La détection d'une rhabdomyolyse est facile : il suffit de mesurer la créatine kinase (CK) sérique. Il n'y a pas de niveau absolu de CK au-delà duquel le risque d'IRA est nettement augmenté. Des niveaux de CK aussi bas que 5000 U/L peuvent être associés à une IRA, surtout lorsqu'il existe des facteurs favorisants, tels un sepsis, une déshydration ou une acidose.

Tableau 9.4

Causes de nécrose tubulaire aiguë

Ischémie rénale
    Choc septique
    Déplétion volémique
    Hypotension
    Insuffisance cardiaque ou hépatique
Néphrotoxines
    Aminosides
    Produits de contraste iodés
    Myoglobinurie
    Hémoglobinurie

Dans la nécrose tubulaire aiguë, le dysfonctionnement est d'abord tubulaire puis glomérulaire. Les hypothèses pouvant expliquer ce dysfonctionnement sont les suivantes : 1) la théorie « *vasculaire* » selon laquelle une baisse marquée de la pression de perfusion rénale, avec constriction de l'artériole afférente ou dilatation relative de l'artériole efférente, causerait une réduction du DFG et même une altération de la perméabilité capillaire glomérulaire (figure 9.1). De plus, une *rétroaction tubuloglomérulaire*, activée par l'arrivée au néphron distal de liquide non réabsorbé par les segments proximaux dysfonctionnels, contribue à une baisse de la pression de filtration glomérulaire par une vasoconstriction de l'artériole afférente induite par l'adénosine ; 2) la théorie « *tubulaire* », selon laquelle une désquamation tubulaire, en causant la présence de cylindres et de débris cellulaires qui obstruent la lumière tubulaire, entraînerait une hyperpression intratubulaire avec baisse secondaire de la pression de filtration glomérulaire, ainsi qu'une rétrodiffusion du filtrat glomérulaire à travers l'épithélium tubulaire lésé. De plus, comme un seul tubule collecteur draine plusieurs néphrons, l'obstruction d'un petit nombre de tubules collecteurs peut entraîner le dysfonctionnement de plusieurs néphrons. Il est plausible que des mécanismes à la fois tubulaires, glomérulaires et peut-être même interstitiels soient en cause dans la baisse de la filtration glomérulaire secondaire à une nécrose tubulaire aiguë.

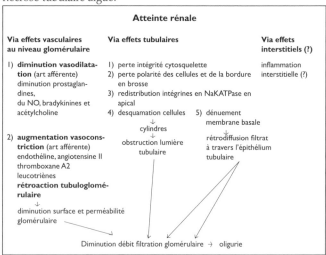

Figure 9.1 Mécanismes impliqués dans la physiopathologie de la nécrose tubulaire aiguë

Les segments tubulaires affectés au cours d'une nécrose tubulaire aiguë sont essentiellement le tubule proximal et la branche ascendante de l'anse de Henle. On distingue deux types d'atteinte : 1) l'atteinte *ischémique*, qui donne lieu à une nécrose irrégulière, plus marquée dans les segments tubulaires de la jonction corticomédullaire (juxtamédullaires), soit le tubule droit proximal et la branche médullaire ascendante large de Henle, dont la membrane basale est affectée ; 2) l'atteinte *néphrotoxique* qui consiste en une nécrose du tubule proximal (contourné et droit) uniforme et diffuse, sans atteinte de la membrane basale. Ces différences histologiques ne sont pas associées à une évolution clinique particulière.

En général, il n'y a pas d'indication de procéder à une biopsie rénale si l'on suspecte une nécrose tubulaire aiguë. Si une biopsie est effectuée, l'atteinte est inconstante en microscopie optique, variant entre l'absence d'anomalie et la nécrose tubulaire franche avec épithélium tubulaire nécrotique et interrompu, cylindres intratubulaires par désquamation cellulaire, œdème de l'interstice et infiltration cellulaire. Les vaisseaux et les glomérules conservent le plus souvent un aspect normal. Après récupération, on observe un retour à la normale ou, tout au plus, des anomalies mineures. Cette récupération de la fonction rénale est possible grâce à une dédifférenciation des cellules tubulaires restantes et une prolifération cellulaire marquée, qui peut d'ailleurs être visible lors d'une biopsie. La phase proliférative est due à la présence de facteurs de croissance, dont l'*insulin-like growth factor-1*. Après avoir proliféré, les cellules épithéliales tubulaires doivent migrer aux endroits où la membrane basale est dénudée, se fixer à celle-ci et se dédifférencier à nouveau en cellules matures.

Les autres causes d'IRA de type rénal comprennent les glomérulonéphrites (atteintes inflammatoires glomérulaires), les néphrites interstitielles aiguës (atteintes inflammatoires tubulaires et interstitielles) et les atteintes vasculaires (tableau 9.2). Les *glomérulonéphrites aiguës* (postinfectieuses) et *rapidement progressives* sont les deux types les plus susceptibles d'évoluer rapidement (*voir chapitre 11*). Les *néphrites interstitielles aiguës* sont habituellement causées par l'administration d'un des médicaments suivants : bêta-lactamine, sulfamidé, diphénylhydantoïne, rifampicine, AINS, triméthoprime, captopril, ciprofloxacine. Elles peuvent également survenir dans le cadre de certaines maladies systémiques telles le lupus, le syndrome de Sjögren et la sarcoïdose, ainsi que diverses infections bactériennes et virales. Les *atteintes rénales vasculaires* sont aussi classées parmi les causes « rénales parenchymateuses », car elles amputent le parenchyme rénal fonctionnel. Sous cette rubrique, on inclut les thromboses et les embolies rénales (de nature fibrino-plaquettaire), les athéroembolies (embolies de cholestérol), les dissections de l'artère rénale principale avec infarctus rénal, les vasculites, l'hypertension artérielle maligne, la crise sclérodermique, le syndrome hémolytique et urémique, et le purpura thrombotique thrombocytopénique. La *maladie rénale athéro-embolique*, avec pluie de cristaux de cholestérol se logeant dans les artérioles rénales, suit souvent une évolution par paliers (élévations successives de la créatinine, entrecoupées de périodes de stabilisation de quelques jours) et est associée habituellement à des manipulations de l'aorte suprarénale (chirurgie cardiaque ou aortique, pontages, examens angiographiques).

Insuffisance rénale aiguë de type postrénal

Cette catégorie regroupe toutes les obstructions du débit urinaire. Le phénomène obstructif provoque une élévation de la pression hydrostatique dans la lumière tubulaire, ce qui entraîne des répercussions sur la filtration glomérulaire. Il se produit une vasodilatation compensatrice de l'artériole afférente. Cependant, cette vasodilatation n'est pas suffisante, de sorte que l'on assiste à une diminution du DFG. On distingue l'obstruction basse (par hypertrophie prostatique, sténose urétrale ou dénervation vésicale) de l'obstruction haute (par obstruction urétérale bilatérale, rare, mais possible lors d'une fibrose rétropéritonéale, par exemple) et de l'obstruction intrarénale (par précipitation intratubulaire d'acide urique dans un syndrome de lyse tumorale ou encore de paraprotéines dans le cadre d'un myélome) (tableau 9.5).

Tableau 9.5

Causes d'insuffisance rénale aiguë postrénale

Obstruction urétérale
> Bilatérale ou unilatérale en cas de rein unique
> Extra-urétérale
> Tumeur : utérus, prostate
> Ligature chirurgicale accidentelle
> Fibrose rétropéritonéale

Intra-urétérale
> Lithiase
> Cristaux d'acide urique
> Caillots
> Débris cellulaires (nécrose papillaire)

Obstruction vésicale
> Lithiase
> Caillots
> Tumeur : utérus, prostate, vessie
> Fonctionnelle : neuropathie, bloqueurs ganglionnaires

Obstruction urétrale
> Valve congénitale
> Sténose
> Phimosis

Présentation clinique et évolution

L'IRA est caractérisée par une élimination anormale des déchets azotés, de l'eau, des électrolytes et des acides non volatils. Les altérations de l'urée et de la créatinine sériques dépendent en partie du degré de catabolisme tissulaire et de la diurèse. Par exemple, lors d'une nécrose tubulaire aiguë, en raison d'une perte de la capacité de concentration et de dilution des urines par les tubules, on constate une isosthénurie. Celle-ci est définie comme une osmolalité urinaire pratiquement égale à l'osmolalité plasmatique. Cette isosthénurie limite l'excrétion de certains déchets. Si l'osmolalité urinaire ne peut dépasser 350 mOsm/kg et que le patient urine 1 L/24 h, il ne pourra excréter qu'un maximum de 350 mOsm/24 h. Comme la production osmolaire quotidienne chez un patient aux soins intensifs est facilement de l'ordre de 800 à 1000 mOsm/24 h, il se produit une élévation de l'urée plasmatique, parmi d'autres osmoles. Sur une base quotidienne, en nécrose tubulaire aiguë, on s'attend à une élévation de l'urée sérique de 5 à 10 mmol/L/24 h, alors que la créatininémie s'élève de 50 à 100 µmol/L/24 h en général. En présence d'une rhabdomyolyse, la créatinine sérique est particulièrement élevée à cause d'un relargage de créatinine à partir des cellules musculaires lysées.

En IRA, la rétention hydrosodée est fréquente et s'associe à des œdèmes avec tendance à l'hyponatrémie dilutionnelle. L'hyperkaliémie et l'hyperphosphorémie sont plus marquées chez les patients cataboliques et oligo-anuriques, et particulièrement redoutables en présence d'une lyse cellulaire (par traumatisme et autres formes de rhabdomyolyse, ou par relargage provenant de certaines tumeurs). Le potassium sérique augmente habituellement de 0,5 mmol/L/24 h, mais peut augmenter de 2,5 mmol/24 h lors d'une rhabdomyolyse ou en cas de catabolisme important. Une hypocalcémie peut également survenir, habituellement sans manifestation clinique. Une acidose métabolique, à trou anionique habituellement élevé (mais parfois normal ou presque) accompagne l'IRA, témoin de la production quotidienne obligatoire d'acide non volatil (1 mmol/kg/24 h) et de l'incapacité d'élimination rénale par défaut d'acidification urinaire. Il est habituel d'observer une baisse de l'ordre de 1 à 2 mmol/L/24 h des bicarbonates plasmatiques.

L'IRA s'accompagne de nombreuses manifestations systémiques, qui contribuent à influencer son pronostic. D'un point de vue hématologique, on note une anémie (par diminution de l'érythropoïèse, baisse de la survie des globules rouges et hémodilution) et une tendance au saignement (par dysfonctionnement plaquettaire). Des infections compliquent souvent le cours de l'IRA et peuvent être sous-diagnostiquées car les urémiques ont tendance à faire moins de fièvre. Au plan cardio-vasculaire, les complications potentielles sont la surcharge volémique, les arythmies et, rarement, la péricardite urémique, d'où l'importance de rechercher un éventuel frottement péricardique chez ces malades. La surcharge pulmonaire, pouvant aller jusqu'à l'œdème pulmonaire aigu, peut être causée à la fois par une surcharge volémique et une augmentation de la perméabilité capillaire par inflammation pulmonaire. Approximativement 20 % des cas d'IRA s'accompagnent d'une hypertension artérielle (habituellement liée à la surcharge volémique). Sur le plan neurologique, on peut noter de la somnolence, un astérixis, des myoclonies, voire des convulsions, signant un certain degré d'encéphalopathie métabolique avec irritabilité du système nerveux central si l'urémie est marquée. Enfin, au plan gastro-entérologique, une inappétence, des nausées et des vomissements sont souvent associés à la rétention de déchets azotés.

Certaines de ces manifestations peuvent évoquer celles de l'insuffisance rénale chronique (IRC). Il se présente assez fréquemment des situations dans lesquelles on ignore si le processus est réellement aigu, une créatininémie antérieure n'étant pas disponible. Quelques indices permettront alors de différencier une IRA d'une IRC : l'absence d'atrophie rénale, c'est-à-dire des reins de volume préservé (> 9 cm), sans hyperéchogénicité importante ni amincissement cortical à l'échographie rénale, et également l'absence d'ostéodystrophie, de neuropathie urémique, d'anémie marquée et inexpliquée (*voir aussi chapitre 10*).

La présentation clinique et l'évolution de l'IRA varient beaucoup selon la cause sous-jacente. Le syndrome clinique de l'*IRA de type prérénal* est le plus souvent marqué par une baisse de la diurèse et un rapport urée/créatinine plasmatiques élevé. Ces deux phénomènes font suite, en partie, à une élévation du taux de l'hormone antidiurétique qui augmente la réabsorption de l'eau et de l'urée, et à une réabsorption proximale passive accrue par les modifications des gradients de pression oncotique et hydrostatique péritubulaires qui résultent de l'hypovolémie (*voir chapitre 2*). Alors que la clairance de l'urée approche 80 % du DFG en l'absence d'hormone antidiurétique et en présence d'un bon débit urinaire, elle peut chuter à 25 % du DFG en présence d'hormone antidiurétique. Cependant, on note parfois des cas d'IRA de type prérénal qui s'accompagnent d'un débit urinaire préservé (diurèse osmotique par glycosurie ou par une urée sanguine extrêmement élevée qui passe partiellement dans l'urine, administration de diurétiques ou de mannitol) et qui peuvent donc être plus difficiles à détecter. L'état prérénal est donc beaucoup plus souvent *oligurique* (< 400 mL/24 h), mais peut parfois être polyurique (> 3 L/24 h).

La *nécrose tubulaire aiguë* ischémique fait souvent suite à un état prérénal prolongé et la phase initiale est souvent marquée par une oligurie. Par opposition, la nécrose tubulaire aiguë par atteinte néphrotoxique est plus souvent non oligurique. Une urine de couleur rouge acajou est observée en cas de rhabdomyolyse. La nécrose tubulaire aiguë d'emblée non oligurique a un meilleur pronostic que la forme oligurique ou anurique. À la *phase de maintien* plus ou moins longue fait suite une *phase de récupération* qui se manifeste par une augmentation du volume urinaire, entraînant parfois une polyurie (qui signale que les mécanismes de concentration urinaire ne se sont pas normalisés et qu'il persiste une atteinte tubulaire). Un processus de nécrose tubulaire aiguë oligurique évolue habituellement en 10 à 15 jours, mais peut se prolonger jusqu'à 6 à 8 semaines, alors qu'une forme non oligurique est généralement plus brève, soit 5 à 10 jours dans le meilleur des cas.

La *maladie rénale athéro-embolique* s'accompagne assez souvent de manifestations cutanées (orteils bleus, *livedo reticularis*) ou biochimiques (hypocomplémentémie, éosinophilie et éosinophilurie) pouvant donner le change pour un processus vasculitique. La *néphrite interstitielle aiguë* est parfois accompagnée de fièvre, d'éruption cutanée, d'arthralgies, d'éosinophilie. L'IRA *postrénale* obstructive basse ou haute se résout habituellement si l'obstruction est levée à l'intérieur de 7 jours. La possibilité de récupération diminue sensiblement lorsqu'une obstruction date de plus de 6 semaines.

Diagnostic étiologique

Devant un cas d'IRA, il est important d'exclure une cause prérénale ou postrénale. Plusieurs paramètres utiles et facilement accessibles aident à définir un état **prérénal** : une évaluation des événements cliniques récents est certes importante, tout comme le bilan *ingesta-excreta* (notamment en per- et en péri-opératoire), les données hémodynamiques (pression artérielle et fréquence cardiaque ; pression veineuse centrale, index cardiaque, pression de remplissage ventriculaire gauche, et résistances vasculaires systémiques, s'il y a monitorage par cathéter de type Swan-Ganz), la sensation de soif rapportée par le patient, l'état des muqueuses, la présence d'un pli cutané (quoique moins fiable chez la personne âgée), l'évolution de la diurèse et également la courbe pondérale. Un état **postrénal** est pratiquement exclu par la mise en place d'une sonde urinaire (obstruction urétrale) et par une échographie ou une tomodensitométrie sans produit de contraste iodé démontrant l'absence d'hydronéphrose. Notons que l'obstruction intrarénale (par acide urique, oxalate, médicaments précédemment mentionnés ou paraprotéines dans le cadre d'un myélome) ne cause pas d'hydronéphrose visible à l'échographie contrairement aux autres causes d'IRA postrénale.

Avant de conclure à une nécrose tubulaire aiguë, il est préférable d'évoquer les autres causes possibles d'atteinte rénale parenchymateuse. Le diagnostic de nécrose tubulaire aiguë est en quelque sorte un diagnostic d'exclusion (figure 9.2).

Plusieurs indices biochimiques aident à distinguer une atteinte prérénale ou fonctionnelle d'une atteinte rénale ou parenchymateuse (tableau 9.5). En cas d'atteinte prérénale, les mécanismes tubulaires sont intacts et la capacité de concentration urinaire est préservée, la réabsorption de sodium est par conséquent maximale, l'osmolalité urinaire étant élevée, alors qu'en cas de nécrose tubulaire aiguë, il y a augmentation de l'excrétion fractionnelle de sodium et isosthénurie, c'est-à-dire que l'osmolalité urinaire est proche de celle du plasma et ne dépasse en général pas 350 mOsm/kg.

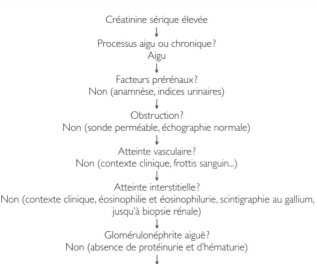

Créatinine sérique élevée
↓
Processus aigu ou chronique?
Aigu
↓
Facteurs prérénaux?
Non (anamnèse, indices urinaires)
↓
Obstruction?
Non (sonde perméable, échographie normale)
↓
Atteinte vasculaire?
Non (contexte clinique, frottis sanguin...)
↓
Atteinte interstitielle?
Non (contexte clinique, éosinophilie et éosinophilurie, scintigraphie au gallium, jusqu'à biopsie rénale)
↓
Glomérulonéphrite aiguë?
Non (absence de protéinurie et d'hématurie)
↓
Nécrose tubulaire aiguë

Figure 9.2 Démarche diagnostique en cas d'insuffisance rénale aiguë appréhendée

---

Tableau 9.6

Indices biochimiques utiles pour distinguer l'IRA prérénale de la nécrose tubulaire aiguë

	IRA prérénale	IRA rénale
Osmolalité urinaire (mOsm/kg)	> 500	< 400
Na urinaire (mmol/L)	< 20	> 40
Urée/créatinine plasmatique	> 0,1	< 0,05
U/P créatinine	> 40	< 20
U/P osmolalité	> 1,5	> 1
FENa (%)*	< 1	> 2
FE urée (%)	< 35	> 35
Analyse urine		
Densité	>1,015	<1,015
Sédiment urinaire	normal cylindres hyalins	cylindres granuleux

U/P: Rapport des concentrations urinaire et plasmatique
FE: Excrétion fractionnelle
* [(Na u/Na p) / (créat u/créat p)] × 100

Les deux indices habituellement jugés les plus fiables sont l'**excrétion fractionnelle du sodium** et le **rapport créatinine urinaire/créatinine plasmatique**. L'excrétion fractionnelle du sodium est surtout fiable en présence d'une oligurie (avant la réanimation volémique et en l'absence d'utilisation de diurétiques). Il existe quand même un certain degré de chevauchement entre l'IRA fonctionnelle ou prérénale et la nécrose tubulaire aiguë. Si le malade reçoit des diurétiques, l'excrétion fractionnelle du sodium devient difficile à interpréter et l'excrétion fractionnelle de l'urée peut être utile.

La diurèse par elle-même n'oriente pas tellement vers la cause de l'IRA; cependant, une anurie (moins de 50 mL d'urine/24 h) doit faire songer en premier lieu à une obstruction des voies urinaires. Il existe cependant d'autres explications possibles: glomérulonéphrite rapidement progressive, nécrose corticale, occlusion des artères rénales ou myélome avec obstruction tubulaire. Une oligurie (< 400 mL/24 h) caractérise environ 60 % des cas de nécrose tubulaire aiguë, la diurèse étant préservée (> 400 mL/24 h) dans les autres cas. Les cas de nécrose tubulaire aiguë secondaires à l'administration de produits de contraste iodés ou d'aminosides sont plus souvent non oliguriques et parfois même polyuriques. La polyurie, définie comme une diurèse de plus de 3 L/24 h, signe le plus souvent un défaut de concentration urinaire ou encore une diurèse osmotique.

L'analyse physicochimique de l'urine au moyen d'une bandelette réactive (*voir chapitre 4*) permet de détecter la présence de sang, de leucocytes ou de protéines. La présence d'érythrocytes est considérée normale après l'installation d'une sonde urinaire et l'échantillon d'urine devrait être prélevé avant ce geste parfois traumatique, si possible. La présence combinée d'érythrocytes et de protéines oriente vers un diagnostic de glomérulonéphrite aiguë, mais n'est pas spécifique. Leur absence élimine toutefois ce diagnostic. Lors d'une néphrite interstitielle aiguë, la plage de la bandelette urinaire qui détecte les estérases leucocytaires peut faire soupçonner une leucocyturie, mais ceci n'est pas non plus spécifique. La présence de «sang» dans l'urine à la bandelette, en l'absence d'érythrocytes à la microscopie est typique d'une myoglobinurie (par rhabdomyolyse, notamment) ou d'une hémoglobinurie. En complément à l'analyse par la bandelette, l'examen du sédiment urinaire au microscope (*voir chapitre 4*) est un outil très utile lors d'une IRA. La présence de cylindres larges et pigmentés constitués de protéines de Tamm-Horsfall et de débris de cellules tubulaires (figure 4.3) est fortement évocatrice d'une nécrose tubulaire aiguë ; de fait, 75 % des cas de nécrose tubulaire aiguë s'accompagnent de tels cylindres à un moment donné de leur évolution, en général assez précocement. La présence de cylindres érythrocytaires suggère une atteinte glomérulaire par glomérulonéphrite aiguë ou vasculite, alors que la présence d'une éosinophilurie (détectable grâce à la coloration de Hansel) est en faveur d'une néphrite interstitielle aiguë. La présence de certains cristaux en abondance (oxalates, urates ou autres) caractérise certaines formes d'IRA par obstruction intrarénale.

La biopsie rénale est habituellement réservée aux cas suspectés de glomérulonéphrite ou de néphrite interstitielle aiguë. Une scintigraphie rénale au gallium peut aussi être utile au diagnostic de néphrite interstitielle aiguë. Des explorations vasculaires plus poussées permettent de diagnostiquer une thrombose ou une embolie des artères rénales principales (infarctus rénal).

Prévention

Diverses mesures ont une importance cruciale afin d'éviter la survenue d'une IRA : 1) la correction de tout facteur prérénal par le maintien d'une euvolémie et d'une bonne oxygénation tissulaire, par l'entremise d'une réanimation énergique ; 2) l'arrêt temporaire des diurétiques, des IECA ou des BRA en situation d'hypovolémie ; 3) l'utilisation parcimonieuse et judicieuse des agents potentiellement néphrotoxiques, particulièrement chez les sujets à risque ; 4) l'hydratation et l'administration (plus controversée) de N-acétylcystéine avant l'administration de produit de contraste iodé radiologique ; 5) la levée de l'obstruction si une cause postrénale est identifiée.

Conduite thérapeutique

Les IRA pré- et postrénales sont réversibles après réhydratation du malade ou levée de l'obstacle, respectivement, lorsque traitées à temps. Le traitement des IRA parenchymateuses est plus complexe.

Lors d'une rhabdomyolyse, il est suggéré d'amorcer une hydratation intraveineuse énergique le plus rapidement possible.

Le choix du soluté (salin physiologique ou dextrose avec bicarbonates) fait encore l'objet d'une controverse. L'utilisation de bicarbonate permet d'augmenter le pH tubulaire, ce qui diminuerait théoriquement la précipitation de myoglobine avec la protéine de Tamm-Horsfall, ainsi que la cytotoxicité directe de la myoglobine sur le tubule proximal.

Bien qu'une IRA spontanément non oligurique annonce généralement une meilleure évolution, le fait de déclencher une diurèse à l'aide de diurétiques ne change pas le pronostic, bien que cela facilite parfois la conduite thérapeutique. De fortes doses de diurétiques de l'anse peuvent être requises pour amorcer une diurèse chez un patient en IRA, mais on doit craindre une ototoxicité si ces agents sont utilisés de façon prolongée. On pourrait croire théoriquement à un bénéfice à l'utilisation des diurétiques de l'anse durant une IRA: en bloquant l'échangeur Na-K-2Cl, qui est un consommateur important d'oxygène dans la médullaire, on pourrait réaliser une épargne énergétique. Cependant, ceci ne se traduit pas par des bénéfices cliniques importants. Quant au mannitol, utilisé comme diurétique osmotique, son utilisation n'est pas recommandée, sauf en cas de traumatisme majeur avec rhabdomyolyse associée. La dopamine à faible dose (1 à 3 µg/kg/min) entraîne chez le sujet normal une augmentation du débit plasmatique rénal qui se traduit par une augmentation du volume urinaire et de la natriurèse; cependant, son utilité n'a jamais été démontrée dans la prévention ou le traitement de la nécrose tubulaire aiguë et son utilisation n'est plus recommandée. Un agoniste puissant du récepteur dopaminergique, le fenoldopam, semble plus prometteur, mais d'autres études sont nécessaires afin de démontrer son efficacité. Les études récentes ne montrent pas de bénéfice à utiliser le peptide natriurétique auriculaire pour améliorer la fonction rénale. L'administration de cellules souches pourrait être bénéfique lors d'une nécrose tubulaire, cependant, elle n'en est qu'à ses premiers pas en recherche clinique. Enfin, en raison du catabolisme associé à leur état, les malades souffrant d'IRA sont exposés au risque d'une dénutrition et doivent être nourris précocement par voie entérale ou parentérale.

Bien qu'il n'existe pas de normes précises pour l'amorce d'une suppléance rénale en IRA, lorsque l'urée atteint 30 mmol/L, quand une oligurie persiste plus de 12 heures ou lorsque le DFG s'abaisse à 10 mL/min, on songe généralement à mettre en route une forme de dialyse. Celle-ci est souvent amorcée plus tôt à cause d'une surcharge volémique ; de fait, les patients oliguriques sont dialysés plus précocement que ceux dont la diurèse est préservée. Une hyperkaliémie, une hyperphosphorémie ou une acidose importantes peuvent aussi justifier une épuration rénale. Des agents chélateurs du phosphore et le polystyrène sodique peuvent être administrés pendant de courtes périodes afin de maîtriser respectivement la phosphorémie (s'il y a nutrition entérale) et l'hyperkaliémie, en attendant une méthode de substitution de la fonction rénale.

Plusieurs modalités de suppléance rénale sont maintenant disponibles. Depuis une quinzaine d'années, les *modalités de remplacement rénal continu* (appliquées 24 h sur 24) sont devenues populaires et sont utilisées particulièrement pour les patients hémodynamiquement instables aux soins intensifs. Elles offrent de fait plusieurs avantages, et les progrès technologiques récents leur confèrent une plus grande polyvalence. Un des atouts notables de ces techniques par rapport à l'*hémodialyse intermittente* (généralement appliquée par séances de trois à cinq heures, tous les jours ou tous les deux jours) est qu'elles permettent d'éviter des épisodes d'hypotension qui peuvent faire apparaître de nouvelles zones d'ischémie au sein du parenchyme rénal, ce qui peut théoriquement prolonger la durée de l'IRA et retarder la récupération fonctionnelle. Cependant, les études actuelles n'ont pas démontré de différence en termes de récupération rénale ni de survie par une modalité de suppléance rénale particulière.

LECTURES SUGGÉRÉES

Blantz, R. C. « Pathophysiology of pre-renal azotemia », *Kidney Int*, 1998 ; 53 : 512-523.

Bosch, X, Poch, E, Grau, J.M. « Rhabdomyolysis and acute kidney Injury », *N Engl J Med*, 2009 ; 361 : 62-71.

De Vriese, A. S. « Prevention and treatment of acute renal failure in sepsis », *J Am Soc Nephrol*, 2003 ; 14 : 792-805.

Esson, M. L. et Schrier, R. W. « Diagnosis and treatment of acute tubular necrosis », *Ann Intern Med*, 2002 ; 137 : 744-752.

Kellum, J. A., Leblanc, M. et Venkataraman, R. « Acute renal failure », *Clin Evid Jun*, 2003 ; (9) : 911-930.

Lameire, N. et Van Biesen, W. « Acute renal failure », *Lancet*, 2005 ; (365) ; 417-430.

Lameire, N., Van Biesen, W, Hoste, E. et Vanholder, R. « The prevention of acute kidney injury : an in-depth narrative review », *Nephrology Dialysis Transplantation Plus*, 2008 ; (6) : 392-402 et 2009 ; (2) : 1-10.

Myers, B. D. et Moran, S. M. « Hemodynamically mediated acute renal failure », *N Engl J Med*, 1986 ; 314 : 97-100.

Singri, N., Ahya, S. N. et Levin, M. L. « Acute renal failure », *JAMA*, 2003 ; 289 : 747-751.

Chapitre 10

Insuffisance rénale chronique

F. Madore, R. Charbonneau, J.-L. Wolff et S. Quérin

Définition

La fonction du rein est de maintenir l'équilibre et la stabilité des volumes liquidiens intra- et extracellulaires de l'organisme, leur composition ionique et leur tonicité, et ce, dans les conditions les plus diverses. Le rein participe aussi à la régulation de la pression artérielle et au maintien de la masse érythrocytaire.

Pour accomplir cette tâche, le rein fait appel à la filtration glomérulaire, à la réabsorption et à la sécrétion tubulaires, et à quelques fonctions endocriniennes comme la sécrétion de rénine, d'érythropoïétine et la régulation du métabolisme de la vitamine D.

La perte de néphrons diminue les capacités fonctionnelles du rein et, selon la gravité des lésions, sa capacité de maintien de l'homéostasie. On assimile souvent l'insuffisance rénale à une simple réduction de la filtration glomérulaire, mais il ne faut pas oublier que les autres fonctions des néphrons sont aussi atteintes.

De plus, l'insuffisance rénale *chronique* (IRC) se définit par :
- *l'irréversibilité de l'atteinte rénale,* car les lésions aux néphrons sont permanentes ;
- *une perte de fonction lentement progressive,* l'évolution étant assez longue pour permettre l'activation de mécanismes compensateurs, ce qui n'est pas le cas dans l'insuffisance rénale aiguë ;
- *une progression prévisible et inexorable* vers un stade terminal, causant la mort si aucun traitement de remplacement n'est proposé.

Physiopathologie

Mécanismes d'adaptation à la perte de néphrons

Changements glomérulaires

En insuffisance rénale, la perte de néphrons tend à réduire la capacité de filtration du rein. Certains mécanismes compensateurs visent donc le maintien de cette capacité de filtration malgré la perte de néphrons (tableau 10.1). Il faut essentiellement qu'il y ait une augmentation de la filtration glomérulaire individuelle des néphrons restants. Ces mécanismes compensateurs sont très efficaces. Les méthodes diagnostiques habituelles ne détectent une baisse de la capacité de filtration rénale que lorsque plus de 50 % des néphrons sont détruits.

Tableau 10.1

Mécanismes d'adaptation à la perte de néphrons

Phénomène	Mécanisme
↑ Filtration glomérulaire par néphron	↑ Débit sanguin par néphron
	↑ Pression de filtration
	↑ Surface de filtration
Hypertrophie tubulaire	Hypertrophie du néphron
↑ Excrétion d'eau par néphron	Facteurs de croissance?
	↑ Débit par néphron
↑ Excrétion fractionnelle de sodium	Diurèse osmotique (urée)
	Facteur natriurétique
↑ Excrétion fractionnelle de potassium	↑ Sécrétion tubulaire
↑ Excrétion d'acide	↑ Sécrétion d'ammonium

Les mécanismes compensateurs sont de trois ordres.

- *Augmentation du débit sanguin par néphron*

  Il se produit une vasodilatation des artérioles glomérulaires afférente et efférente. Pour une même pression de perfusion systémique, il y a donc augmentation du débit sanguin par néphron. Des mécanismes intrinsèques rénaux, impliquant notamment les prostaglandines, sont responsables de cette adaptation.

- *Augmentation de la pression de filtration*

  La vasodilatation de l'artériole afférente est supérieure à celle de l'artériole efférente. Cette vasoconstriction relative de l'artériole efférente est due à l'action de l'angiotensine. Pour une même pression de perfusion, il y a donc une augmentation de la pression de filtration glomérulaire. De concert avec l'augmentation du débit sanguin par néphron, cette augmentation de la pression de filtration permet une augmentation de la filtration glomérulaire par néphron.

- *Hypertrophie et augmentation de la surface de filtration par néphron*

  On observe une hypertrophie des glomérules restants et, par conséquent, une extension de leur surface de filtration, qui contribuent à une augmentation de la filtration glomérulaire par néphron.

Changements tubulaires

On observe une hypertrophie de tous les segments tubulaires des néphrons restants. Elle est disproportionnée par rapport à l'augmentation de la filtration glomérulaire par néphron. Bien que des facteurs de croissance soient probablement impliqués, les mécanismes exacts de cette hypertrophie sont inconnus.

Atrophie rénale

Lors d'une néphrectomie, l'hypertrophie des néphrons restants cause une augmentation du volume du rein controlatéral. Cette augmentation de volume, appelée hypertrophie compensatrice, se produit en quelques semaines. Cette capacité du rein à s'hypertrophier diminue avec le vieillissement.

Dans la plupart des néphropathies pouvant être responsables d'une IRC, la perte de néphrons est diffuse et accompagnée de fibrose interstitielle. Malgré l'hypertrophie des néphrons restants, il n'y a pas dans ces cas d'augmentation du volume rénal. Lorsque plus de 50 % des néphrons sont perdus, on commence même à observer une diminution du volume rénal.

Modèle du néphron intact

Une affection rénale diffuse cause donc une diminution (et éventuellement la disparition totale) de la filtration glomérulaire de certains néphrons. Des mécanismes compensateurs augmentent celle des néphrons moins endommagés ou intacts. La population de néphrons normaux est donc remplacée par une population moindre de néphrons, souffrant de degrés divers d'atteinte structurelle et fonctionnelle. Le modèle du néphron intact propose que, malgré ces distorsions, les fonctions tubulaires et glomérulaires fonctionnent de façon intégrée, comme pour le rein normal. Il s'agit en fait du maintien de l'*équilibre glomérulo-tubulaire*. L'augmentation de la filtration glomérulaire par néphron doit être coordonnée finement avec la réabsorption tubulaire proximale d'eau et de solutés pour que la quantité d'ultrafiltrat qui parvient au tubule distal ne soit pas trop grande et ne dépasse ainsi sa capacité de réabsorption.

Les mécanismes responsables de cet équilibre sont complexes et dépendent des variations des pressions hydrostatiques et oncotiques péritubulaires à la suite de l'ultrafiltration du plasma à travers la paroi glomérulaire.

Excrétion de l'eau et des solutés

Avec la réduction du nombre de néphrons, l'excrétion d'eau et de solutés par néphron restant doit augmenter pour maintenir l'équilibre des fluides corporels. En plus des changements glomérulaires et tubulaires que nous avons décrits, il existe des mécanismes spécifiques d'adaptation pour tous les solutés et pour l'excrétion hydrique.

Il s'agit de mécanismes permettant normalement au rein d'assurer l'homéostasie. En IRC, ils sont utilisés pour compenser la perte de néphrons. La capacité d'adaptation du rein à des conditions d'apport variées est ainsi réduite avec la progression de l'IRC.

Homéostasie hydrique

La capacité d'excréter une urine d'osmolalité différente de l'osmolalité plasmatique permet au rein d'assurer l'équilibre de la tonicité des fluides corporels. Pour un apport osmolaire constant, un apport important d'eau se traduira par l'excrétion d'une urine hypotonique ; c'est le pouvoir de dilution urinaire. À l'inverse, toujours pour un apport osmolaire constant, une restriction hydrique ou une perte d'eau extrarénale aura pour conséquence que l'urine excrétée sera hypertonique ; c'est le pouvoir de concentration urinaire.

En IRC, la capacité de dilution n'est pas diminuée à proprement parler, mais la réduction de la filtration glomérulaire globale en limite l'effet. La capacité de concentration est par contre affectée par l'augmentation du débit de filtration par glomérule fonctionnel et par une diurèse osmotique induite par de fortes concentrations d'urée dans la lumière tubulaire des néphrons fonctionnels.

Pour des apports liquidiens habituels (1 à 2 L/24 h), l'équilibre peut être maintenu jusqu'à des stades avancés d'IRC (moins de 10 % de la fonction normale). Cependant, ces malades peuvent présenter une intoxication hydrique (hypoosmolalité sérique) ou une déshydratation si l'apport hydrique est trop important ou, au contraire, insuffisant.

Dans le cas de maladies rénales dans lesquelles l'atteinte tubulo-interstitielle est prédominante, les troubles de la concentration urinaire peuvent survenir plus tôt dans l'évolution de l'IRC. Par exemple, on observe généralement une atteinte précoce de la capacité de concentration urinaire dans les néphropathies obstructives.

Homéostasie sodée

Le rein assure le maintien du volume extracellulaire par la régulation de l'excrétion sodique. En IRC, cette aptitude est conservée jusqu'à des stades avancés, à condition que l'apport sodé soit normal ou légèrement réduit.

On observe une augmentation de l'excrétion fractionnelle de sodium par néphron, par diminution de la réabsorption tubulaire. L'hormone natriurétique est probablement le facteur le plus important dans cette adaptation.

Avec la progression de l'insuffisance rénale, la capacité d'excréter de grandes quantités de sodium est réduite, et il y a risque d'expansion du volume extracellulaire. L'apport sodé est important dans le régime alimentaire occidental. Étant donné l'incapacité relative du rein à excréter le sodium, on assiste alors à une rétention sodée, avec expansion du volume extracellulaire. Elle se traduit par une hypertension artérielle, un œdème ou, dans les cas extrêmes ou associés à une cardiopathie, par une insuffisance cardiaque congestive.

L'aptitude à retenir le sodium est également réduite avec la progression de l'insuffisance rénale. Dans les cas d'apport insuffisant ou de perte extrarénale de sodium (gastro-entérite), le malade peut présenter une contraction du volume extracellulaire se manifestant par une tachycardie, une hypotension artérielle orthostatique et une détérioration de la fonction rénale par diminution de la perfusion rénale.

Homéostasie potassique

En IRC, l'homéostasie potassique est maintenue jusqu'à un stade avancé. La sécrétion tubulaire distale permet l'excrétion du potassium, et la sécrétion par néphron est nettement augmentée. On observe une augmentation de la surface basolatérale des cellules du tubule collecteur où sont situées les pompes essentielles à l'excrétion du potassium. Ces changements peuvent être secondaires à l'augmentation des taux sériques d'aldostérone, mais d'autres facteurs moins bien connus sont impliqués.

Comme dans le cas de l'homéostasie hydrique, certaines affections tubulaires ou interstitielles provoquent une réduction de la synthèse de rénine ou une résistance tubulaire à l'aldostérone. L'hyperkaliémie survient alors à des stades moins avancés d'IRC.

C'est le cas également de la néphropathie diabétique, souvent associée à un état d'hypoaldostéronisme hyporéninémique dès lors qu'elle est responsable d'une insuffisance rénale chronique au moins modérée.

Homéostasie acidobasique

Le rein assure l'homéostasie acidobasique en réabsorbant la totalité des ions bicarbonates filtrés et en excrétant les ions hydrogène par les mécanismes d'acidification urinaire. L'augmentation de l'excrétion d'ammonium par le néphron permet le maintien de l'équilibre acidobasique jusqu'à ce que la fonction rénale soit réduite de 85 % à condition qu'il n'y ait pas d'augmentation de l'apport ou de la production d'acides.

Comme dans le cas de l'hyperkaliémie, une acidose précoce dans l'évolution de l'IRC peut être observée au cours de certaines maladies accompagnées d'atteinte tubulaire, qui entraînent une diminution de la synthèse de rénine ou une résistance à l'action des minéralocorticoïdes (acidose tubulaire de type IV).

Homéostasie phosphocalcique

La réduction de l'excrétion des phosphates survient assez tôt dans l'évolution de l'IRC (à 50 % d'une filtration glomérulaire normale). L'hyperphosphatémie stimule la sécrétion de parathormone, directement et en agissant sur le produit phosphocalcique (*voir plus loin*). Malgré ces mécanismes d'adaptation, l'hyperphosphatémie persiste souvent, à moins de corriger l'apport alimentaire ou d'utiliser des médicaments qui lient le phosphore dans le tube digestif.

Atteinte des fonctions endocrines

Érythropoïétine

Bien que l'accumulation de certaines toxines urémiques affecte la durée de vie des érythrocytes et inhibe l'érythropoïèse, l'anémie normochrome normocytaire observée dans l'IRC est surtout causée par une diminution de la production d'érythropoïétine imputable à une réduction du nombre de cellules rénales interstitielles responsables de la production de cette hormone.

Vitamine D

Une des fonctions essentielles du rein est l'hydroxylation de la 25-OH-D$_3$ en 1,25-OH-D$_3$, forme active de la vitamine D. La diminution de la masse cellulaire fonctionnelle rénale affecte cette fonction, réduisant ainsi l'action de cette vitamine sur l'absorption intestinale du calcium.

Perte progressive et inexorable de la fonction rénale

On a vu qu'une hyperfiltration glomérulaire permet de compenser en partie la perte des néphrons dans l'IRC. Quoique ce mécanisme d'adaptation soit essentiel, il abrège malheureusement la vie des autres néphrons, car l'augmentation de la pression de filtration cause des lésions au filtre glomérulaire. Elle augmente aussi la quantité de protéines filtrées, qui tendent à se déposer dans le mésangium, ce tissu qui supporte les anses capillaires glomérulaires et dans lequel des macromolécules diverses peuvent rester emprisonnées au passage. On observe alors une hyalinose glomérulaire (dépôts de substances amorphes visibles en microscopie optique) qui s'accompagne d'une réduction de la fonction des glomérules atteints. Cette lésion dite d'hyperfiltration est analogue histologiquement à l'hyalinose glomérulaire segmentaire et focale idiopathique se manifestant par un syndrome néphrotique (*voir chapitre 11*). Cette nouvelle perte néphronique doit alors être compensée par les autres néphrons de la même façon, ce qui explique qu'au-delà d'un certain degré d'IRC la détérioration de la fonction rénale tend à être progressive et inexorable.

Une protéinurie abondante, le dépôt de phosphates dans le parenchyme rénal (à la faveur d'un produit phosphocalcique élevé) et la dyslipidémie qui accompagne fréquemment l'IRC peuvent aussi jouer un rôle dans la perte des néphrons restants.

Syndrome urémique

Le syndrome urémique (autrefois appelé *urémie*) est l'ensemble des manifestations cliniques et paracliniques associées à l'IRC avancée. Ces manifestations sont causées par l'intoxication urémique et par la diminution des autres fonctions rénales. Presque toutes les fonctions de l'organisme sont touchées par l'IRC, dont les symptômes sont nombreux et variés.

Par sa nature lentement progressive (qui permet l'adaptation à l'intoxication urémique) et par la qualité des mécanismes compensateurs, la tolérance des malades à l'IRC est remarquable. La symptomatologie survient très tard dans l'évolution de la maladie. Aujourd'hui, à cause de la disponibilité des tests paracliniques, la détection de la maladie rénale chronique est précoce, et des répercussions souvent asymptomatiques de l'atteinte de la fonction rénale participent à la description du syndrome urémique.

Notion de « toxine urémique »

On ne connaît pas vraiment la ou les toxines urémiques. Il s'agit probablement de molécules provenant pour la plupart du catabolisme protéique et normalement excrétées par le rein. Plusieurs substances sont suspectées (plus de 40), et on considère généralement que leur effet combiné constitue en fait « la » toxine urémique. Certaines de ces substances sont de faible poids moléculaire et sont soit hydrophiles (guanidine, phosphate), soit lipophiles (acide furanpropionique), soit encore liées aux protéines (p-crésylsulfate, indoles). D'autres encore sont de poids moléculaire plus élevé (bêta-microglobuline). Ces substances peuvent s'accumuler dans le plasma, mais également dans les cellules où elles peuvent exercer une variété d'actions biologiques. Soulignons que l'urée et la créatinine ne sont pas en elles-mêmes des toxines urémiques. L'urée est plutôt un marqueur de l'accumulation de produits de dégradation protéique, alors que la créatinine sérique est un indice du débit de filtration glomérulaire, l'importance du syndrome urémique étant proportionnelle à la baisse de ce débit.

Manifestations du syndrome urémique

Le tableau 10.2 énumère les manifestations les plus importantes du syndrome urémique. Il indique également le niveau de diminution de la fonction rénale auquel on commence à noter les anomalies et les grands facteurs physiopathologiques responsables. Cette liste n'est pas exhaustive. Le syndrome urémique affecte également d'autres systèmes et peut avoir des répercussions pulmonaires, myocardiques, articulaires et ophtalmologiques.

Tableau 10.2

Manifestations et mécanismes du syndrome urémique

Manifestations	Stade d'évolution[1]	Physiopathologie	
		« Intoxication urémique »	Atteinte des fonctions endocriniennes
Neurologiques			
Centrales			
Fonctions cognitives	< 20 %	+++	–
Somnolence	< 10 %	+++	–
Coma	< 5 %	+++	–
Périphériques			
Neuropathie	< 20 %	+++	–
Gastro-intestinales			
Haleine urémique	dépend du taux d'urée sérique[2]	+++	–
Dysgueusie	id.	+++	–
Inappétence	< 15 %	+++	–
Nausées et vomissements	< 10 %	+++	–
Dermatologiques			
Prurit	< 20 %	++	++[5]
Rhumatologiques			
Ostéodystrophie rénale	< 30-40 %	++[4]	++
Hématologiques			
Anémie	< 30 %	–	+++
Cardiaques			
Péricardite	< 10 %[3]	+++	–

1. En % approximatif d'une fonction rénale normale.
2. L'urée diffuse à travers les muqueuses et est transformée en ammoniaque.
3. Survient plus précocement dans les états cataboliques.
4. Il s'agit dans ce cas de la rétention des phosphates, qui survient relativement tôt dans l'évolution de l'insuffisance rénale chronique.
5. Possible rôle de la parathormone.

Atteinte cardio-vasculaire

Le risque de maladie cardio-vasculaire est augmenté chez les patients souffrant d'IRC. Cette situation est attribuable en partie à une fréquence accrue de facteurs de risque cardio-vasculaire traditionnels (hypertension, diabète, etc.). De plus, l'IRC elle-même serait un facteur de risque indépendant de maladie cardio-vasculaire. D'ailleurs, chez les patients souffrant d'IRC suivis en clinique de prédialyse, le risque de décès par maladie cardio-vasculaire est plus important que la probabilité d'avoir à amorcer les traitements de dialyse. Enfin, chez les patients traités par hémodialyse, la maladie cardio-vasculaire est la cause principale de décès.

Atteinte du métabolisme phosphocalcique

Les répercussions de l'IRC sur la régulation du métabolisme phosphocalcique sont complexes. Elles dépendent notamment du degré d'atteinte de la fonction rénale et de sa durée. Plusieurs phénomènes sont impliqués dans ce processus.

- La concentration sérique du calcium est liée à la concentration des phosphates, par une constante physicochimique appelée «produit phosphocalcique». Le produit de la concentration de calcium et de la concentration des phosphates doit rester constant. Une élévation de la concentration des phosphates entraîne donc une baisse de la concentration du calcium par suite d'une précipitation de phosphate de calcium dans les tissus mous et certains organes (dont le rein).

- Une baisse de la concentration sérique de calcium stimule la sécrétion de parathormone. Cette sécrétion a pour but de corriger l'hypocalcémie en augmentant la résorption osseuse par les ostéoclastes. Le calcium osseux est alors libéré dans le compartiment extracellulaire.

- La perte du parenchyme rénal fonctionnel diminue la production rénale de la forme active de la vitamine D. Celle-ci agit sur l'absorption intestinale de calcium et de phosphates et intervient également dans le métabolisme osseux.

Une perte de filtration glomérulaire de 40 à 50 % diminue déjà la capacité rénale d'excrétion des phosphates. Cette rétention des phosphates s'amplifie avec la progression de l'insuffisance rénale. L'hyperphosphatémie entraîne une hypocalcémie en fonction du produit phosphocalcique constant. L'hypocalcémie est amplifiée par la baisse de l'absorption intestinale du calcium, secondaire à la diminution de la synthèse de la forme active de vitamine D. L'hypocalcémie stimule à son tour la sécrétion de parathormone.

L'*ostéodystrophie rénale* est l'atteinte osseuse liée à ces processus physiopathologiques. Elle est le résultat d'une ostéomalacie causée par la baisse de synthèse de la vitamine D et de l'hyperparathyroïdie secondaire à l'hypocalcémie. De plus, la durée de l'évolution de la maladie et d'autres facteurs comme l'acidose métabolique et l'utilisation de certains médicaments (gels aluminiques utilisés comme chélateurs des phosphates, héparine) affectent la nature et l'ampleur des répercussions osseuses.

Dans un premier temps, les manifestations de l'ostéodystrophie rénale sont radiologiques. Avec le temps, surtout depuis l'avènement des thérapies de remplacement de la fonction rénale, les patients peuvent ressentir des douleurs osseuses et présenter des fractures pathologiques.

Les *calcifications artérielles* tant aux niveaux coronarien que périphérique sont une des répercussions importantes de l'IRC sur la régulation du métabolisme phosphocalcique. Ces calcifications tendent à exacerber les complications vasculaires associées à l'athérosclérose.

Conduite diagnostique

La conduite diagnostique comporte quatre volets :
- dépistage de l'IRC ;
- confirmation de la chronicité de la maladie rénale ;
- diagnostic de la maladie causale ;
- évaluation et suivi de la fonction rénale.

Dépistage de l'IRC

Le dépistage de l'IRC se fait en général au moyen du dosage de la créatinine sérique. Un dépistage de masse de l'IRC n'est pas recommandé. On devrait plutôt cibler les sujets hypertendus et diabétiques et ceux atteints d'athérosclérose (coronarienne, cérébrale ou périphérique), d'insuffisance cardiaque ou encore d'anémie inexpliquée, de même que les personnes ayant une prédisposition génétique (antécédents familiaux d'IRC, membres des Premières Nations).

Confirmation de la chronicité de la maladie rénale

Il est primordial de déterminer si la maladie rénale est chronique ou aiguë, les formes aiguës ayant un potentiel de réversibilité. La distinction entre aiguë et chronique est en grande partie arbitraire. Une insuffisance rénale qui évolue sur quelques jours ou quelques semaines sera qualifiée d'aiguë ou de subaiguë, alors qu'une autre évoluant depuis plusieurs mois sera plutôt qualifiée de chronique. Plusieurs éléments cliniques et paracliniques peuvent orienter vers une IRC :

- la revue des antécédents médicaux et du dossier du malade, qui peut notamment permettre de retrouver des résultats antérieurs d'examens de laboratoire ou d'imagerie ;
- la présence d'une nycturie, qui peut traduire un trouble de la concentration des urines, qui survient relativement tôt dans l'évolution de l'IRC ;
- l'absence de symptômes urémiques, en dépit d'une insuffisance rénale avancée ;
- la présence de prurit ;
- une anémie normochrome normocytaire ;
- surtout, une atrophie rénale bilatérale aux examens d'imagerie.

Diagnostic de la maladie causale

Il est important de tenter d'établir le diagnostic de la maladie causale, pour offrir un traitement si elle est encore active, ou pour prévenir d'autres atteintes. Cela n'est pas toujours possible cependant. Le tableau 10.3 énumère les causes les plus fréquentes d'IRC.

Selon les hypothèses diagnostiques soulevées, les tests paracliniques appropriés seront demandés afin d'établir le diagnostic final : protéinurie des 24 h, échographie rénale, tests immunologiques et autres. Une biopsie rénale est parfois justifiée.

Tableau 10.3

Causes de l'insuffisance rénale chronique

Maladies vasculaires rénales
   Néphropathie ischémique (sténose bilatérale des
      artères rénales)
   Néphroangiosclérose hypertensive
   Maladie rénale athéroembolique
Causes rénales ou parenchymateuses
   Glomérulopathies
   Primaires
      Hyalinose glomérulaire segmentaire et focale
      Glomérulopathie membraneuse
      Autres
   Secondaires
      Néphropathie diabétique
      Néphropathies associées aux maladies auto-immunes
      Autres
   Néphropathies tubulo-interstitielles
      Néphropathie de reflux (ou pyélonéphrite chronique)
      Polykystose rénale autosomique dominante
      Rein myélomateux
      Néphropathie secondaire aux analgésiques
Causes postrénales
   Cancer envahissant de la prostate
   Cancer digestif métastatique
   Fibrose rétropéritonéale
   Hypertrophie bénigne de la prostate

N.B.: Cette liste n'est pas exhaustive.

Évaluation et suivi de la fonction rénale

On mesure idéalement le degré d'atteinte de la fonction rénale par la détermination du débit de filtration glomérulaire (DFG). Celui-ci étant difficile à mesurer, on a souvent recours aux taux sériques d'urée et de créatinine, à la mesure de la clairance de la créatinine, ou encore à des formules qui permettent une estimation du DFG.

Taux sérique d'urée

Le taux sérique d'urée est déterminé par l'apport protéique et l'excrétion rénale d'urée. Comme l'apport protéique peut être très variable pour un même patient, la variation du taux sérique d'urée ne reflète pas nécessairement un changement du DFG. De plus, dans les états de déshydratation, la réabsorption tubulaire d'urée augmente, élevant par le fait même le taux sérique d'urée, sans qu'il n'y ait de changement de la filtration glomérulaire ni de l'apport protéique.

Taux sérique et clairance de la créatinine

La production de créatinine est constante et proportionnelle à la masse musculaire. La créatinine est excrétée surtout par filtration glomérulaire. Une petite quantité de créatinine est aussi sécrétée dans le tubule. À moins d'un apport de viande important juste avant le prélèvement ou d'une lyse musculaire, une élévation de la créatinine sérique reflète une baisse de la filtration glomérulaire.

La mesure de la clairance de créatinine, au moyen des urines des 24 h et d'un prélèvement sanguin, est une méthode encore plus précise de détermination du DFG. Cependant, cette méthode est contraignante pour le malade et sujette à des erreurs lors du recueil des urines (mauvaise compréhension de la technique par le patient, omission d'une miction). De plus, dès que la filtration glomérulaire est inférieure à 1 mL/s (60 mL/min), la portion de créatinine excrétée par sécrétion tubulaire n'est plus négligeable. La clairance de la créatinine dans ces conditions surestime la filtration glomérulaire. À l'inverse, la clairance de l'urée la sous-estime à cause de la réabsorption tubulaire de cette substance. La moyenne des deux clairances est par conséquent une estimation valable de la filtration glomérulaire pour des DFG inférieurs à 0,25 mL/s (15 mL/min).

Formules donnant une estimation du DFG

Des formules mathématiques peuvent être utilisées pour palier les difficultés que pose l'interprétation des mesures précédentes, sans recueil d'urines (*voir aussi le chapitre 4*).

– La formule de Cockcroft et Gault se lit comme suit :

$$\text{Filtration glomérulaire (mL/min)} = \frac{(140 - \hat{a}ge) \text{ x masse (kg)}}{0,8 \text{ x } P\text{créat (µmol/L)}}$$

où Pcréat est la créatinine plasmatique. La valeur obtenue est multipliée par 0,85 chez la femme, compte tenu d'une masse musculaire plus faible pour un poids donné.

– La formule du MDRD (tirée de l'étude *Modification of Diet in Renal Disease*) donne une estimation de la filtration glomérulaire corrigée pour la surface corporelle et ne requiert même pas le poids du patient :

Filtration glomérulaire (mL/min/1,73 m²) = 175 x (Pcréat/88.4)$^{-1.154}$ x (âge)$^{-0.203}$

où Pcréat est la créatinine plasmatique. La valeur obtenue est multipliée par 0,742 chez la femme et 1,212 chez les sujets de race noire. Cette formule est plus fiable que la précédente pour des DFG inférieurs à 1 mL/s (60 mL/min). Plusieurs sites Internet et applications pour ordinateur de poche permettent de l'utiliser aisément.

Il est important de noter que les mesures et estimations précédentes ne peuvent être utilisées de façon fiable pour évaluer la fonction rénale que s'il y a état d'équilibre. Par exemple, lors d'une insuffisance rénale aiguë, l'estimation de la fonction rénale par ces méthodes sera au mieux approximative.

Autres méthodes

On peut utiliser des marqueurs radioactifs, par mesure directe de leur excrétion ou par scintigraphie. Ces méthodes sont très précises pour déterminer le DFG, mais trop contraignantes pour être d'utilisation facile en clinique.

Classification fonctionnelle de l'IRC

Afin de faciliter l'identification et le suivi des sujets atteints de maladie rénale chronique, la classification suivante a été proposée par la *National Kidney Foundation* des Etats-Unis :

- Stade 1 : DFG normal (>90 mL/min/1,73 m²) en présence d'autres anomalies (p. ex., albuminurie)

- Stade 2 : DFG entre 60 et 89 mL/min/1,73 m²

- Stade 3 : DFG entre 30 et 59 mL/min/1,73 m²

- Stade 4 : DFG entre 15 et 29 mL/min/1,73 m²

- Stade 5 : DFG < 15 mL/min/1.73 m² ou besoin de dialyse

L'IRC est définie comme un DFG < 60 mL/min/1,73 m^2 (stades 3 à 5 de la maladie rénale chronique).

Conduite thérapeutique

La conduite thérapeutique face à une IRC a pour objectif :
- de ralentir sa progression ;
- de réduire ses répercussions ;
- de préparer le malade à une éventuelle thérapie de remplacement.

Ralentissement de la progression de l'IRC

Traitement à long terme

La détérioration de la fonction rénale en IRC est lentement progressive et relativement constante. Les facteurs responsables de ce phénomène sont connus et il est possible de les traiter de plusieurs façons.

Traitement de la maladie causale

La maladie ayant provoqué la perte de néphrons est souvent active au moment du diagnostic de l'insuffisance rénale. Par exemple, un bon équilibre glycémique peut contribuer à ralentir la détérioration de la fonction rénale dans un cas de néphropathie diabétique.

Maîtrise de l'hypertension artérielle

L'hypertension artérielle qui accompagne souvent l'IRC ou ses maladies causales contribue à l'hyperfiltration glomérulaire. En effet, à cause de la vasodilatation de l'artériole afférente glomérulaire, l'hypertension artérielle se répercute directement sur la pression de filtration glomérulaire. Il importe donc qu'elle soit adéquatement traitée.

Utilisation d'inhibiteurs de l'enzyme de conversion de l'angiotensine ou d'antagonistes des récepteurs de l'angiotensine

La vasodilatation de l'artériole glomérulaire efférente est relativement moins importante que celle de l'artériole afférente, créant ainsi l'augmentation de la pression de filtration observée dans l'IRC. L'angiotensine joue un rôle dans cette vasoconstriction efférente relative, et le blocage de sa production ou de son activité par un inhibiteur de l'enzyme de conversion ou un antagoniste des récepteurs de l'angiotensine réduit l'hyperfiltration glomérulaire et peut avoir un effet rénoprotecteur à long terme.

Restriction de l'apport protéique

L'urée est produite par le catabolisme des protéines. Après un apport protéique, l'urée produite est excrétée par les reins grâce à une augmentation temporaire de la filtration glomérulaire, par l'intermédiaire d'une vasodilatation de l'artériole afférente glomérulaire. Une restriction de l'apport protéique contribuerait donc à réduire l'hyperfiltration des glomérules restants. Son rôle dans le ralentissement de la progression de l'IRC est toutefois controversé.

Traitement des dyslipidémies

Une dyslipidémie peut accélérer la perte néphronique en contribuant à la néphroangiosclérose ou par d'autres mécanismes encore mal élucidés.

Autres mesures de protection rénale

Le traitement de l'acidose associée à l'IRC, l'arrêt du tabagisme et la correction des anomalies du métabolisme phosphocalcique (*voir plus loin*) peuvent contribuer à ralentir la vitesse de progression de l'IRC.

Augmentation de la vitesse de progression de l'insuffisance rénale

La perte progressive de la fonction rénale peut s'accélérer lors d'affections concomitantes (tableau 10.4). Le traitement rapide de ces affections, ou l'arrêt de médicaments ayant pour effet de bloquer les mécanismes compensateurs de l'IRC (*voir plus loin*), permet habituellement de ramener la fonction rénale à son niveau antérieur.

Tableau 10.4

Quelques causes d'aggravation de l'IRC

Causes prérénales
Baisse de la pression artérielle
    – hémorragie
    – état septique
    – traitement antihypertenseur
Contraction volémique
    – réduction de l'apport sodé
    – gastro-entérite
    – diurétique

Causes rénales parenchymateuses
Réactivation d'une glomérulopathie
Néphrite interstitielle idiosyncrasique ou allergique
Infection rénale (pyélonéphrite aiguë)

Causes postrénales
Obstruction urétérale (cancer invasif de la prostate)
Obstruction infravésicale (hypertrophie bénigne de la prostate)

Blocage des mécanismes compensateurs
Inhibiteurs de l'enzyme de conversion de l'angiotensine ou
    antagonistes des récepteurs de l'angiotensine
Anti-inflammatoires non stéroïdiens

Traitement des répercussions de l'IRC

Régime alimentaire

Le régime alimentaire du patient atteint d'IRC est important et poursuit trois objectifs.

- Diminuer les répercussions de l'insuffisance rénale chronique

  L'apport d'eau, de sel, de phosphates et de lipides doit être ajusté à la gravité de l'insuffisance rénale. Une réduction de l'apport protéique peut également réduire la production et l'accumulation des « toxines » responsables du syndrome urémique quand l'insuffisance rénale est déjà avancée.

- Ralentir la détérioration de la fonction rénale

  Comme nous l'avons vu précédemment, la diminution de l'apport protéique réduit la production d'urée et l'hyperfiltration glomérulaire.

- Assurer un apport calorique et protéique adéquat

  Le syndrome urémique affecte l'appétit. Le déficit calorique provoque un catabolisme protéique, nocif à long terme. De plus, si l'apport alimentaire de protéines doit parfois être réduit, il doit néanmoins être de bonne qualité et assurer un apport suffisant en acides aminés essentiels afin d'éviter un état de dénutrition progressif secondaire à l'IRC.

Diurétiques et antihypertenseurs

En plus de la restriction de l'apport alimentaire hydrosodé, l'utilisation de diurétiques permet de réduire l'expansion volémique et ses répercussions. Malgré la correction de l'hypervolémie, la prise de médicaments antihypertenseurs est souvent nécessaire pour le traitement de l'hypertension artérielle.

Traitement de l'acidose et de l'hyperkaliémie

Avec la réduction de la filtration glomérulaire, l'acidose et l'hyperkaliémie sont des manifestations fréquentes de l'IRC. Le traitement de l'acidose consiste en l'administration orale de bicarbonate de sodium. La tolérance digestive et l'apport sodé associé à ce traitement peuvent parfois en limiter l'utilisation. L'hyperkaliémie, quant à elle, devrait être traitée d'abord et avant tout par un régime approprié (restriction des apports alimentaires en potassium). L'utilisation des médicaments qui peuvent aggraver l'hyperkaliémie devrait aussi être limitée lorsque ceci est possible. Finalement, les résines échangeuses de cations (le sulfonate de polystyrène sodique) peuvent être utilisées pour réduire l'absorption intestinale de potassium et abaisser la kaliémie.

Chélation des phosphates, suppléments calciques et suppléments de vitamine D

Une rétention de phosphates survient tôt dans l'évolution de l'IRC. Réduire l'apport alimentaire en phosphates est difficile. On utilise donc très souvent un agent liant les phosphates (chélateur), le plus souvent du carbonate ou de l'acétate de calcium, qui joue le double rôle de réduire l'absorption intestinale des phosphates et d'augmenter l'apport en calcium. Cependant, un des effets secondaires fréquents des chélateurs contenant du calcium est l'hypercalcémie et l'amplification du risque de calcification artérielle. C'est pourquoi des chélateurs des phosphates ne contenant pas de calcium, comme le chlorhydrate de sévélamer et le carbonate de lanthane, ont été mis au point. Ces deux agents permettent de maîtriser l'hyperphosphatémie sans affecter la calcémie.

L'administration de suppléments de vitamine D dans sa forme métaboliquement active (1-25-OH-D$_3$) améliore l'absorption du calcium, augmente la calcémie et réduit l'hyperparathyroïdie secondaire. Cependant, un des effets secondaires fréquents des suppléments de vitamine D est l'hypercalcémie. Pour pallier ce risque tout en supprimant la parathormone, des analogues de la vitamine D et des calcimimétiques (cinacalcet) ont été mis au point. Ces molécules permettent de supprimer la sécrétion de la parathormone tout en minimisant les effets sur la calcémie.

Traitement de l'anémie

Avec la réduction du parenchyme rénal fonctionnel, on note une diminution de la synthèse d'érythropoïétine. Grâce aux progrès de la biologie moléculaire, la production d'une érythropoïétine humaine est maintenant possible. Le gène responsable de la synthèse de cette hormone a été identifié et reconstitué. Il a par la suite été intégré au génome d'une levure. Cette levure est cultivée en grande quantité et l'hormone est recueillie dans le milieu de culture.

L'érythropoïétine est administrée par injection sous-cutanée ou intraveineuse. La dose est ajustée selon la réponse au traitement. L'objectif thérapeutique est le maintien d'une concentration d'hémoglobine aux environs de 110 (100 à 120 g/L). Des analogues de l'érythropoïétine sont également disponibles pour le traitement de l'anémie. Ces analogues sont des molécules d'érythropoïétine légèrement modifiées pour en améliorer les propriétés pharmacocinétiques. Un de ces analogues est la darbépoïétine, qui a une demi-vie plus longue et une activité plus marquée que l'érythropoïétine. Il faut par ailleurs que l'apport en fer soit adéquat et l'administration de suppléments est presque toujours nécessaire.

Utilisation des médicaments en IRC

L'IRC influence l'utilisation des médicaments de trois façons. Le rein est l'organe responsable, avec le foie, de l'excrétion des médicaments et de leurs métabolites. Les médicaments peu ou pas liés aux protéines sont filtrés par le glomérule. Une réduction de la filtration glomérulaire affecte donc l'excrétion de ces médicaments et cause leur accumulation dans l'organisme, avec un risque important de toxicité. C'est le cas de la digitale et de plusieurs antibiotiques comme les aminosides. Les médicaments liés aux protéines ou se comportant comme des acides organiques sont pour leur part éliminés par sécrétion tubulaire.

Certains médicaments peuvent bloquer les mécanismes compensateurs de l'IRC. C'est le cas des médicaments anti-inflammatoires, des inhibiteurs de l'enzyme de conversion de l'angiotensine, des antagonistes des récepteurs de l'angiotensine et des diurétiques non kaliurétiques. Les premiers modifient le métabolisme des prostaglandines, des substances importantes pour l'augmentation du débit sanguin des néphrons restants. Les médicaments appartenant aux deux catégories suivantes empêchent la formation ou l'action de l'angiotensine II, responsable de la vasoconstriction relative de l'artériole efférente et donc de l'augmentation de la pression de filtration glomérulaire. L'utilisation de ces médicaments peut avoir un effet bénéfique à des stades moins avancés de la maladie (*voir plus haut*), mais on doit être très prudent lorsque l'insuffisance rénale est plus grave. Quant aux diurétiques non kaliurétiques comme la spironolactone, ils peuvent causer une hyperkaliémie lorsqu'ils sont utilisés chez des patients souffrant d'insuffisance rénale.

Enfin, l'action de certains médicaments agissant sur le rein peut être réduite en cas d'insuffisance rénale, par exemple les médicaments à action diurétique. L'action des diurétiques thiazidiques est nettement réduite lorsque la filtration glomérulaire est inférieure à 30 mL/min (0,5 mL/s), et la dose des diurétiques agissant sur l'anse de Henle doit être augmentée en fonction du degré de l'insuffisance rénale si l'on veut obtenir une diurèse efficace.

Thérapies de remplacement de la fonction rénale

Bien qu'il soit possible de ralentir la progression de l'IRC, il semble, en général, impossible de l'arrêter. Malgré l'efficacité des mécanismes compensateurs et d'adaptation de l'organisme, une IRC suffisamment évolutive ou prolongée entraîne tôt ou tard le décès si aucune thérapie de remplacement n'est offerte. On parle alors d'IRC au stade terminal. À ce stade de la maladie, la filtration glomérulaire est inférieure à 10 % de la normale.

Les thérapies de remplacement de la fonction rénale sont de trois types :

- *l'hémodialyse chronique*, durant laquelle le sang circule dans un circuit extracorporel et l'épuration sanguine se fait surtout par diffusion à travers une membrane semiperméable artificielle, à raison de trois séances par semaine d'une durée moyenne de quatre heures (*hémodialyse traditionnelle*) ou encore à raison de 3 à 6 séances par semaine d'une durée de 6 à 8 heures (*hémodialyse longue*) ;
- *la dialyse péritonéale*, qui nécessite l'infusion d'un dialysat dans la cavité péritonéale à l'aide d'un cathéter et au cours de laquelle l'épuration sanguine se fait par diffusion à partir de la circulation mésentérique à travers le péritoine et vers le dialysat ;
- *la transplantation rénale*, provenant d'un donneur cadavérique ou, moins souvent, d'un donneur vivant.

Il n'y a pas de contre-indication absolue aux thérapies de remplacement rénal, que ce soit au plan technique ou médical, sauf pour les patients souffrant de maladies fatales à court terme. Ces traitements sont souvent difficiles pour les malades, par leur nature et leur morbidité et à cause des contraintes qu'ils imposent à la qualité de vie (restrictions diététiques, dépendance au traitement, etc.). De plus, ils exigent de la part des systèmes de santé des efforts importants, tant au plan des ressources humaines que financières.

Considérations éthiques *(par J.-L. Wolff)*

Dans un contexte de ressources limitées, deux types d'attitudes peuvent être adoptées face aux problèmes éthiques liés au traitement de l'IRC : l'une que l'on peut appeler « égalitariste » et l'autre, « utilitariste ». La première se préoccupe en premier d'équité, la seconde, de résultats ; la première vise à faciliter l'accès à la ressource rare de manière juste et équitable au plus grand nombre, la deuxième tâche de sélectionner les privilégiés de cette ressource en fonction des résultats attendus. Ces deux attitudes ne sont pas mutuellement exclusives. Cependant, il est utile de savoir que, dans les pays occidentaux, on reconnaît que *seul le patient peut définir la notion de qualité de vie et mesurer son atteinte par la maladie*. On ne parle pas dans ces conditions d'un organe malade, mais d'une personne malade. Le rôle du médecin traitant est alors de bien informer son malade de son pronostic et de lui présenter les options thérapeutiques avec toutes leurs conséquences. Le principe de l'offre contient en lui-même une notion de *contrat* avec un partenaire : l'acceptation du contrat s'appelle un *consentement*. Le patient peut aussi refuser ce qu'on lui propose, voire faire une contre-offre. Un patient peut refuser l'offre d'une dialyse et vouloir mourir dans le confort et la *dignité*. Un autre pourra préférer être transplanté malgré des risques apparaissant exagérés au médecin. Cette liberté de choix, cette *autonomie* décisionnelle du patient, si elle s'éloigne du paternalisme médical confortable et prestigieux d'autrefois, ne doit pas aboutir à une déresponsabilisation totale du médecin, abandonnant son patient seul à la détermination de ses choix.

La mise en route d'une dialyse doit s'effectuer dans les conditions précédemment décrites en sachant que, même si les aînés sont souvent handicapés et moins fonctionnels que les plus jeunes, ils rapportent une plus grande satisfaction avec la vie ; les séances de dialyse leur épargnent un isolement dont ils sont souvent très heureux d'être sortis. Après 65 ans, dans une *société non discriminatrice*, on continue de jouir des mêmes droits que les plus jeunes. Il est donc légitime de dialyser des vieillards et de ne pas limiter l'accès aux soins par ces personnes si elles y voient un intérêt.

La suspension de la dialyse chronique est un sujet d'importance ; c'est la deuxième cause de mortalité chez les dialysés au Canada. Le devoir d'un clinicien est de prendre soin de son patient et d'en assurer le *confort*, ce qui ne veut pas dire « traiter en vue de guérir ». Le médecin doit se faire une opinion sur l'efficacité de la poursuite de la dialyse, tout en sachant que l'interruption d'un tel traitement signifie la mort dans un délai moyen d'une semaine. On peut proposer de surseoir à la dialyse lorsque survient une démence non urémique, une perte irréversible de l'état de conscience, une défaillance multisystémique.

Lorsqu'un patient refuse d'entreprendre ou décide d'interrompre la dialyse chronique, le médecin doit vérifier les raisons de cette décision et s'assurer que son client en comprend bien la portée. Il doit également vérifier l'absence d'un syndrome dépressif, d'une démence légère débutante ou d'une encéphalopathie toxicométabolique.

Quand le patient n'a plus la capacité de décider, il faut rechercher son opinion antérieure sur son attitude éventuelle face à la situation actuelle exprimée (idéalement) par écrit dans des *directives préalables*. Malheureusement, seuls 10 % des insuffisants rénaux ont abordé le sujet avec leur néphrologue et 25 % en ont discuté avec leur famille. Sinon, il faut se baser sur l'opinion du conjoint ou du plus proche parent selon la loi. Dans tous les cas, les médecins, le patient ou son substitut pourront se fonder sur des *lignes directrices*, mises en place par les établissements. Elles sont basées sur des références émises par des associations professionnelles et éthiques et aident à la décision, si possible avec une certaine uniformité pour des cas semblables.

En matière de transplantation rénale, une des solutions pour favoriser une *égalité d'accès* pour chaque individu est «premier arrivé, premier servi». On peut aussi tenir compte du besoin au fil de la vie (*need over a lifetime*), en partant du principe qu'un individu de 25 ans qui s'approche de la dialyse est plus défavorisé qu'un individu qui en a 60 et qui est dans la même condition. Pourtant, la population croit toujours que les médecins appliquent une règle fortement utilitariste, fondée sur la compatibilité tissulaire, mais en même temps, elle reste très sensible à la position sur la liste d'attente, sous-entendant la valeur de l'ancienneté. Une dimension parfois sous-estimée ou difficile à mesurer est l'importance du besoin, le degré relatif d'urgence de la transplantation. Le public américain pense qu'une amélioration de 10 % à 1 an de la survie des greffons rénaux (ce qui est au-delà des espérances les plus utilitaristes) ne serait pas suffisante pour justifier de donner la priorité à ceux qui ont le meilleur pronostic. *Un système de distribution des greffons doit donc nettement privilégier l'équité aux dépens de la compatibilité.*

D'autres questions éthiques concernant la transplantation, même essentielles, dépassent le cadre de ce manuel : l'éthique du consentement au don d'organes pour les donneurs vivants, pour les donneurs décédés de mort neurologique ou d'arrêt cardiaque (consentement présumé ou non), l'éthique des greffes de donneurs vivants, l'éthique des échanges de reins de donneurs vivants à partir d'un «pool» de donneurs, l'éthique des rapports et échanges entre le «pool» des donneurs vivants et celui des donneurs cadavériques.

LECTURES SUGGÉRÉES

Bohle, A. et Muller, G. A. « Pathogenesis of chronic renal failure in the primary glomerulopathies, renal vasculopathies, and chronic interstitial nephritides », *Kidney Int,* 1997 ; suppl 54 : S2-S9.

Brenner and Rector's-The Kidney, 5e édition, 2 vol., W.B. Saunders Company, Philaldelphie, 1996, 2702 p.

Burton, C. et Harris, K. P. « The role of proteinuria in the progression of chronic renal failure », *Am J Kidney Dis,* 1996 ; 27 : 765-775.

Levine, D. Z. « Nephrology Ethics Forum : shared decision-making in dialysis : the new RPA/ASN guideline on appropriate initiation and withdrawal of treatment », *Am J Kidney Dis,* 2001 ; 37 : 5 : 1081-1091.

Loghman-Adham, M. « Adaptation to changes in dietery phosphorus intake in health and in renal failure », *J Lab Clin Med,* 1997 ; 129 : 176-188.

Oxford Textbook of Clinical Nephrology, 2e édition, 3 vol., Oxford University Press, Oxford, 1998, 2808 p.

Shemin, D. et Dworkin, L. D. « Sodium balance in renal failure », *Curr Opinion Nephrol Hypertens,* 1997 ; 6 : 128-132.

Chapitre 11

Glomérulopathies

STÉPHAN TROYANOV, SERGE QUÉRIN, PIERRE RUSSO,
PIERRE ROBITAILLE ET ALAIN MARION

Les *glomérulopathies* sont parmi les causes les plus fréquentes d'anomalies urinaires (protéinurie ou hématurie) isolées et d'insuffisance rénale chronique (IRC), en particulier chez l'enfant et le jeune adulte. Au Canada, on leur attribue environ la moitié des nouveaux cas d'insuffisance rénale terminale; la glomérulosclérose diabétique à elle seule en explique près du tiers. Elles peuvent également se manifester par un syndrome spécifiquement glomérulaire, néphrotique, néphritique ou mixte, que le clinicien doit pouvoir reconnaître. Enfin, la possibilité d'une maladie glomérulaire constitue la principale indication de la biopsie rénale qui fournit des informations souvent indispensables d'un point de vue pronostique et thérapeutique. Pour toutes ces raisons, il importe d'acquérir une bonne connaissance des mécanismes et des manifestations des principaux syndromes et maladies glomérulaires.

Le traitement de ce sujet dans les manuels de référence porte parfois à confusion car les terminologies *histologique* (par exemple, glomérulopathie membraneuse), *étiologique* (glomérulonéphrite lupique) et *clinique* (glomérulonéphrite rapidement progressive) sont souvent amalgamées dans les classifications. Le présent chapitre présente séparément ces trois nomenclatures, les principales variantes de maladies glomérulaires et les grands principes thérapeutiques.

Observations histologiques

Chaque structure du glomérule (*voir chapitre 1*) peut être le siège de lésions.

Dans le *mésangium*: une hyperplasie (prolifération) des cellules mésangiales; une expansion de la matrice mésangiale, avec ou sans dépôts.

Dans les *anses capillaires*: une hyperplasie des cellules endothéliales, l'adhésion à l'endothélium de leucocytes mono- ou polymorphonucléaires; un épaississement ou un dédoublement de la membrane basale; l'accumulation de dépôts dans l'espace sous-endothélial ou sous-épithélial, ou encore à l'intérieur même de la membrane basale; la réduction ou l'oblitération de la lumière capillaire par l'accumulation de cellules ou la présence de dépôts, d'une sclérose ou, plus rarement, d'une nécrose.

Dans l'*espace urinaire*: une prolifération des cellules épithéliales pariétales avec la formation d'un croissant; un effacement des pédicelles des cellules épithéliales viscérales (podocytes); la perte de podocytes et la dénudation du versant épithélial des anses capillaires mènent à la formation d'adhésions (synéchies) avec la capsule de Bowman.

Les dépôts observés sont de nature variable: exsudats de protéines plasmatiques appelés «dépôts hyalins», immunoglobulines et complexes immuns, protéines du complément ou, plus rarement, structures protéiques organisées comme la protéine amyloïde. Ils offrent des indices précieux sur l'étiologie des atteintes glomérulaires.

Les lésions glomérulaires sont aussi classées selon leur étendue, comme diffuses ou focales. Par convention, on parle d'une atteinte *diffuse* lorsque plus de 50 % des glomérules dans la biopsie présentent la même atteinte; à l'opposé, dans une atteinte *focale*, moins de la moitié des glomérules présentent des changements histologiques.

On classifie aussi l'atteinte selon sa topographie à l'intérieur même du glomérule. Dans une atteinte *globale* (figure 11.1A), le flocculus glomérulaire est atteint en entier. Au contraire, l'atteinte peut être limitée à un ou plusieurs segments, tandis que d'autres portions du glomérule sont intactes. Dans cette dernière situation, on parle d'une atteinte *segmentaire* (figure 11.1B).

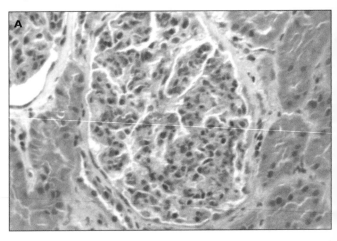

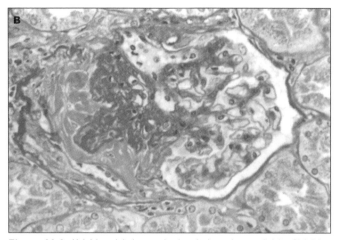

Figure 11.1 A) Lésion globale : tout le glomérule est hypercellulaire. B) Lésion segmentaire : la portion gauche du glomérule est sclérosée tandis que la droite est normale.

Chaque type de lésion contribue de façon variable aux manifestations cliniques : hypertension artérielle, réduction du débit de filtration glomérulaire (DFG), rétention hydrosodée entraînant des œdèmes, protéinurie, hématurie. Certaines favorisent davantage la réduction du DFG, telle l'hyperplasie des cellules endothéliales, tandis que d'autres s'accompagnent plutôt de protéinurie comme les atteintes des podocytes. Cependant, ces corrélations clinico-histologiques sont imparfaites.

Les principales variantes de maladies glomérulaires se définissent par un agencement spécifique de lésions (figure 11.2). Par exemple, la glomérulopathie « membraneuse » se caractérise par la présence de dépôts sous-épithéliaux d'IgG associés ou non à des protéines du complément, bien visibles à l'immunofluorescence, donnant l'apparence de parois capillaires épaissies, éventuellement spiculées, en microscopie optique (figure 11.2B). À l'occasion, les observations histologiques ne permettent pas de poser un diagnostic certain, surtout lorsqu'elles sont peu marquées.

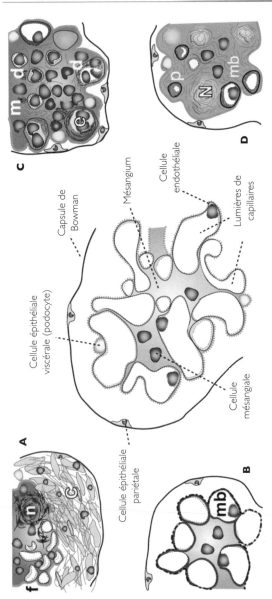

Figure 11.2 Représentation schématique de quelques variantes de maladies glomérulaires A) Extracapillaire : nécrose capillaire (n), croissant fibrocellulaire (C), floculus glomérulaire comprimé (f) B) Membraneuse : membranes basales (mb) épaissies, spiculées avec dépôts sous-épithéliaux C) Lupique : dépôts mésangiaux et sous-endothéliaux (d), prolifération mésangiale (m) et endocapillaire (e) D) Diabétique : parois (p) capillaires sclérosées, membranes basales (mb) épaissies, nodules (N) mésangiaux

Pathogenèse et exemples étiologiques

Plusieurs mécanismes pathogéniques peuvent produire des lésions glomérulaires. Parfois, l'agent étiologique déclencheur est identifiable (infection, collagénose, néoplasie...), mais souvent il demeure inconnu, d'où l'appellation *idiopathique* ou *primaire*. Pour certains auteurs, les appellations *primaires* ou *secondaires* renvoient plutôt à l'absence ou la présence d'une maladie systémique. C'est ainsi que, dans ce chapitre, nous considérerons arbitrairement comme secondaires la glomérulosclérose diabétique et la glomérulonéphrite lupique.

Atteintes dues aux complexes immuns circulants

Des complexes immuns sont formés à la suite d'une stimulation des lymphocytes B par des antigènes, comme ceux produits lors d'infections bactériennes (notamment streptococciques) ou virales (hépatites B et C, par exemple), par certaines tumeurs, ainsi que dans des maladies auto-immunes comme le lupus érythémateux disséminé (auto-anticorps). Ces complexes immuns circulants, normalement interceptés et détruits par le système réticulo-endothélial, peuvent dans certains cas échapper à cette surveillance et, en raison de leur taille, de leur configuration tridimensionnelle ou de leur charge électrostatique, réussir à se loger dans la paroi glomérulaire (figure 11.3B), pour activer par la suite le système du complément et d'autres médiateurs de l'inflammation.

Anticorps dirigés contre un antigène *in situ*

Les anticorps peuvent aussi déclencher une réaction inflammatoire par fixation directe d'un antigène *in situ*. Cette situation existe notamment dans la *maladie de Goodpasture* (IgG contre la chaîne $\alpha 3$ du collagène de type 4 de la membrane basale du rein et du poumon, figure 11.3A). Parfois, la cible immunologique au sein du glomérule est inconnue (dépôts d'IgG au niveau sous-épithélial dans la glomérulopathie membraneuse). À l'occasion, des antigènes extrinsèques (bactériens, médicamenteux ou autres) peuvent se loger dans la membrane basale et servir de cible immunologique *in situ*.

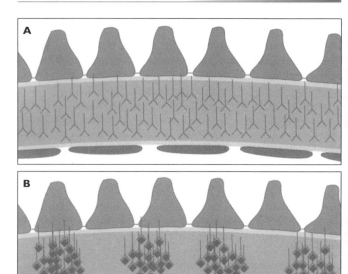

Figure 11.3 Représentation schématique de la maladie à anticorps anti-membrane basale glomérulaire (A) et des maladies liées à la présence de dépôts de complexes immuns dans la membrane basale glomérulaire (B). Les structures en forme de «Y» renversé représentent des anticorps et les losanges pleins, des antigènes.

Atteintes liées à la présence de lymphocytes T sensibilisés et de macrophages

Certaines atteintes glomérulaires sont liées à l'immunité cellulaire. Les mécanismes de cette atteinte restent méconnus. On évoque souvent la production d'un *facteur de perméabilité glomérulaire,* peut-être l'interleukine-13, par les lymphocytes T dans la genèse des lésions glomérulaires minimes. Ce facteur perturbe le fonctionnement de la fente diaphragmatique des podocytes, mène à l'effacement des pédicelles, puis à l'apparition d'une albuminurie.

Activation du complément

Celle-ci survient fréquemment suite à la déposition de complexes immuns. Plus rarement, des défauts acquis ou héréditaires dans la régulation des différentes voies d'activation provoquent des lésions. Cette situation caractérise la *glomérulonéphrite membrano-proliférative* secondaire au facteur néphritique (anticorps IgG dirigé contre le C3) qui est complètement indépendante de la présence de complexes immuns circulants. Une *mutation du gène du facteur H* favorise l'activation du complément au niveau de l'endothélium et produit un tableau de microangiopathie semblable au syndrome hémolytique et urémique. Ces entités relativement rares ne seront pas abordées davantage.

Activation soutenue de l'axe rénine-angiotensine-aldostérone

Ce système régule principalement la volémie et la tension artérielle. Plusieurs stimuli (inflammation, hyperglycémie et autres) favorisent son activation au niveau rénal, ce qui entretient une hyperfiltration glomérulaire (par vasoconstriction préférentielle de l'artériole efférente), une inflammation locale et un processus de cicatrisation. Ces mécanismes non immunologiques jouent un rôle important dans la progression de l'atteinte rénale, de sorte que l'inhibition pharmacologique de cet axe est devenue la pierre angulaire du traitement des maladies glomérulaires.

Dépôt d'une substance produite de façon anormale

La production d'une substance se déposant passivement au niveau des reins peut nuire au fonctionnement du glomérule. Cette situation caractérise l'*amylose* rénale (agrégats protéiques de «substance amyloïde») et le dépôt de chaînes légères libres dans le *myélome multiple*. Ces deux entités ne seront pas abordées davantage ici.

Anomalies génétiques de protéines de structure

Une malformation de la chaine α5 du collagène de type 4 de la membrane basale dans le *syndrome d'Alport* et plusieurs autres mutations des gènes codant les protéines formant la fente glomérulaire mènent à une atteinte rénale lente et progressive.

Atteinte toxique

Bien établie dans les modèles expérimentaux, une atteinte toxique des cellules épithéliales ou endothéliales semble être à l'origine de maladies humaines, notamment certaines variantes du syndrome néphrotique chez l'enfant. L'administration de divers médicaments tels la ticlopidine et la cyclosporine a parfois été associée à une toxicité endothéliale provoquant une microangiopathie semblable au syndrome hémolytique et urémique.

La plupart du temps, plusieurs mécanismes physiopathologiques agissent simultanément.

Modes de présentation clinique

En plus de pouvoir être découvertes dans certains cas tardivement par un tableau d'IRC, les maladies glomérulaires ont quatre modes de présentation clinique qui leur sont propres : le *syndrome néphritique*, le *syndrome néphrotique*, un *syndrome glomérulaire mixte* ou encore des anomalies urinaires isolées (tableau 11.1). Elles peuvent aussi se déclarer par une *insuffisance rénale rapidement progressive*, mais ce tableau n'est pas pathognomonique d'une atteinte glomérulaire puisqu'il se rencontre aussi dans certaines néphropathies vasculaires et tubulo-interstitielles. Dans tous les modes de présentation, c'est la présence d'une protéinurie d'au moins 1 g/24 h qui doit faire évoquer une atteinte glomérulaire.

Tableau 11.1

Modes de présentation clinique des glomérulopathies

Syndrome néphritique	Insuffisance rénale rapidement progressive***	Syndrome néphrotique	Syndrome glomérulaire mixte	Anomalies urinaires isolées	Insuffisance rénale chronique***
Hématurie Protéinurie < 3 g/24 h Œdème HTA* Oligurie et réduction du DFG**	Hématurie Protéinurie variable*** HTA Réduction du DFG menant, en l'absence de traitement, à l'insuffisance rénale terminale en moins de 6 mois.	Protéinurie > 3 g/24 h Hypoalbuminémie < 30 g/L Œdème Hyperlipidémie Lipidurie	Éléments à la fois néphritiques et néphrotiques	Protéinurie < 3 g/24 h, hématurie ou les deux	Protéinurie variable*** Hématurie microscopique inconstante HTA Réduction lente du DFG (plusieurs années)

*HTA : Hypertension artérielle

**DFG : Débit de filtration glomérulaire

*** Mode de présentation aussi rencontré dans des maladies rénales non glomérulaires

**** En général, les protéinuries d'origine glomérulaire sont d'au moins 1 g/24 h, sauf parfois en cas de réduction très importante du DFG

Le *syndrome néphritique* se définit comme l'association d'une hématurie, d'une protéinurie de moins de 3 g/24 h, d'un œdème, d'une hypertension artérielle, d'une oligurie et d'une réduction du débit de filtration glomérulaire. Le *syndrome néphrotique*, quant à lui, consiste principalement en une protéinurie de plus de 3 g/24 h (protéinurie dite d'ordre néphrotique). Cette protéinurie abondante est associée, dans un syndrome néphrotique complet, à une hypo-albuminémie inférieure à 30 g/L, de même qu'à une œdème, une hyperlipidémie et une lipidurie. Dans un but purement descriptif, on peut parler de *syndrome glomérulaire mixte* quand des éléments à la fois néphrotiques et néphritiques coexistent chez un même malade. Certains préfèrent parler de *syndrome, néphritique* ou *néphrotique, pur* ou *impur,* quand il y a nettement plus d'éléments d'un syndrome que de l'autre; ainsi, on dira d'un malade qu'il a un syndrome néphrotique impur s'il présente une hématurie microscopique en plus de tous les éléments qui définissent le syndrome néphrotique. De tels syndromes mixtes sont particulièrement fréquents chez l'adulte atteint de glomérulopathie. Comme on le voit, les frontières entre syndromes néphritique et néphrotique ne sont pas étanches. Néanmoins, nous le verrons plus loin à propos des principales variantes de maladie glomérulaire, l'existence ou la prépondérance de l'un ou de l'autre syndrome chez un patient donné permet d'orienter le diagnostic différentiel. Enfin, des *anomalies urinaires isolées* (protéinurie, hématurie ou les deux signes urinaires à la fois) peuvent être les seules manifestations d'une maladie glomérulaire. Quant à l'*insuffisance rénale rapidement progressive*, qui évolue par définition vers l'insuffisance rénale terminale en moins de 6 mois en l'absence de traitement, elle associe habituellement tous les éléments du syndrome néphritique (tableau 11.1) et souvent aussi des manifestations systémiques non spécifiques (asthénie, perte de poids, anémie).

Nous avons vu au chapitre 4 que la présence, au sédiment urinaire, de *cylindres érythrocytaires* (*voir figure 4.1*) signe, à toutes fins utiles, l'origine glomérulaire d'une hématurie, et que la présence d'*hématies dysmorphiques* tend également à avoir la même signification. Malheureusement, des cylindres érythrocytaires ne sont pas constamment retrouvés en cas d'hématurie glomérulaire, et la dysmorphie érythrocytaire est un indice qui n'est ni sensible ni spécifique. De toute façon, c'est bien plus souvent la présence d'une *protéinurie*, habituellement d'au moins 1 g/L (et constituée en majeure partie d'albumine), qui signale l'existence d'une atteinte glomérulaire. Les divers types de protéinurie ont été présentés au chapitre 4. Les protéinuries glomérulaires sont la conséquence d'une perméabilité accrue de la paroi glomérulaire aux protéines. Cette perméabilité anormale peut résulter soit de la perte des charges négatives normalement portées par la paroi glomérulaire, ce qui permet à des protéines chargées négativement (comme l'albumine) de la traverser, soit d'une augmentation de la taille ou du nombre de pores situés dans cette paroi, ce qui ouvre le passage à des protéines cationiques de poids moléculaire plus élevé.

La physiopathologie du syndrome néphritique, en particulier de la rétention hydrosodée qui l'accompagne, est encore mal comprise. Nous nous bornerons à décrire dans ses grandes lignes celle du syndrome néphrotique.

Physiopathologie du syndrome néphrotique

Au cours du syndrome néphrotique, une forte augmentation de la perméabilité glomérulaire aux protéines, en particulier à l'albumine chargée négativement, entraîne non seulement une albuminurie massive, mais aussi un catabolisme important de l'albumine par les cellules tubulaires proximales. Ces cellules réabsorbent en effet une partie de l'albumine filtrée par un mécanisme de pinocytose. Des enzymes lysosomiales digèrent l'albumine et restituent à la circulation sanguine péritubulaire des oligopeptides et des acides aminés. Ces produits de dégradation sont ensuite utilisés par le foie pour resynthétiser une partie de l'albumine catabolisée. Les pertes urinaires d'albumine de même que le catabolisme tubulaire de cette protéine ne pouvant être entièrement compensés par un accroissement de la synthèse hépatique, une hypoalbuminémie s'installe. Celle-ci, combinée à la baisse de la pression oncotique plasmatique qui en découle, stimule à son tour la synthèse de diverses protéines par le foie. Parmi ces protéines synthétisées en excès figurent des lipoprotéines. Il en résulte une hyperlipidémie, qui s'accompagne du passage de certaines lipoprotéines dans les urines. Cette lipidurie se traduit, au sédiment urinaire, par la présence de corps gras ovalaires, de corps biréfringents et de cylindres graisseux. Les *corps gras ovalaires* (figure 11.4A) sont des cellules épithéliales gonflées de vacuoles lipidiques, une partie des lipides filtrés par le glomérule étant, comme l'albumine, captée par les cellules proximales. Les *corps biréfringents* (figure 11.4B), qui ont l'aspect d'une croix de Malte, sont des cristaux de cholestérol libres, bien visibles en lumière polarisée. Enfin, les *cylindres graisseux* (figure 11.4C) sont formés d'une matrice protéique enrobée de corps gras ovalaires et de corps biréfringents.

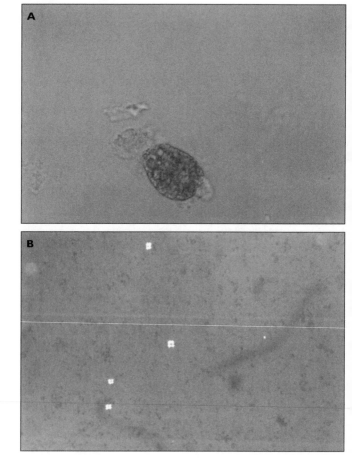

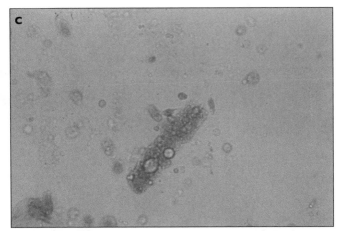

Figure 11.4 A) Corps gras ovalaire (sédiment urinaire × 400). Cellule desquamée de l'épithélium tubulaire remplie de vacuoles lipidiques. B) Corps biréfringents (sédiment urinaire × 400). Cristaux de cholestérol ayant un aspect en croix de Malte en lumière polarisée. C) Cylindres graisseux (sédiment urinaire × 400). Matrice hyaline chargée de gouttelettes graisseuses.

Le mécanisme de l'œdème au cours du syndrome néphrotique est controversé et probablement variable en fonction de la nature de l'atteinte glomérulaire et de l'âge du sujet. Selon la théorie classique du syndrome néphrotique, la baisse de la pression oncotique plasmatique, avec les perturbations de l'équilibre de Starling qui en résultent dans les vaisseaux capillaires périphériques, entraîne une transsudation de liquide de l'espace vasculaire vers le compartiment interstitiel, ce qui se traduit cliniquement par de l'œdème. On s'attendrait donc à ce que le volume plasmatique circulant, lorsque mesuré chez un malade néphrotique, soit inférieur à la normale. Or, si cela est vrai chez un certain nombre de sujets néphrotiques, en particulier des enfants atteints de lésions glomérulaires minimes, cela ne l'est pas chez un grand nombre d'autres malades, surtout adultes. Chez ces derniers, le volume plasmatique circulant est normal ou même augmenté. Il semble que chez ces malades, de même qu'au cours du syndrome néphritique, l'œdème résulte d'une réabsorption anormalement avide de sodium par le tubule collecteur, dont le mécanisme n'est pas encore élucidé.

Des complications thrombo-emboliques peuvent survenir au cours du syndrome néphrotique. Il s'agit surtout de thrombophlébites profondes des membres inférieurs et de thromboses des veines rénales, ces dernières étant particulièrement caractéristiques du syndrome néphrotique ; ces thromboses veineuses sont parfois elles-mêmes compliquées d'embolie pulmonaire. Des thromboses artérielles sont parfois observées chez le jeune enfant. Ces phénomènes thrombo-emboliques s'expliquent par un état d'hypercoagulabilité qui résulte de plusieurs facteurs : pertes urinaires de protéines à effet antithrombotique (antithrombine III), synthèse hépatique excessive (en réaction à l'hypoalbuminémie et à la baisse de la pression oncotique plasmatique) de certains facteurs de la coagulation, hyperagrégabilité plaquettaire (de mécanisme mal compris). Par ailleurs, des pertes urinaires d'immunoglobulines peuvent prédisposer le sujet néphrotique à certaines infections, notamment des péritonites (ascites infectées), surtout observées chez l'enfant.

Principales variantes de maladie glomérulaire

Les principales variantes de maladie glomérulaire peuvent avoir des présentations multiples. Certaines ont pour mode habituel de présentation un syndrome néphritique, d'autres se manifestent plutôt par un syndrome néphrotique ou des anomalies urinaires asymptomatiques. Nous aborderons ici les principales variantes.

Tableau 11.2

Principales variantes de maladie glomérulaire avec leurs modes possibles de présentation

	Syndrome néphritique	Insuffisance rénale rapidement progressive	Syndrome néphrotique	Anomalies urinaires isolées	Insuffisance rénale chronique*
Glomérulonéphrite aiguë post-infectieuse	++	+	-	+	-
Glomérulonéphrites rapidement progressives	+	++	-	-	-
Lésions glomérulaires minimes	-	-	++	+	-
Hyalinose glomérulaire segmentaire et focale	-	-	++	++	+
Glomérulopathie membraneuse	-	-	++	++	+
Néphropathie à IgA	++	+	+	++	++
Glomérulosclérose diabétique	-	-	+	++	++
Glomérulonéphrite lupique	++	+	++	++	-
Syndrome d'Alport	-	-	-	+	++
Syndrome hémolytique et urémique	++	+	-	-	+

* comme mode de découverte (glomérulopathie préalablement asymptomatique évoluant depuis des années)

Glomérulonéphrite aiguë postinfectieuse

La *glomérulonéphrite aiguë postinfectieuse* est, en fait, le plus souvent *poststreptococcique.* Elle est particulièrement fréquente chez l'enfant chez qui elle constitue l'exemple type du syndrome néphritique.

Le streptocoque β-hémolytique du groupe A est le micro-organisme le plus souvent associé à une glomérulonéphrite aiguë. Cliniquement, cette néphrite survient deux à trois semaines après une infection streptococcique, une pharyngite le plus souvent, parfois une pyodermie ou un impétigo. Environ 85 % des cas concernent des enfants d'âge préscolaire et scolaire ; ce type de glomérulonéphrite est rare avant 2 ans ou après 40 ans. En phase aiguë, on note la présence d'une hématurie (glomérulaire) dans la quasi-totalité des cas. L'urine est de teinte brunâtre, en raison de la transformation de l'hémoglobine en hématine dans une urine à la fois concentrée et acide, puisque la réabsorption tubulaire est avide et l'acidification urinaire préservée dans le syndrome néphritique. Un œdème généralisé (85 %) et une hypertension artérielle (60 à 80 % des cas) sont des signes cliniques fréquents. On observe une oligo-anurie dans la moitié des cas environ. L'insuffisance rénale aiguë est habituelle mais de degré variable. La majorité des patients n'ont pas besoin de dialyse. Dans les cas graves où il y a pratiquement anurie pendant une bonne semaine, la dialyse devient incontournable. L'évolution clinique suit celle des lésions histologiques. La plupart des malades n'ont aucune séquelle clinique. Cependant, 5 à 10 % d'entre eux peuvent conserver une hypertension artérielle, une protéinurie ou une insuffisance rénale chronique de légère à modérée. Environ 1 % des patients connaissent une évolution fulminante et demeurent en insuffisance rénale grave d'emblée et de façon permanente. De manière générale, plus les malades sont jeunes, meilleures sont les chances de guérison complète.

On considère généralement que cette affection résulte de dépôts glomérulaires d'antigènes streptococciques associés à des anticorps, sous forme de complexes immuns. Il en résulte une activation du complément et une libération de cytokines responsables du phénomène inflammatoire. Sur le plan sérologique, on observe classiquement une élévation des anticorps circulants anti-streptolysine O (ASO), surtout quand l'infection initiale a été pharyngée, ainsi qu'un abaissement de la fraction C3 du complément.

D'un point de vue anatomopathologique, l'atteinte est globale et diffuse, et caractérisée surtout par une infiltration du glomérule par de nombreux leucocytes polymorphonucléaires ainsi que par une hyperplasie mésangiale, ce qui réduit la lumière capillaire et donc la surface de filtration glomérulaire. L'examen de la biopsie par immunofluorescence révèle la présence de complexes immuns déposés sur le versant épithélial de la membrane basale glomérulaire. Ces complexes immuns forment des dépôts finement granuleux d'IgG, de C3 et de C1q le long des anses capillaires, de même que dans le mésangium. À l'occasion, on identifie aussi de l'IgA, de l'IgM de même que du C4 et de la properdine. En microscopie électronique, les dépôts sous-épithéliaux forment des « bosses » (*humps*) caractéristiques (figure 11.5). On peut aussi observer des bris de la membrane basale, qui expliquent l'hématurie glomérulaire. Avec le temps, on assiste à un retour à la normale de l'histologie glomérulaire chez la majorité des malades. Dans une infime proportion des cas (de 1 à 2 %), l'hypercellularité épithéliale perdure, on assiste à la formation de croissants épithéliaux et, à terme, ces changements conduisent à une sclérose glomérulaire.

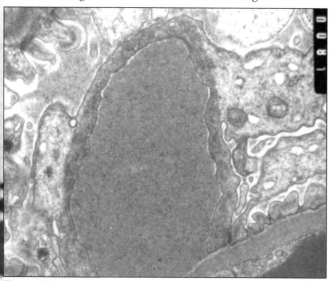

Figure 11.5 Glomérulonéphrite aiguë postinfectieuse (microscopie électronique). Gros dépôt sous-épithélial de complexes immuns (hump).

Quoique plus rares, il existe d'autres formes cliniques de glomérulonéphrite aiguë postinfectieuse que celle qui suit la pharyngite à streptocoque ou l'impétigo. Il convient notamment de mentionner la glomérulonéphrite aiguë observée dans 20 à 25 % des cas d'*endocardite bactérienne*. Elle est généralement causée par le dépôt dans les glomérules d'antigènes streptococciques (notamment *S. viridans*) et des anticorps correspondants. La *néphrite* dite « *de shunt* », généralement causée par une infection à streptocoque ou à staphylocoque d'une dérivation créée entre les ventricules cérébraux et le système veineux pour soulager une hydrocéphalie, constitue un autre exemple de glomérulonéphrite postinfectieuse.

Glomérulonéphrites rapidement progressives (glomérulonéphrites extracapillaires, glomérulonéphrites à croissants diffus)

Les *glomérulonéphrites rapidement progressives*, surtout chez l'adulte, ont pour manifestation clinique une insuffisance rénale qui s'installe en quelques semaines ou quelques mois et qui, dans tous les cas et par définition, évolue sans traitement vers l'insuffisance rénale terminale en moins de six mois, en présence d'autres signes d'atteinte glomérulaire (protéinurie d'abondance variable et hématurie). Elles surviennent de façon isolée ou en association avec une atteinte extrarénale.

Trois mécanismes pathogéniques sont décrits et reconnaissables par un aspect particulier des glomérules en immunofluorescence. Dans une première variante (*type I* ou *glomérulonéphrite à anticorps anti-membranes basales glomérulaires*), on observe une fixation linéaire d'IgG le long des membranes basales glomérulaires, qui correspond à la présence d'anticorps circulants qui se sont déposés sur la paroi (figure 11.6A). Lorsque ces anticorps s'attaquent aussi à la membrane basale des alvéoles et provoquent des hémorragies alvéolaires et des hémoptysies, il s'agit de la *maladie de Goodpasture*. Le deuxième type de glomérulonéphrite rapidement progressive idiopathique (*type II*) est quant à lui associé à la présence de dépôts glomérulaires granuleux représentant des complexes immuns (figure 11.6B). Cette variante est souvent secondaire à une autre affection sévère sous-jacente (par exemple, une cryoglobulinémie chez un patient souffrant d'hépatite C, associée à des dépôts massifs de complexes immuns). Enfin, le *type III* correspond à une mmunofluorescence glomérulaire négative justifiant l'ancienne appellation de «glomérulonéphrite pauci-immune». Des études récentes ont réussi à identifier une activation immunologique, non visible à la biopsie rénale, des leucocytes polymorphonucléaires, qui adhèrent aux capillaires glomérulaires et les attaquent, comme en témoigne la nécrose observée. Cette variante de glomérulo-néphrite rapidement progressive peut être isolée ou s'inscrire dans le cadre d'une maladie polysystémique, une *vasculite*, qui peut atteindre une variété d'organes. Les vasculites qui affectent le rein sont principalement des vasculites touchant les petits vaisseaux, en particulier la granulomatose de Wegener et la périartérite noueuse microscopique.

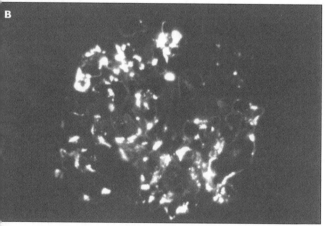

Figure 11.6 Glomérulonéphrite rapidement progressive (immunofluorescence). Fixation linéaire du type I (A) et dépôts granuleux du type II (B).

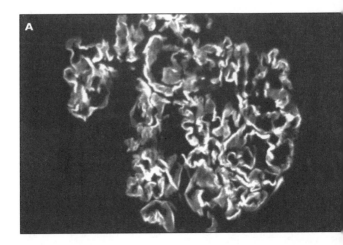

La caractéristique principale de la lésion glomérulaire rapidement progressive, quelle qu'en soit la cause, est la présence de *croissants* (figure 11.7). On croit qu'ils apparaissent habituellement lorsqu'une anse capillaire lésée déverse des protéines plasmatiques dans l'espace urinaire, ce qui entraîne une activation de la cascade de la coagulation, suivie d'une réaction inflammatoire marquée. Les croissants résultent d'une prolifération de cellules épithéliales glomérulaires et de macrophages pouvant coiffer dans certains cas une zone de nécrose glomérulaire. Avec le temps, les croissants s'organisent et deviennent de plus en plus fibreux. Cette prolifération cellulaire extracapillaire est, dans certains cas, tellement importante qu'elle occupe l'espace urinaire en entier et écrase le glomérule.

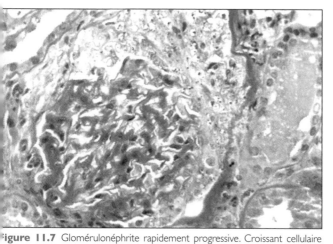

Figure 11.7 Glomérulonéphrite rapidement progressive. Croissant cellulaire entourant le flocculus glomérulaire.

Lésions glomérulaires minimes

Les *lésions glomérulaires minimes* (LGM) sont la principale cause de syndrome néphrotique chez l'enfant, chez qui elles sont l'exemple type d'une maladie glomérulaire se manifestant par un syndrome néphrotique « pur » (c'est-à-dire sans élément néphritique). De telles lésions sont également rencontrées chez 20 % des sujets néphrotiques adultes.

Chez l'enfant, le syndrome néphrotique associé à des LGM survient habituellement avant l'âge de 10 ans. L'hypertension artérielle (10 %) et l'hématurie microscopique (15 %) sont inhabituelles. Le débit de filtration glomérulaire est habituellement normal, de même que la concentration plasmatique de C3. Les LGM répondent généralement à la corticothérapie.

L'aspect histologique des glomérules est complètement normal. Il n'y a ni inflammation ni modification du mésangium. L'examen à l'immunofluorescence ne révèle pas de dépôt. Les lésions caractéristiques sont observées à l'examen ultrastructural qui montre une fusion et un aplatissement des pédicelles (figure 11.8). Comme d'autres éléments de la paroi glomérulaire, les pédicelles (pieds des podocytes) sont normalement porteurs de charges négatives qui les font se repousser les uns les autres le long du versant externe de la membrane basale glomérulaire. Or, le processus physiopathologique propre aux LGM comporte une réduction des charges négatives de la paroi glomérulaire et des pédicelles en particulier. Ceux-ci paraissent alors fusionnés et aplatis le long de la membrane basale alors qu'en fait ils ne sont que rapprochés, accolés les uns aux autres et à la membrane.

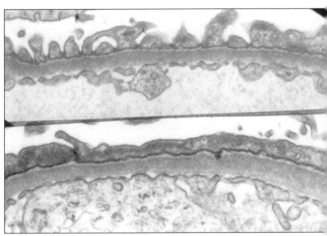

Figure 11.8 Lésions glomérulaires minimes (microscopie électronique). En haut : anse capillaire d'un glomérule normal, avec ses pédicelles bien individualisés. En bas : aplatissement et fusion diffuse des pédicelles épithéliaux dans un cas de lésions glomérulaires minimes.

Hyalinose glomérulaire segmentaire et focale

L'*hyalinose segmentaire et focale* (HSF) est une atteinte glomérulaire qui se manifeste la plupart du temps par un syndrome néphrotique souvent « impur », c'est-à-dire comportant des éléments néphritiques. Toutefois, certaines hyalinoses ont pour seule manifestation une protéinurie non néphrotique isolée. Les formes néphrotiques sont souvent accompagnées d'une insuffisance rénale de type chronique, qui tend à évoluer vers le stade terminal. Le pronostic est toutefois meilleur dans le cas d'une protéinurie isolée. L'HSF est la plupart du temps idiopathique, mais il en existe des variantes secondaires, en particulier au sida.

Environ 10 % des enfants atteints d'un syndrome néphrotique montrent des lésions glomérulaires typiques d'HSF. Les premiers glomérules touchés sont situés profondément dans le cortex
rénal. Contrairement à ce que l'on voit dans les LGM, environ la
moitié des sujets atteints présentent de l'hypertension artérielle,
de l'hématurie microscopique ou les deux à la fois. Un quart des
malades connaissent une baisse légère ou marquée de leur débit de
filtration glomérulaire. Le dosage sérique de la fraction C3 du complément est normal. Environ la moitié des cas se révèlent cortico-
résistants. Ces derniers évoluent souvent, malheureusement, vers
une insuffisance rénale chronique grave nécessitant une épuration
extrarénale après une dizaine d'années de progression de la maladie. Cette maladie glomérulaire a, de plus, tendance à se reproduire
sur un rein transplanté dans environ un tiers des cas.

On reconnaît un rôle immunologique important dans la genèse
de cette maladie et il existe probablement un ou plusieurs facteurs de
perméabilité glomérulaire, différents de ceux retrouvés dans les LGM.
Selon toute vraisemblance, des mutations génétiques jouent aussi un
rôle étiologique important dans la pathogénèse de l'HSF. Ils comprennent le polymorphisme des gènes associés à l'angiotensine, ceux
qui influencent la composition de la barrière du filtre glomérulaire et
codent les protéines qui en font partie telles la néphrine (NPHS1), la
podocine (NPHS2), la CD_2AP (une protéine présente dans les pieds
des podocytes) et l'alpha-actinine 4, ainsi que le gène suppresseur du
néphroblastome (WT1).

L'histologie de cette lésion, comme son nom l'indique, est
caractérisée par une fibrose (sclérose) et une hyalinose glomérulaires, avec des parois capillaires collabées dans un ou plusieurs segments d'une portion des glomérules (figure 11.9). Généralement,
moins de la moitié des glomérules sont atteints. Avec la progression de la maladie, toutefois, l'atteinte glomérulaire devient de plus
en plus généralisée. Les glomérules ne montrent pas d'inflammation. À l'immunofluorescence, on peut relever, dans les foyers de
fibrose, la présence d'IgM et de facteurs du complément, de façon
non spécifique. L'examen ultrastructural des zones non sclérosées
montre un effacement des pédicelles (comme dans les lésions glomérulaires minimes), ainsi que des foyers où les podocytes sont
détachés de la membrane basale glomérulaire.

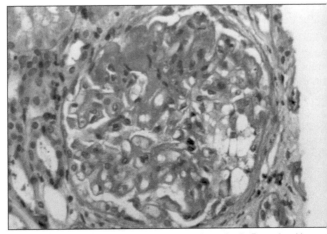

Figure 11.9 Hyalinose glomérulaire segmentaire et focale. Foyer de sclérose e d'hyalinose segmentaires dans la portion supérieure du glomérule.

Glomérulopathie membraneuse (glomérulopathie extramembraneuse)

Parmi les glomérulopathies primaires, la *glomérulopathie membra neuse* est la cause la plus fréquente de syndrome néphrotique che l'adulte. Ce syndrome néphrotique est la plupart du temps « impur » autrement dit associé à une hématurie microscopique, une hyper tension artérielle ou aux deux à la fois. La fonction rénale tend se détériorer progressivement dans environ la moitié des cas. U quart des malades finissent par atteindre le stade de l'insuffisance rénale terminale. La glomérulopathie membraneuse est idiopathi que la plupart du temps. Toutefois, comme dans le cas de l'HSF, existe des formes secondaires. Une des plus importantes à connaî tre est celle associée à certaines néoplasies, en particulier chez l sujet de plus de 60 ans.

Les modifications histologiques caractéristiques sont obser vées au sein des parois des anses capillaires qui sont épaissies dan tout le glomérule (figure 11.10A). Le degré d'épaississement vari selon le stade de la maladie ; au début, les glomérules ont un aspec quasi normal, mais plus la maladie évolue, plus l'épaississemen devient prononcé. Tous les glomérules sont atteints. À l'immuno

iorescence, les dépôts contiennent généralement de l'IgG. Par
étude ultrastructurale, on constate que les dépôts se localisent
i début de la maladie sur le versant épithélial de la membrane
isale. Dans les phases plus avancées de la maladie, les dépôts se
trouvent carrément à l'intérieur de la membrane (figure 11.10B).

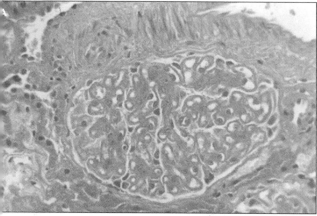

gure 11.10A Glomérulopathie membraneuse. Épaississement diffus de la
roi des capillaires glomérulaires.

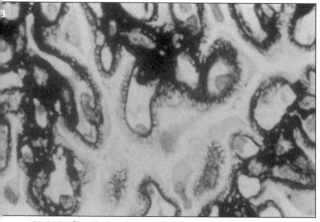

gure 11.10B Glomérulopathie membraneuse (coloration de Jones). L'as-
ct chevelu de la paroi glomérulaire est dû à la présence d'éperons de mem-
ane basale qui se projettent de part et d'autre et de dépôts sous-épithéliaux,
i ne sont pas visibles avec cette coloration.

Néphropathie à IgA

La *néphropathie à IgA* est la plus fréquente de toutes les gloméru lopathies chez l'adulte. Elle se manifeste le plus souvent par ur hématurie, avec ou sans protéinurie. Plusieurs autres modes d présentation clinique sont cependant possibles. Les malade surtout les plus jeunes, ont souvent des épisodes d'hématur macroscopique qui coïncident avec une infection virale des voi respiratoires supérieures, à la différence de l'hématurie de la gl mérulonéphrite postinfectieuse, qui survient plutôt une dizair de jours et plus après une infection pharyngée streptococciqu L'évolution de la néphropathie à IgA est en général favorable, ma environ 25 % des malades évoluent vers l'insuffisance rénale te minale. La néphropathie à IgA est la plupart du temps idiopathiqu (forme appelée maladie de Berger, du nom de l'anatomopatholo giste français qui l'a décrite). Il existe également des néphropathi à IgA secondaires à diverses maladies extrarénales, notamment cirrhose. Une autre forme relativement fréquente de néphropath à IgA secondaire est le purpura d'Henoch-Schönlein, qui associe l'atteinte rénale un purpura vasculitique des membres inférieurs parfois une atteinte intestinale.

L'examen histologique révèle un épaississement et une h perplasie cellulaire globale de la tige mésangiale, atteignant tou les glomérules (figure 11.11A). Le degré d'hyperplasie mésangia est cependant variable, souvent même d'un glomérule à l'autr De façon caractéristique, l'immunofluorescence révèle des dépô d'IgA localisés surtout dans le mésangium (figure 11.11B), parfo avec extension le long des anses capillaires périphériques.

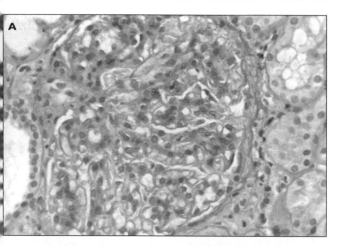

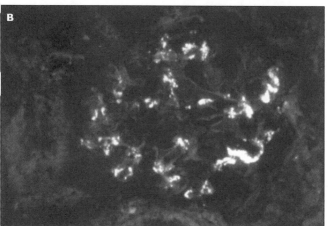

Figure 11.11 A) Néphropathie à IgA. Hypercellularité du mésangium. B) Néphropathie à IgA: immunofluorescence. Dépôts mésangiaux d'IgA dans tout le mésangium.

Glomérulosclérose diabétique

Environ 30 à 40 % des diabétiques finissent par subir une atteinte rénale, le plus souvent après 10 à 20 ans d'évolution du diabète.

Le délai de survenue de la néphropathie est plus court dans le cas du diabète de type adulte (de type II), sans doute en partie en raison d'un diagnostic plus tardif du diabète. Une rétinopathie est fréquemment associée à l'atteinte rénale, surtout dans le diabète juvénile (de type I). L'atteinte rénale débute classiquement par une hyperfiltration glomérulaire, c'est-à-dire par un accroissement du débit de filtration glomérulaire, dont le mécanisme est mal précisé. Cette hyperfiltration glomérulaire peut être réversible si on arrive à un équilibre plus serré du diabète. Dans les années qui suivent apparaît une microalbuminurie, c'est-à-dire une augmentation de l'excrétion urinaire d'albumine non décelable par les bandelettes réactives couramment utilisées. Le dépistage de la microalbuminurie nécessite des techniques très sensibles de dosage, en général radio-immunologiques. À ce stade de microalbuminurie, l'atteinte rénale est encore réversible. Chez les malades destinés génétiquement à souffrir d'une néphropathie diabétique franche, celle-ci apparaît plusieurs années après la microalbuminurie, sous la forme d'une protéinurie décelable à la bandelette. La protéinurie, d'abord légère et isolée (l'hématurie étant inhabituelle), augmente progressivement jusqu'à ce qu'apparaisse un syndrome néphrotique. La néphropathie diabétique est en fait la principale cause d'un syndrome néphrotique chez l'adulte, toutes glomérulopathies, primaires et secondaires, confondues. Une fois une protéinurie franche installée, l'évolution tend invariablement vers l'apparition d'une insuffisance rénale. Il semble que cette évolution puisse être prévenue ou du moins retardée en ayant recours aux inhibiteurs de l'enzyme de conversion ou aux bloqueurs des récepteurs de l'angiotensine. Néanmoins, beaucoup de malades sont contraints à la suppléance rénale après quelques années.

L'atteinte glomérulaire dans le diabète est caractérisée par un épaississement diffus de l'axe mésangial et des membranes basales des anses capillaires, que l'on appelle *glomérulosclérose diffuse* (figure 11.12A). Parfois, cet épaississement de l'axe mésangial prend la forme de nodules, un aspect pathognomonique de la lésion diabétique glomérulaire, dit de *Kimmelstiel-Wilson* (figure 11.12B). Ces nodules amènent une dilatation anévrismale des anses capillaires. L'épaississement de la membrane basale peut atteindre jusqu'à 10 fois l'épaisseur normale. Cependant, l'atteinte rénale dans le diabète n'est pas limitée aux glomérules, puisqu'elle intéresse aussi les artères et les artérioles, comme dans plusieurs autres organes. Cette sclérose vasculaire peut se solder par des foyers de fibrose et d'atrophie du parenchyme.

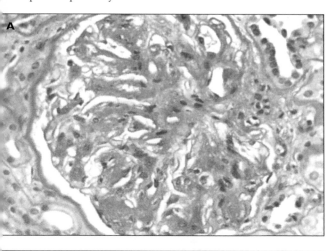

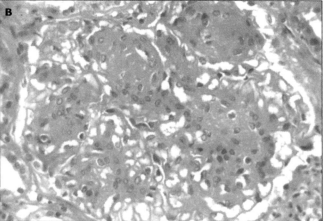

Figure 11.12 Glomérulosclérose diabétique A) diffuse B) nodulaire (Kimmelstiel-Wilson)

Glomérulonéphrite lupique

Le *lupus érythémateux disséminé* est une maladie auto-immune qui atteint surtout les femmes (9 fois sur 10). L'atteinte est avant tout cutanéo-muqueuse et articulaire, mais à peu près tous les organes peuvent être atteints. La maladie est caractérisée par la présence dans le sérum d'anticorps antinucléaires. Des complexes immuns circulants, constitués d'acide désoxyribonucléique (ADN) et d'anticorps anti-ADN, se déposent le long des parois capillaires, y compris les parois glomérulaires. Ces dépôts s'accompagnent d'une réaction inflammatoire qui fait appel aux protéines du complément. Un lupus en activité est signé par la présence d'anticorps anti-ADN circulants et l'abaissement du C3 sérique. La disparition de ces anticorps et la normalisation du C3 sérique servent de marqueurs dans l'évaluation de l'efficacité d'un traitement.

On retrouve une atteinte rénale dans la quasi-totalité des cas de lupus, du moins si l'on en juge par le dépôt de complexes immuns à l'examen en immunofluorescence. Toutefois, cette atteinte rénale n'est cliniquement manifeste que dans environ les deux tiers des cas. Le tableau clinique le plus grave est réalisé par la forme proliférative diffuse (figure 11.13), qui se manifeste la plupart du temps par un syndrome glomérulaire mixte pouvant évoluer vers une insuffisance rénale terminale dans certains cas.

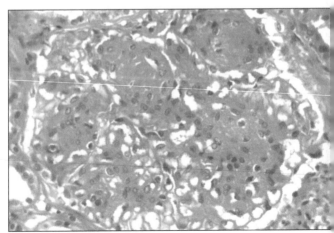

Figure 11.13 Glomérulonéphrite lupique. Variante proliférative diffuse.

L'atteinte glomérulaire au cours du lupus présente un aspect histologique variable, qui sert d'indice pronostique quant à l'évolution de la maladie. Dans les formes les plus bénignes, l'atteinte est limitée au mésangium, dans lequel on note principalement une hyperplasie cellulaire et un épaississement de la tige mésangiale. Les atteintes plus graves sont caractérisées par une prolifération extracapillaire marquée par la présence de croissants. L'immunofluorescence révèle, dans presque tous les cas, la présence d'IgG, d'IgM et de facteurs de complément, surtout dans le mésangium. Les formes plus graves sont associées aussi à la présence de dépôts sous-endothéliaux dans les anses capillaires périphériques. On peut aussi observer, au cours du lupus, une variante de glomérulopathie membraneuse, caractérisée par la présence de dépôts sous-épithéliaux et membraneux.

Néphrites héréditaires

La forme la plus fréquente de néphrite héréditaire est le *syndrome d'Alport*, qui associe atteinte rénale et surdité. L'hérédité est liée au chromosome X dans la majorité des cas, les mères conductrices de la maladie n'étant, en général, pas symptomatiques en dehors d'une hématurie microscopique. Chez l'homme, le tableau clinique est beaucoup plus grave, l'évolution se faisant invariablement jusqu'à l'insuffisance rénale terminale, le plus souvent vers l'âge de 40 ans. La manifestation la plus précoce de la maladie est une hématurie, qui peut être macroscopique en bas âge. Habituellement, une hématurie microscopique apparaît au cours de la deuxième décennie et persiste à l'âge adulte. Une protéinurie s'installe par la suite en même temps que la surdité, en général dans la vingtaine.

L'aspect histologique des glomérules n'est pas caractéristique. On peut noter une hyperplasie mésangiale variable et, dans les formes plus avancées de la maladie, un épaississement des membranes basales des anses capillaires. On peut aussi trouver, dans le tissu interstitiel rénal, des collections d'histiocytes xanthélasmisés. L'image caractéristique est donnée par l'examen ultrastructural, qui montre une irrégularité de la membrane basale caractérisée par des zones claires au sein de la *lamina densa*, zones qui donnent un aspect feuilleté à la membrane (figure 11.14).

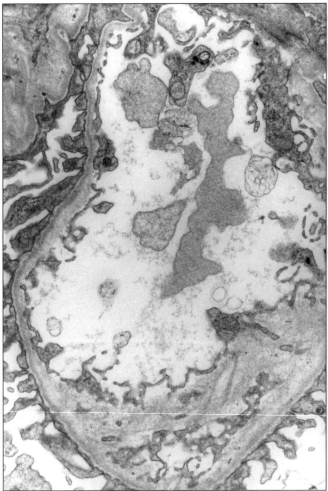

Figure 11.14 Syndrome d'Alport (microscopie électronique). Aspect feuilleté de la membrane basale glomérulaire.

Syndrome hémolytique et urémique

Le syndrome hémolytique et urémique (SHU) est une maladie rencontrée surtout en pédiatrie. Elle est caractérisée par la coexistence d'une anémie hémolytique non-immune, d'une thrombocytopénie et d'une insuffisance rénale aiguë. Elle est la première cause d'insuffisance rénale aiguë chez l'enfant. Environ 25 % des enfants atteints connaissent des complications rénales tardives et 5 % doivent recourir à la dialyse itérative et à la greffe rénale.

La maladie débute habituellement par un prodrome diarrhéique souvent sanglant (D+) dont l'agent étiologique est un *Escherichia coli* de sérotype O157 :H7 producteur d'une vérotoxine. La source de contamination la plus fréquente est une viande insuffisamment cuite (maladie du hamburger), le lait pasteurisé, le jus et l'eau contaminés souvent par des matières fécales bovines. Outre *E. coli*, d'autres agents infectieux peuvent être responsables d'un SHU tels la salmonelle, la shigelle et le *Streptococcus pneumoniæ*. Le SHU classique est une maladie aiguë qui ne survient qu'une fois et tend à guérir spontanément en 2 à 3 semaines. Il n'y a qu'un traitement de suppléance à offrir aux patients atteints.

Le SHU sans prodrome diarrhéique (D-) est plus rare et survient surtout chez de très jeunes enfants (< 2 ans) ou chez des adolescents ou jeunes adultes. Il est dû soit au *S. pneumoniæ*, soit à des anomalies du complément (SHU atypique). Dans ces derniers cas, la maladie peut affecter plusieurs membres d'une famille sur plusieurs générations et elle est récurrente. Elle ne guérit pas spontanément et peut récidiver sur un greffon rénal.

La pathogenèse est toujours semblable quel que soit le type de SHU. Elle débute par une altération de l'intégrité de l'endothélium vasculaire qui mène à une agrégation plaquettaire, à une destruction érythrocytaire (hémolyse) et à la formation massive de microthrombi capillaires généralisés (microangiopathie thrombotique). Les capillaires glomérulaires sont typiquement touchés, (figure 11.15) mais tous les organes vitaux, dont le cerveau, le rein, le pancréas et l'intestin, sont atteints. La formule sanguine joue un rôle de premier plan dans le diagnostic, le caractère microangiopathique de l'hémolyse étant révélé par un examen attentif du frottis sanguin, par lequel on observe une fragmentation des érythrocytes (schistocytes).

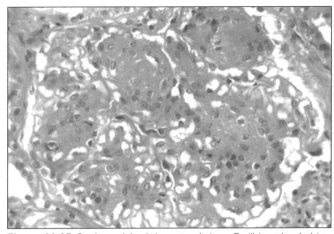

Figure 11.15 Syndrome hémolytique et urémique. Capillaires glomérulaires thrombosés. (Gracieuseté Dr Hervé Sartelet)

Grands principes thérapeutiques

Le traitement des glomérulopathies peut être spécifique ou simplement symptomatique.

Parmi les traitements spécifiques, la corticothérapie est efficace dans les lésions glomérulaires minimes et dans une certaine proportion des cas d'hyalinose glomérulaire segmentaire et focale. Les glomérulonéphrites rapidement progressives requièrent un traitement précoce et énergique au moyen d'une combinaison de corticoïdes, d'immunosuppresseurs et, parfois, d'échanges plasmatiques. Le traitement de la glomérulopathie membraneuse peut aussi faire appel aux corticostéroïdes et à un immunosuppresseur, du moins en cas de syndrome néphrotique persistant ou d'insuffisance rénale. Il en va de même pour le lupus et son atteinte rénale, à moins que celle-ci ne se manifeste que par des anomalies urinaires isolées, auquel cas elle ne justifie pas forcément un traitement.

Le traitement symptomatique comporte, selon les cas, une restriction sodée, le recours aux diurétiques et éventuellement la prescription d'antihypertenseurs, en particulier un inhibiteur de l'enzyme de conversion ou un bloqueur des récepteurs de l'angiotensine. Ces deux dernières classes de médicaments, en réduisant la pression intraglomérulaire par leur effet dilatateur qui prédomine sur l'artériole efférente, favorisent une diminution de la protéinurie et peuvent retarder l'évolution vers l'insuffisance rénale terminale. Cet effet est surtout démontré dans la gloméruloscérose diabétique. Il arrive par ailleurs dans le syndrome néphrotique que le risque de complications thrombo-emboliques ou infectieuses justifie une anticoagulothérapie ou une vaccination préventive. Le traitement anticoagulant devient impératif face à une thrombose avérée.

Enfin, quand une glomérulopathie ne se manifeste que par des anomalies urinaires isolées, seul un suivi périodique de la protéinurie, du sédiment urinaire et de la fonction rénale est indiqué.

LECTURES SUGGÉRÉES

Avner E.D., Harmon W.E. et Niaudet P. *Pediatric Nephrology,* 5ᵉ édition, Lippincott, Williams & Wilkins, Philadelphie, 2004.

Kumar, V. *et al. Robbins Cotran Pathologic Basis of Disease,* 8ᵉ édition, W.B. Saunders, Philadelphie, 2010.

« Néphropathies glomérulaires », dans Kanfer, A. *et al. Néphrologie et troubles hydro-électrolytiques,* 2ᵉ édition, Masson, Paris, 2001.

Rose, B. D. et Rennke, H. G. *Renal Pathophysiology – the Essentials,* Williams & Wilkins, Baltimore, 1994.

Chapitre 12

Obstruction des voies urinaires

MICHAEL MCCORMACK , LUC VALIQUETTE ET
DIEGO BARRIERAS

Introduction

L'obstruction des voies urinaires est un phénomène fréquent qui peut se manifester à n'importe quel étage de l'appareil urinaire, des calices jusqu'au méat urétral. Les conséquences de l'obstruction varient selon divers facteurs. On utilise le terme *uropathie obstructive* pour décrire les manifestations de l'obstruction sur les voies urinaires. Le terme *néphropathie obstructive* décrit les conséquences de l'obstruction sur la fonction rénale. L'obstruction peut se manifester à tout âge de la vie, mais l'étiologie varie selon qu'il s'agit d'un nouveau-né, d'un enfant, d'un jeune adulte ou d'une personne âgée. L'obstruction peut être fonctionnelle ou anatomique, cette dernière pouvant elle-même être intrinsèque ou extrinsèque aux voies urinaires. Une obstruction des voies urinaires est suspectée lorsqu'une dilatation des voies urinaires (hydronéphrose) est notée lors d'un examen d'imagerie médicale (échographie, tomodensitométrie, RMN). Bien qu'une hydronéphrose soit souvent associée à une obstruction, il faut rappeler qu'un système urinaire dilaté n'est pas forcément obstrué.

Répercussions de l'obstruction : néphropathie obstructive

Tout obstacle à l'évacuation d'urine peut avoir des répercussions plus ou moins réversibles sur le parenchyme rénal et la fonction du rein. Les répercussions de l'obstruction varient selon la durée, la gravité et le siège de l'obstruction. L'obstruction peut être aiguë ou chronique, partielle ou complète, unilatérale ou bilatérale. Elle peut survenir à divers niveaux de l'appareil urinaire : tubules rénaux, calices, jonction pyélo-urétérale, uretère, jonction urétéro-vésicale, col de la vessie ou urètre. Les obstructions de l'appareil urinaire supérieur sont habituellement unilatérales et ont des répercussions sur la voie urinaire et le rein ipsilatéraux, mais n'ont pas d'effet sur la fonction rénale globale si le rein controlatéral reste normal et sa voie excrétrice, non obstruée. Au contraire, les obstructions de l'appareil urinaire inférieur ont des répercussions bilatérales et peuvent affecter la fonction rénale globale. En présence d'un rein unique ou lorsque le rein controlatéral est peu ou pas fonctionnel, l'atteinte unilatérale a aussi des répercussions sur la fonction rénale globale.

Normalement, le gradient de pression entre la lumière du capillaire glomérulaire et l'espace de Bowman favorise la filtration vers ce dernier. La pression dans le capillaire est la résultante de la pression hydrostatique moins la pression oncotique. Cette pression est élevée à la sortie de l'artère afférente et diminue dans le capillaire glomérulaire à mesure que l'on s'approche de l'artère efférente, en raison de l'augmentation de la pression oncotique, car les protéines ne sont pas filtrées. Cette pression capillaire s'oppose normalement à une pression très basse dans l'espace de Bowman. En cas d'obstruction le long d'une voie excrétrice, la pression en amont augmente progressivement et se répercute par les tubules rénaux jusqu'à l'espace de Bowman. Elle risque alors de compromettre le processus de filtration glomérulaire. Certains mécanismes physiologiques des voies urinaires et des reins permettent de maintenir la filtration glomérulaire malgré un certain degré d'obstruction.

Lors d'une obstruction, l'uretère augmente initialement sa contractilité et il en résulte une pression plus élevée dans la lumière urétérale. Si l'obstacle persiste, les parois de l'uretère et du bassinet, constituées de muscle lisse, se dilatent progressivement et contribuent à faire baisser la pression et à favoriser la filtration glomérulaire. On observe alors une *hydronéphrose* ou *hydro-urétéronéphrose*. Dans certains cas d'obstruction partielle, cette dilatation permet de tamponner les périodes de diurèse importante et de maintenir une pression relativement basse en amont de l'obstacle. Un nouvel état d'équilibre est ainsi obtenu, ce qui explique pourquoi les hydronéphroses, même bilatérales, ne sont pas toujours associées à une diminution de la fonction rénale.

Au niveau des reins, certains mécanismes régulateurs sont activés. En présence d'une obstruction unilatérale, pour vaincre le nouveau gradient de pression dans l'espace de Bowman, on observe initialement une vasodilatation de l'artériole afférente, puis une vasoconstriction de l'artériole efférente. Par la suite, si l'obstruction persiste, survient une vasoconstriction de l'artériole afférente. En présence d'une obstruction bilatérale, on note une vasoconstriction de l'artériole afférente suivie d'une vasoconstriction de l'artériole efférente. Dans les deux cas, on observe aussi un certain degré de réabsorption pyélo-tubulaire, pyélo-lymphatique et pyélo-veineuse qui contribue à baisser la pression dans les cavités. L'augmentation de la pression a des répercussions sur la fonction tubulaire distale, et on observe une perte des pouvoirs de concentration et d'acidification. La perte du pouvoir de concentration est la première fonction tubulaire à disparaître en cas d'obstruction et la dernière à se rétablir lorsque l'obstruction est levée. Si l'augmentation de pression persiste à long terme et qu'elle est suffisamment grave pour entraîner une gêne à la microcirculation dans les papilles rénales, on assiste à un phénomène ischémique qui se traduit par une atrophie des papilles avec fibrose et dépôt de collagène. Plusieurs types de déformation des calices (figure 12.1) et des papilles peuvent être observés à l'imagerie radiologique, allant de l'«émoussement» des calices à la déformation en massue des papilles (*clubbing*) et à l'atrophie du parenchyme rénal. Cette déformation pyélo-calicielle correspond à l'appellation radiologique de *pyélonéphrite chronique*.

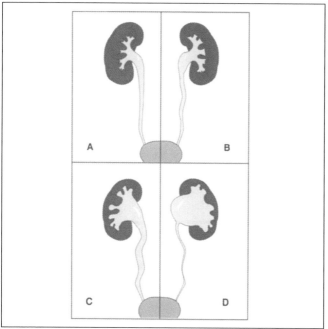

Figure 12.1 A) Appareil urinaire supérieur normal B) Légère urétéro-hydronéphrose avec «émoussement» des calices C) Urétéro-hydronéphrose plus importante avec déformation en massue des calices D) Hydronéphrose marquée avec atrophie du parenchyme cortical

La réversibilité des lésions du parenchyme rénal dépend de la gravité et de la durée de l'obstruction, une obstruction importante et de longue durée étant beaucoup plus nocive qu'une obstruction partielle et de courte durée. La cause de l'obstruction influence beaucoup le choix du traitement, mais a peu d'influence sur la réversibilité du processus. L'état préalable du rein affecté est par contre déterminant pour la réversibilité des lésions, un rein déjà ischémique, par exemple, étant beaucoup plus susceptible d'être lésé. Les reins des patients âgés tolèrent particulièrement mal l'obstruction. La présence d'infection en amont d'un obstacle est aussi très importante à considérer, car, en plus des lésions liées à l'obstruction elle-même, l'infection peut détruire le parenchyme rénal tout en constituant une source persistante de bactériémie en raison du reflux pyélo-lymphatique ou pyélo-veineux. En présence d'urine infectée en amont, il y a toujours urgence à lever l'obstacle.

Obstruction des voies urinaires chez le fœtus et le nouveau-né

Le rein fœtal commence à produire de l'urine vers la huitième semaine de gestation. À 16-20 semaines, le liquide amniotique est constitué à 90 % d'urine fœtale. À 36 semaines, la quantité normale de liquide amniotique est d'environ un litre. La présence d'un *oligohydramnios* après la 16e semaine de gestation est donc fortement évocatrice d'une atteinte de la fonction rénale chez le fœtus.

Les reins et la vessie sont évidents à l'échographie fœtale vers la seizième semaine de gestation et un remplissage vésical peut être observé dès la quatorzième semaine. L'hydronéphrose est l'anomalie la plus fréquente détectée à l'échographie fœtale systématique. L'obstruction des voies urinaires chez le fœtus empêche le développement normal de l'unité rénale obstruée et favorise l'apparition d'une dysplasie rénale. Le degré de l'atteinte rénale induite par l'obstruction est en relation avec le degré et la durée de l'obstruction, mais surtout avec l'âge gestationnel auquel elle s'installe. Une obstruction rénale bilatérale importante dans la première moitié de la grossesse se traduit par une dysplasie rénale grave, parfois incompatible avec la vie, et dont l'exemple classique est la valve de l'urètre postérieur qui cause une obstruction de la vidange vésicale et secondairement du haut appareil urinaire. Une obstruction moins grave ou apparaissant dans la seconde moitié de la grossesse produit une hydronéphrose, mais l'atteinte de la fonction rénale est plus discrète.

La facilité à diagnostiquer l'hydronéphrose chez le fœtus ouvre le champ au domaine de la chirurgie *in utero* visant à lever l'obstruction. Il est important de se rappeler qu'il peut y avoir hydronéphrose sans obstruction comme c'est le cas pour la plupart des reflux vésico-urétéraux primaires. L'échographie ne peut établir si une hydronéphrose correspond à une obstruction ou à un reflux. Il est aussi important de prendre en compte que la levée d'une obstruction, même *in utero*, n'améliore pas nécessairement la fonction rénale. Pour l'heure, la levée de l'obstruction par chirurgie *in utero* demeure expérimentale.

Un nouveau-né chez qui une hydronéphrose anténatale est connue, est donc soumis à une échographie peu après sa naissance pour confirmer le diagnostic. À moins d'urgence (anurie, septicémie, insuffisance rénale, hydronéphrose sévère bilatérale), on n'effectue l'échographie que 1 à 4 semaines après la naissance pour éviter un résultat faussement négatif dû à l'oligurie physiologique du nouveau-né. Dans la majorité des cas, on procède à une cystographie mictionnelle pouvant mettre en évidence un reflux vésicourétéral ou une obstruction infravésicale.

Obstruction des voies urinaires chez l'enfant

La néphropathie obstructive est la cause la plus fréquente d'insuffisance rénale chez l'enfant. Souvent, l'obstruction s'installe de façon silencieuse et ne se manifeste que de façon tardive lorsque l'insuffisance rénale est installée, ou lorsque se surajoute une complication infectieuse. L'obstruction peut se manifester par une atteinte de l'état général, un refus de s'alimenter, de l'hématurie, de la fièvre, de la difficulté à uriner ou de la douleur abdominale.

À l'examen physique, une masse abdominale basse médiane doit laisser soupçonner une vessie distendue, et toute masse abdominale haute chez l'enfant doit soulever la possibilité d'une hydronéphrose (l'hydronéphrose étant la cause la plus fréquente de masse abdominale du jeune enfant).

Les causes les plus fréquentes d'hydronéphrose chez l'enfant sont l'obstruction de la jonction pyélo-urétérale, le reflux vésicourétéral, les valves de l'urètre postérieur, le méga-uretère, l'urétérocèle et la vessie neurogène.

Chez l'enfant, l'échographie représente l'outil diagnostique privilégié. Elle permet souvent de déceler jusqu'à quel niveau le système collecteur est dilaté, en plus d'évaluer l'épaisseur du cortex rénal qui a tendance à s'amincir avec la durée de l'obstruction. Une hydronéphrose bilatérale associée à une dilatation de la vessie suggère la présence d'une obstruction infravésicale.

La cystographie mictionnelle permet de mettre en évidence un reflux vésico-urétéral primaire ou secondaire à une obstruction infravésicale ou à une hyperréflexie vésicale. Le dosage de la créatinine sérique permet une première évaluation du degré d'atteinte de la fonction rénale, mais c'est la scintigraphie rénale (au DTPA ou au MAG-3 avec injection de furosémide) qui permet de mesurer de façon précise la fonction rénale globale et la fonction de chaque rein, en plus de quantifier le drainage urinaire de chaque rein, ce qui permet de qualifier le degré d'obstruction.

Obstruction des voies urinaires chez l'adulte

Obstruction de l'appareil urinaire supérieur

L'obstruction de l'appareil urinaire supérieur chez l'adulte peut être aiguë ou chronique, unilatérale ou bilatérale. La cause la plus fréquente d'obstruction aiguë de l'appareil urinaire supérieur est la lithiase urinaire qui se manifeste de façon classique par une colique néphrétique, c'est-à-dire l'apparition subite d'une douleur très intense à l'angle costo-vertébral, souvent accompagnée de nausées et de vomissements, ces symptômes digestifs s'expliquant par l'innervation autonome commune du système digestif et du rein. Souvent, la douleur irradie de l'angle costo-vertébral vers la fosse iliaque en suivant le trajet urétéral; chez l'homme, elle irradie vers le scrotum et le testicule ipsilatéral, et chez la femme, vers la vulve. On peut souvent juger de la position du calcul à partir de l'irradiation de la douleur. En effet, le testicule étant innervé tout comme le rein et l'uretère supérieur par les racines D11 – L2, la douleur est projetée au *point de Mc Burney* et peut imiter, à droite, une appendicite et à gauche, une diverticulite ou toute autre affection du côlon descendant ou du sigmoïde. À mesure que l'obstacle se rapproche de la vessie, l'inflammation et l'œdème de l'orifice urétéral qui s'ensuivent peuvent s'accompagner de symptômes vésicaux tels que la pollakiurie, l'impériosité mictionnelle et le ténesme vésical.

Bien que la lithiase urinaire soit la cause la plus fréquente de colique néphrétique, toute autre cause d'obstruction aiguë, comme un caillot sanguin ou très rarement une papille nécrosée, peut provoquer le même tableau.

La douleur rénale de la colique néphrétique s'explique par la distension aiguë de la capsule rénale en raison de l'obstruction. Toutefois, toute distension aiguë de la capsule rénale peut provoquer le même type de douleur, par exemple celle causée par l'œdème rénal qui accompagne une pyélonéphrite aiguë.

En présence d'une obstruction d'installation lente et progressive, comme c'est souvent le cas avec les obstructions extrinsèques, il y a peu ou pas de douleur rénale en raison des mécanismes déjà discutés. Cependant, si on ajoute à une distension chronique une distension aiguë avec, par exemple, une augmentation brusque de la diurèse, on peut alors voir apparaître les symptômes de colique néphrétique. Cette notion est importante, car elle élargit de façon significative le diagnostic différentiel de la colique néphrétique. En effet, cette dernière est souvent confondue avec sa cause la plus fréquente, la lithiase urinaire, alors que toute affection pouvant amener une obstruction de l'uretère peut provoquer une colique néphrétique. On classifie les obstructions urétérales selon leur origine endoluminale, pariétale ou extra-urétérale (figure 12.2).

L'obstruction de l'appareil urinaire supérieur provoque des modifications de l'activité péristaltique et de la pression intraluminale ainsi que de la morphologie et de l'ultrastructure de l'uretère et du bassinet. Dans des conditions normales, l'uretère se contracte de deux à six fois par minute et achemine ainsi l'urine du rein vers la vessie. La pression intraluminale de base est d'environ 5 mmHg et atteint 20 à 40 mmHg avec l'onde péristaltique. Une des manifestations les plus précoces de l'obstruction est une augmentation de la pression hydrostatique en amont de l'obstacle. En réponse à cette augmentation de la pression hydrostatique, la fréquence et l'amplitude des ondes péristaltiques augmentent. Quelques heures après l'apparition de l'obstruction, la pression hydrostatique diminue et se rapproche de la normale à la suite des modifications hémodynamiques intrarénales (diminution du débit sanguin rénal, reflux pyélo-lymphatique, pyélo-veineux ou pyélo-tubulaire).

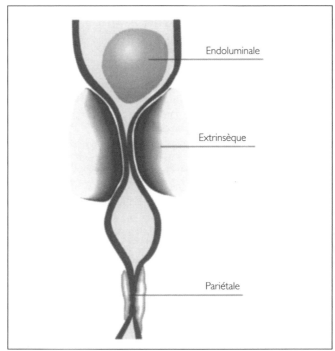

Figure 12.2 L'obstruction de l'appareil urinaire supérieur peut être endoluminale, pariétale ou extrinsèque.

L'obstruction peut compromettre la filtration glomérulaire et les fonctions tubulaires du rein (concentration et acidification de l'urine). C'est la capacité de concentration du rein qui est la première touchée en cas d'obstruction, et la dernière à récupérer après la levée de l'obstruction.

L'augmentation de la pression hydrostatique dans l'uretère entraîne une augmentation du diamètre et de la longueur de celui-ci, mais cette dilatation peut être minime au début. Avec la durée de l'obstruction, on assiste à une hypertrophie de la musculature urétérale et éventuellement à une apparition de tissu collagène. Plus l'obstruction se prolonge, moins ces changements seront réversibles (notion durée-gravité-réversibilité).

Obstruction de l'appareil urinaire inférieur

La miction est essentiellement un phénomène dynamique impliquant un muscle, le détrusor, capable d'exercer une force suffisamment grande pour vaincre la résistance urétrale et assurer la vidange vésicale. L'obstruction infravésicale se définit donc par une augmentation de la résistance urétrale qui exige que le détrusor exerce une force (pression) plus grande pour assurer la vidange vésicale. Ce phénomène entraîne une augmentation de la pression dans la vessie.

Les symptômes associés à l'obstruction infravésicale se regroupent en un syndrome classiquement appelé *prostatisme*, en référence à une cause fréquente d'obstruction infravésicale qu'est l'hypertrophie prostatique. Cependant, quelle que soit la cause de l'obstruction, les symptômes se ressemblent, même si la prostate n'en est pas toujours responsable. Pour cette raison, les auteurs anglo-saxons utilisent l'acronyme « LUTS » (*Lower Urinary Tract Symptoms*) pour décrire la kyrielle de symptômes urinaires obstructifs et irritatifs que l'on observe à la fois chez les hommes et les femmes. En français, l'acronyme « SBAU » (symptômes du bas appareil urinaire) est de plus en plus utilisé.

L'obstruction infravésicale peut se manifester cliniquement par deux types de symptômes, des symptômes obstructifs et irritatifs. Les symptômes dits *obstructifs* sont l'hésitation à amorcer la miction, la diminution de la force du jet, la prolongation du temps de miction, la miction saccadée ou en plusieurs temps et la sensation de vidange vésicale incomplète, voire même de rétention urinaire. Ces symptômes s'expliquent facilement par l'obstruction anatomique ou dynamique à l'écoulement de l'urine.

Les symptômes dits *irritatifs* sont la fréquence accrue des mictions (*pollakiurie*), la nycturie et l'impériosité mictionnelle, pouvant aller jusqu'à l'incontinence. Ces symptômes irritatifs s'expliquent par plusieurs mécanismes dont une hyperactivité du muscle détrusor secondaire à l'obstruction et aussi par une fibrose de la paroi vésicale, elle aussi secondaire à l'obstruction, qui réduit la compliance et la capacité vésicales. Il est intéressant de noter qu'une fibrose semblable de la paroi vésicale apparaît par le seul phénomène du vieillissement et ce, sans aucune obstruction infravésicale.

Les symptômes associés à l'obstruction infravésicale sont toutefois très peu spécifiques. Si on revient au principe physiologique de la miction comme étant un rapport entre la force expulsive du détrusor et la résistance urétrale, on comprend que les symptômes obstructifs peuvent être causés par une augmentation de la résistance urétrale ou par une diminution de la force du détrusor. D'ailleurs, chez la femme, la cause de ces symptômes dits obstructifs est plus souvent une atonie vésicale qu'une obstruction anatomique. Quant aux symptômes dits irritatifs, on peut aussi comprendre qu'ils ne sont pas spécifiques à une obstruction et qu'ils peuvent être secondaires à une hyperactivité vésicale de cause neurologique ou non neurologique (infectieuse, inflammatoire ou néoplasique).

Les symptômes d'obstruction infravésicale étant tellement peu spécifiques, on comprend qu'une anamnèse poussée prenne toute son importance. Existe-t-il un problème neurologique pouvant affecter la miction (accident vasculaire cérébral, traumatisme médullaire, sclérose en plaques, diabète)? Existe-t-il une affection cardiaque ou rénale pouvant causer une nycturie par résorption d'œdèmes ou perte du pouvoir de concentration rénale? Soupçonne-t-on une affection gynécologique ou digestive pouvant toucher l'appareil urinaire inférieur? Y a-t-il des antécédents pouvant causer une obstruction (manipulation trans-urétrale, maladie transmise sexuellement, néoplasie prostatique, etc.)? Y a-t-il des éléments extrinsèques pouvant perturber la miction (*ingesta* accrus, médicaments, anxiété, etc.)?

L'examen physique doit inclure un examen neurologique sommaire, comprenant l'évaluation des réflexes des membres inférieurs, de la sensibilité périnéale et, si jugé pertinent, du réflexe bulbo-caverneux. Certains patients présentent une rétention urinaire chronique, tout à fait indolore, que la palpation d'un globe vésical met en évidence. Le toucher rectal est de rigueur pour évaluer non seulement la texture et le volume de la prostate chez l'homme, mais aussi le tonus du sphincter anal, chez l'homme comme chez la femme. Le toucher vaginal chez la femme permet à l'occasion de diagnostiquer une néoplasie gynécologique comme cause d'une obstruction infravésicale. La palpation de l'urètre et l'examen du méat urinaire, chez l'homme comme chez la femme, peuvent parfois laisser soupçonner la cause ou le siège d'une obstruction.

La cause la plus fréquente de «prostatisme» chez l'homme est sans aucun doute l'hypertrophie bénigne de la prostate. Les symptômes, lorsque associés à une augmentation du volume de la prostate, sont présumés secondaires à celle-ci. On doit cependant éliminer d'autres causes comme une hypotonie ou une hyperactivité vésicale, une lésion obstructive entre le col de la vessie et le méat urétral, une anomalie modifiant la diurèse, une endocrinopathie ou une insuffisance cardiaque, ou encore un effet secondaire médicamenteux.

En plus de l'interrogatoire et de l'examen physique, des examens paracliniques sont souvent nécessaires dont certains tests sanguins (antigène prostatique spécifique) et urinaires (analyse, culture et cytologie), et parfois une évaluation endoscopique, urodynamique ou radiologique.

LECTURES SUGGÉRÉES

Buzelin, J.-M. et al. *Enseignement du Collège d'Urologie : Physiologie et exploration fonctionnelles de la voie excrétrice urinaire*, Laboratoires Synthélabo, Paris, 1993.

Walsh, P. et al. *Campbell-Walsh Urology*, 9e édition, W.B. Saunders Company, Philadelphie, 2007.

Chapitre 13

Incontinence urinaire

Jocelyne Tessier, Martine Jolivet-Tremblay
et Luc Valiquette

Introduction

Selon la définition de l'*International Continence Society*, l'*incontinence urinaire* (IU) est caractérisée par la perte involontaire d'urine. Cette définition cependant ne s'applique pas aux bébés et aux petits enfants. Dans ce groupe d'âge, l'IU n'est pas nécessairement pathologique et doit être précisée plus en détail.

L'incontinence peut être un symptôme (le malade déclare perdre de l'urine), un signe (démonstration objective de la perte urinaire au cours d'un examen) ou un état (démonstration urodynamique de la perte d'urine). Toute perte d'urine par des canaux autres que l'urètre (ex : fistules) est appelée *incontinence extra-urétrale*.

L'IU n'a pas seulement des répercussions souvent dévastatrices sur le plan individuel, elle entraîne également des conséquences socio-économiques insoupçonnées. Les coûts, directs et indirects reliés à l'incontinence urinaire se comparent à d'autres affections touchant la population féminine, comme le cancer du sein, l'ostéoporose ou l'arthrite. Une étude révèle que les coûts engendrés par l'IU étaient estimés à 26 milliards de dollars américains pour la seule année 2000 aux États-Unis.

La physiologie de l'appareil vésico-sphinctérien, avec sa phase de remplissage vésical, donc de continence urinaire, et sa phase de vidange, donc de miction, a été décrite au chapitre 3. La problématique de l'incontinence concerne la phase de remplissage.

Pour que la continence urinaire soit assurée, la pression intra-urétrale doit être, à tout moment et en toutes circonstances, supérieure à la pression intravésicale. L'IU se manifeste quand cette relation de pressions est inversée, c'est-à-dire quand la pression intravésicale excède la pression intra-urétrale.

Types d'incontinence urinaire (IU)

IU extra-urétrale

Une IU continue, permanente, que n'accompagne aucune sensation de besoin mictionnel ou d'effort physique évoque la possibilité d'une fuite d'urine par un trajet anormal (fistule) entre un segment de l'appareil urinaire et le milieu extérieur. Ces trajets n'ayant aucune structure sphinctérienne, la perte d'urine est permanente et continue. L'incontinence extra-urétrale est rare et peut être la conséquence de malformations congénitales (uretère ectopique chez la petite fille) ; elle peut aussi compliquer certaines chirurgies gynécologiques (fistules vésico-vaginales, urétéro-vaginales, vésico-cutanées).

IU urétrale

L'IU urétrale est très fréquente et regroupe plusieurs types d'incontinence. Une classification basée sur les symptômes cliniques permet souvent de distinguer les différents types d'incontinence urinaire urétrale (tableau 13.1).

Tableau 13.1

Classification des incontinences urinaires urétrales

IU d'effort
  Défaut de support
  Déficience sphinctérienne intrinsèque

IU par hyperactivité vésicale

IU mixte

IU par trop-plein

Autres formes
  Énurésie
  IU fonctionnelle
  IU postmictionnelle

IU d'effort

La perte d'urine survient lors d'un effort physique (toux, éternuement, exercice physique). Cet effort s'accompagne d'une augmentation de la pression intra-abdominale et engendre simultanément une augmentation de la pression intravésicale qui, si elle dépasse la pression intra-urétrale, résulte en une perte d'urine. Deux facteurs peuvent expliquer ce phénomène : un manque de support urétral et une déficience sphinctérienne intrinsèque.

Défaut de support

Selon la «*théorie du hamac*», la perte d'urine est causée par le fait que l'augmentation de la pression intra-abdominale ne se transmet pas adéquatement à l'urètre. Il s'agit essentiellement d'une faiblesse des structures musculaires, aponévrotiques et ligamentaires qui soutiennent la base de la vessie et l'urètre. Ces structures comprennent principalement le muscle releveur de l'anus et le fascia endopelvien qui, latéralement, s'insère sur l'arc tendineux du muscle obturateur. Quand ces structures sont solides, elles ne cèdent pas à l'augmentation de la pression intra-abdominale, ce qui permet à l'urètre de «s'écraser» contre ce support postérieur solide. Un affaiblissement de ce support crée une hernie de la vessie et de l'urètre, qui se traduit par un relâchement de la face antérieure du vagin et l'apparition d'une cysto-urétrocèle. Quand le fascia endopelvien se détache de l'arc tendineux, la cysto-urétrocèle est secondaire à un défaut dit périphérique; quand la hernie se produit par l'affaiblissement de la ligne médiane, le défaut est dit central (figure 13.1). La distinction entre ces deux types – qui a des conséquences thérapeutiques importantes – est cliniquement facile: dans le défaut périphérique, les plis muqueux de la face antérieure du vagin sont assez bien préservés, tandis que dans le défaut central la muqueuse vaginale est tendue, lisse, et les plis sont complètement effacés.

Les observations de Mostwin *et al.* sont complémentaires à cette «théorie du hamac». Utilisant des techniques d'imagerie par résonance magnétique, ces auteurs ont démontré que chez la femme incontinente, au moment de l'effort physique, la paroi postérieure de l'urètre proximal s'éloigne de la paroi antérieure qui, elle, est maintenue en place par les *ligaments pubo-urétraux*. Donc, à l'effort, la paroi postérieure de l'urètre se déplace plus que sa paroi antérieure. Il s'ensuit une ouverture de la lumière urétrale en forme d'entonnoir qui entraîne de l'incontinence urinaire (figure 13.2).

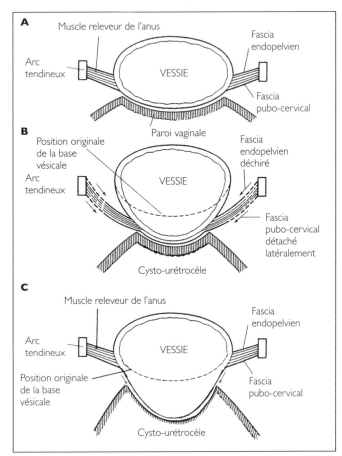

Figure 13.1 Illustration schématique des deux types d'affaiblissement du plancher pelvien A) Support normal B) Rupture de l'attachement du fascia endopelvien à l'arc tendineux, créant un défaut périphérique. Notez que la paroi vaginale a gardé ses plis muqueux. C) Affaiblissement sur la ligne médiane des structures de soutien, entraînant une hernie ou un défaut central. La muqueuse vaginale est devenue plus mince, tendue, étirée, et ses plis muqueux se sont effacés.

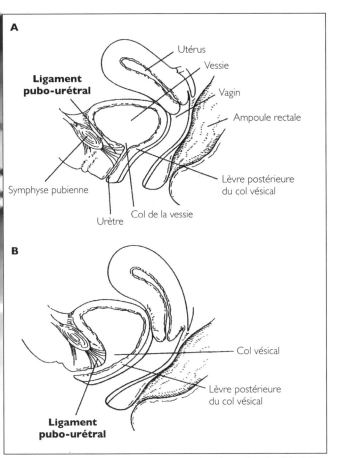

Figure 13.2 Rôle du ligament pubo-urétral dans la genèse de l'IU d'effort A) Au repos, le col de la vessie est fermé. B) À l'effort, la paroi antérieure du col et de l'urètre proximal est maintenue en place par le ligament pubo-urétral. La paroi postérieure cède sous l'effort et se déplace en suivant la face antérieure du vagin. Ainsi se crée un entonnoir qui facilite la fuite urinaire.

Finalement, il faut mentionner, parmi les mécanismes physiopathologiques responsables de l'IU d'effort, les lésions nerveuses pouvant toucher le plancher pelvien. Ainsi, on a démontré des potentiels d'action de *dénervation de la musculature périnéale* chez des femmes incontinentes à l'effort, en comparaison des femmes du même âge ayant eu le même nombre d'enfants, mais continentes. On a aussi démontré un allongement du temps de latence le long du nerf honteux chez les femmes incontinentes en comparaison avec les femmes continentes. C'est l'accouchement vaginal (en particulier la multiparité, l'accouchement par forceps, la durée prolongée du 2e stade du travail, la déchirure périnéale de 3e degré et les bébés de grand poids) qui a été incriminé comme facteur étiologique de ces traumatismes nerveux. Il est fort possible que cette atteinte nerveuse contribue à l'affaiblissement des muscles du plancher pelvien et à la déficience du mécanisme sphinctérien de l'urètre et qu'elle prédispose ainsi à l'apparition de l'IU.

Déficience sphinctérienne intrinsèque

Cette forme particulière d'IU est due à une perte plus ou moins complète de l'action sphinctérienne de l'urètre. Les principaux éléments urétraux responsables d'assurer la continence sont une innervation honteuse normale, une masse adéquate et un fonctionnement satisfaisant des muscles striés et lisses, de la muqueuse et de la sous-muqueuse urétrales normales. L'affaiblissement, ou la perte de fonction d'un ou plusieurs de ces éléments, peut être responsable de la déficience sphinctérienne intrinsèque. Un exemple extrême d'une telle situation est quand l'urètre se transforme en tube fibreux, plus ou moins rigide. Même si le support postérieur de l'urètre est adéquat, la rigidité de la paroi urétrale empêche l'urètre de « s'écraser » contre ce support.

Les causes d'une telle rigidité, ou d'un tel manque de tonicité urétrale, peuvent être multiples. Mentionnons, parmi les causes neurologiques, les chirurgies pelviennes (hystérectomie abdominale simple ou radicale, résection abdomino-périnéale du rectum), la myélodysplasie et, parmi les causes plus locales, les tentatives de traitement chirurgical d'une cysto-urétrocèle, plus particulièrement par voie vaginale. L'âge en soi, en l'absence de tout antécédent chirurgical pelvien ou vaginal, entraîne également une diminution progressive de la tonicité urétrale, due probablement à une augmentation de l'apoptose du sphincter strié urétral.

IU par hyperactivité vésicale

Des contractions vésicales qui échappent au contrôle volontaire (contractions non inhibées) peuvent créer une pression intravésicale qui excède la pression intra-urétrale et entraînent une perte involontaire d'urine. Ces contractions sont parfois associées à un relâchement urétral (figure 13.3). La prévalence de l'hyperactivité vésicale est plus élevée chez les femmes et chez les personnes plus âgées. On estime qu'elle est présente chez plus du tiers des femmes de plus de 75 ans.

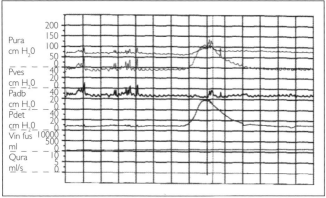

Figure 13.3 Hyperactivité vésicale. Durant la phase de remplissage vésical, une contraction non inhibée est enregistrée (PVES et PDET) qui, dans ce cas, n'est accompagnée ni d'une chute de la pression urétrale (PURA), ni de perte urinaire (QURA). La pression intra-abdominale (PABD) reste inchangée.

D'un point de vue clinique, on utilisera le terme *vessie hyperactive* pour l'hyperactivité vésicale non accompagnée d'une maladie neurologique connue, tandis qu'on utilisera *vessie neurogène hyperactive* lorsque l'hyperactivité vésicale est la conséquence d'une maladie neurologique documentée.

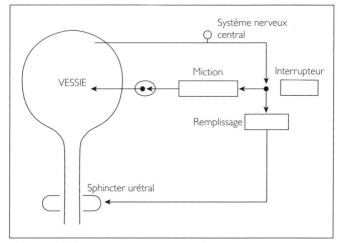

Figure 13.4 Théorie de «l'interrupteur» de Groat du contrôle nerveux de la continence et de la miction. Pendant la phase de remplissage, la vessie envoie des influx afférents de faible intensité vers les centres mictionnels qui génèrent des influx efférents (de contraction) destinés aux mécanismes sphinctériens urétraux. La vessie ayant été distendue à sa capacité, elle envoie des influx afférents de forte intensité qui activent l'«interrupteur» dans le système nerveux central. Ils provoquent l'inhibition des influx efférents de contraction destinés aux mécanismes sphinctériens (d'où leur relâchement) et la stimulation des influx efférents (de contraction) vers le détrusor. La miction involontaire s'ensuit.

La physiopathologie de cette hyperactivité vésicale est mal connue. On retient deux hypothèses : une théorie myogénique en faveur de connexions anormales entre les cellules musculaires lisses de la vessie hyperactive qu'on ne retrouve pas au sein du détrusor normal, et une théorie neurogène voulant que l'hyperactivité soit la conséquence d'une activité accrue des fibres nerveuses afférentes. Les deux hypothèses ne sont pas mutuellement exclusives. En effet, l'interrelation entre les organes cibles et leur innervation est très étroite. Des modifications des uns sont susceptibles d'entraîner des modifications de l'autre et vice versa.

Une forme particulière d'hyperactivité mérite une mention spéciale, car elle est observée chez environ 30 % des personnes âgées incontinentes et 25 % des traumatisés suprasacrés de la moelle. Il s'agit de l'*hyperactivité vésicale à contractilité déficiente du détrusor* (HVCD) amenant une vidange incomplète de la vessie. La mesure du résidu postmicitonnel est importante afin d'identifier ces cas. La présence d'un résidu postmictionnel élevé est un élément dont il faut tenir compte lors d'une intervention thérapeutique.

IU mixte

Dans ce type d'IU, il y a coexistence d'IU d'effort et d'IU par miction impérieuse, c'est-à-dire par hyperactivité vésicale. Ce type d'IU est fréquemment rencontré dans la pratique quotidienne, surtout chez les patientes âgées. Les deux composantes participent dans des proportions variables au tableau clinique global d'IU.

IU par trop-plein

Une proprioception perturbée (altération ou perte de la sensation de besoin mictionnel) peut entraîner une distension vésicale progressive qui, à la longue, provoque une dégénérescence des cellules musculaires lisses de la vessie. En conséquence, le détrusor devient hypo- ou acontractile, ce qui entraîne un résidu postmictionnel important, parfois supérieur à 1000 mL. Jusqu'à 70 % des diabétiques de longue date peuvent avoir une proprioception vésicale altérée et 15 % ont une vessie acontractile. Dans cette vessie chroniquement distendue, la vidange ne s'effectue que par trop-plein.

Plus fréquemment chez la femme, une légère augmentation de la pression intra-abdominale peut facilement dépasser la pression intra-urétrale et entraîner ainsi une fuite urinaire. Des pertes urinaires intermittentes peuvent également se produire quand le muscle vésical surdistendu est le siège de contractions non inhibées. Ce dernier mécanisme est souvent responsable de l'IU des hommes souffrant d'une hypertrophie prostatique grave et qui sont en rétention urinaire chronique.

Inversement, certaines affections comme l'obstruction infravésicale chronique, la cystite radique, la tuberculose vésicale, la cystite interstitielle, peuvent conduire à une petite vessie fibreuse et acontractile dans laquelle les cellules musculaires lisses ont été complètement remplacées par de la fibrose. La vessie ayant perdu toute sa compliance, la moindre augmentation du volume urinaire s'accompagne d'une augmentation proportionnelle de la pression intravésicale et d'une vidange partielle par trop-plein.

La vessie du premier type en est une de très grande capacité, à paroi habituellement mince, à compliance très augmentée. Celle du second type, par contre, a une faible capacité, une paroi épaissie, fibreuse, et une compliance très abaissée. Dans les deux cas, la pression intravésicale est plus élevée que la normale. Les manifestations cliniques sont très semblables, mais le traitement, lui, est fort différent.

Autres formes d'IU urétrale

Certaines formes d'incontinence ne sont pas associées à des anomalies propres de la vessie ou à des mécanismes sphinctériens. Elles occasionnent toutefois des pertes d'urine incommodantes. On retiendra l'énurésie, l'incontinence fonctionnelle et l'incontinence postmictionnelle.

Énurésie

Cette forme particulière d'incontinence touche principalement les enfants et se caractérise par la perte d'urine durant le sommeil. L'énurésie est dite primaire quand elle est présente sans interruption depuis la naissance, et secondaire quand elle réapparaît après une période de plus de 6 mois de continence nocturne normale. Elle peut être causée par un retard de maturation du système nerveux central et du développement des mécanismes normaux d'inhibition de la contraction vésicale. Parmi les arguments en faveur de cette hypothèse physiopathologique, mentionnons une capacité vésicale réduite et par conséquent une fréquence mictionnelle élevée, une incidence élevée de guérison spontanée et enfin des antécédents familiaux fréquents. L'énurésie peut aussi être la conséquence d'une sécrétion anormale d'arginine-vasopressine (AVP) par les cellules de la neurohypophyse. Quand cette sécrétion ne suit pas un rythme circadien, elle peut entraîner une production nocturne d'urine égale ou supérieure à la diurèse diurne qui excède la capacité vésicale fonctionnelle de l'enfant, provoquant ainsi de l'IU.

IU fonctionnelle

Elle fait référence à une incontinence dite situationnelle dans laquelle la vessie et l'urètre fonctionnent normalement, mais où l'IU est la conséquence d'une perte d'autonomie ou d'une atteinte cognitive. Cette forme d'incontinence est particulièrement fréquente en gériatrie. Dans l'étude de Vellas *et al.*, parmi les personnes âgées physiquement autonomes, on a constaté que 31 % étaient incontinentes. Ce pourcentage augmentait à 42 % parmi celles qui utilisaient une canne ou un déambulateur pour se déplacer et atteignait 84 % parmi celles qui devaient avoir recours à une autre personne pour se rendre à la toilette.

IU postmictionnelle

L'histoire clinique de l'IU postmictionnelle est pathognomonique : elle survient immédiatement après la fin d'une miction ou dans les minutes qui suivent. Une fois cette perte produite, elle ne se reproduit plus jusqu'à la fin de la prochaine miction. Plus fréquente chez l'homme, elle est due à une stagnation de l'urine dans l'urètre bulbaire par déficience des muscles bulbo-caverneux qui entourent cette portion de l'urètre. Normalement, leur contraction permet la vidange de ce segment urétral. Beaucoup plus rarement, un diverticule de l'urètre bulbaire peut être en cause. Chez la femme, ce phénomène est le résultat soit d'un diverticule urétral qui se remplit durant la miction et qui se vide dans un deuxième temps, soit d'une entrée d'urine dans le vagin durant la miction, vagin qui se vide ensuite tardivement.

LECTURES SUGGÉRÉES

Abrams, P. et al. «The standardisation of terminology of lower urinary tract function», *Neurorol Urodyn*, 2002 : 21 ; 167-178.

Abrams, P. et al. *Incontinence*, 2ᵉ édition, Health Publication Ltd, Plymouth, UK, 2002.

Delancey, J. O. « Structural support of the urethra as it relates to stress urinary incontinence : the hammock hypothesis », *Am J Obstet Gynecol*, 1994 : 170 ; 1713-1720.

Mostwin, J. L. et al. « Radiography, sonography and magnetic resonance imaging for stress incontinence. Contributions, uses and limitations », *Urol Cl N Am*, 1995 : 22 ; 539-549.

Wilson, L. et al. «Annual direct cost of urinary incontinence», *Obstet Gynec*, 2001 : 98 ; 398-406.

Walsh, P. et al. *Campbell-Walsh Urology*, 9ᵉ édition, W.B. Saunders Company, Philadelphie, 2007.

Chapitre 14

Vessies neurogènes

Jocelyne Tessier, Martine Jolivet Tremblay
et Luc Valiquette

Introduction

Tout atteinte des voies nerveuses impliquées dans la fonction uré-tro-vésicale normale, de quelque nature qu'elle soit, a des réper-cussions sur cette fonction. C'est le siège de la lésion, bien plus que sa nature, qui exerce une influence déterminante sur le dysfonc-tionnement provoqué.

On reconnaît anatomiquement deux centres principaux qui régissent la miction : le centre protubérantiel, dans le tronc céré-bral, et le centre sacré dans la moelle épinière, au niveau de S2 à S4. Un centre accessoire, le centre sympathique, est localisé dans la moelle dorso-lombaire et s'étend de D10 à L2.

En termes de répercussion sur le complexe urétro-vésical, le système nerveux peut être divisé en trois grandes sections, délimi-tées par les deux principaux centres mictionnels (figure 14.1).

- Infrasacrée (périphérique) : distale par rapport au centre sacré
- Suprasacrée (spinale) : entre le centre protubérantiel et le centre sacré
- Supraprotubérentielle (intracrânienne) : au-dessus du centre protubérantiel

Types de vessies neurogènes

Vessie acontractile (figure 14.2)

Toute lésion touchant le centre sacré de la miction ou les voies nerveuses situées entre ce centre et l'organe cible (vessie-urètre) aura comme conséquence l'apparition d'une vessie acontractile ou aréflexique. Les signaux émis par les terminaisons nerveuses sen-sibles à la distension vésicale (*stretch receptors*) sont normalement acheminés par des fibres myélinisées. En cas de lésion nerveuse, ces signaux ne peuvent plus être acheminés vers les centres supé-rieurs. La proprioception vésicale est alors abolie et la vessie ne se contracte pas, d'une part parce que la demande pour le faire ne parvient pas au centre sacré et, d'autre part, parce que les voies efférentes motrices sont également lésées. Ces vessies ont peu ou pas de contractilité ; elles portent un important résidu, même si la miction est en partie possible. Dans ces circonstances, on parle de vessie hypo- ou acontractile (vessie acontractile, atone, infranu-cléaire, rétentionniste, autonome).

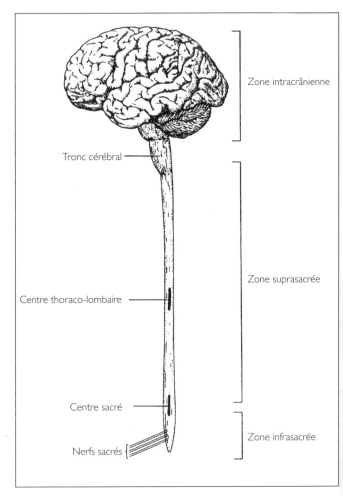

Figure 14.1 Les diverses zones du système nerveux central. Des lésions de ces zones vont entraîner des perturbations différentes dans le fonctionnement urétro-vésical.

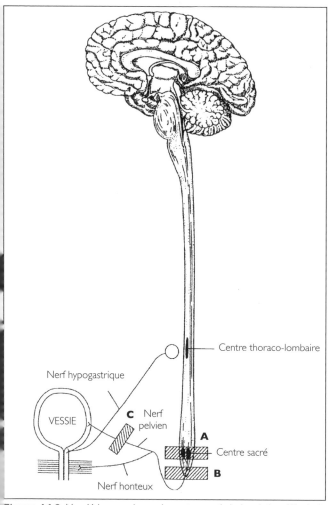

Figure 14.2 Une lésion au niveau du centre sacré de la miction (A), de la queue de cheval (B), ou des voies périphériques (C) entraînera une vessie neurogène acontractile.

Vessie neurogène hyperactive (figure 14.3)

Lorsque les lésions sont situées au-dessus du centre sacré de la miction, mais qu'elles épargnent celui-ci, la vessie est libérée de tout contrôle central. Le signal partant de la vessie ne peut remonter jusqu'au cortex cérébral et, comme dans la vessie acontractile, le besoin mictionnel n'est pas perçu. Cependant, puisque le centre sacré est épargné par la lésion, le signal afférent émis par la vessie fait relais à ce centre sacré d'une façon réflexe et la commande est exécutée immédiatement par les voies efférentes : la vessie se vide de façon tout à fait automatique dès que la capacité vésicale est atteinte.

La vessie fonctionnant ainsi est appelée une « vessie hyperactive » (vessie spastique, automatique, supranucléaire). Cette vessie hyperactive est parfois associée à une dyssynergie vésico-sphinctérienne.

Vessie neurogène hyperactive avec dyssynergie vésico-sphinctérienne (tableau 14.1 et figure 14.4)

Chez l'individu normal, deux mécanismes sphinctériens assurent la continence : le mécanisme sphinctérien proximal (interne), constitué principalement des fibres musculaires lisses de la région du col vésical et de l'urètre proximal, et le mécanisme sphinctérien distal (externe) représenté par des fibres musculaires striées de l'urètre distal et la musculature du plancher pelvien.

Dans des circonstances normales, quand la vessie se contracte, l'urètre se relâche simultanément pour laisser libre passage à l'urine : on parle de synergie vésico-sphinctérienne parfaite.

Le siège principal de cette coordination est localisé dans le centre protubérantiel de la miction. Toute lésion de la moelle épinière située entre ce centre protubérantiel et le centre sacré de la miction risque de provoquer un dérèglement de cette synergie vésico-sphinctérienne. Ainsi donc, associée à l'hyperactivité vésicale décrite ci-haut, il existe également une dyssynergie vésico-sphinctérienne : quand la vessie se contracte, l'urètre se contracte simultanément, créant une obstruction certaine en aval de la vessie.

Quand cette incoordination concerne le mécanisme sphinctérien distal, strié, on parle de dyssynergie vésico-sphinctérienne striée. Quand elle intéresse le mécanisme sphinctérien proximal, on parle plutôt de dyssynergie vésico-sphinctérienne lisse. Cette dernière peut survenir quand la lésion de la moelle est au-dessus

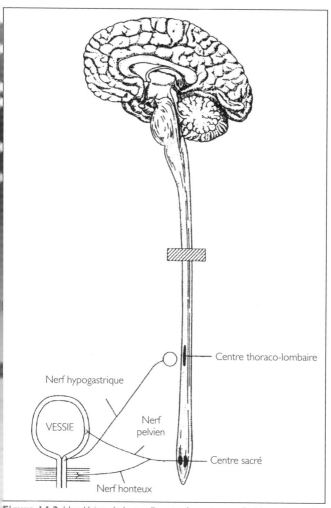

Centre thoraco-lombaire

Nerf hypogastrique

VESSIE

Nerf pelvien

Centre sacré

Nerf honteux

Figure 14.3 Une lésion de la moelle entre le centre sacré et le centre protu-bérantiel entraîne une vessie hyperactive.

de D6. Dans ces conditions, le centre sympathique de la miction (D10-L2) échappe aussi aux influences coordonnatrices du centre protubérantiel (figure 14.4).

Tableau 14.1

Les sites anatomiques de la lésion nerveuse et leurs répercussions sur la fonction urétro-vésicale

Niveau de la lésion	Vessie	Mécan. sphinct. interne	Mécan. sphinct. externe
Infrasacré ou centre sacré	Aréflexie	Synergie	Synergie
Suprasacré (spinal)	Hyperréflexie	Au-dessus de D6 = dyssynergie lisse	Dyssynergie striée
Supraprotubérantiel (intracrânien)	Hyperréflexie	Synergie	Synergie

Les conséquences physiopathologiques de ces dyssynergies sont l'apparition d'un résidu postmictionnel important avec une pression intravésicale en permanence plus élevée que la normale et une augmentation de la pression intravésicale permictionnelle. Ces pressions élevées peuvent entraîner une détérioration de la fonction rénale, comme on le verra plus loin.

Vessie neurogène hyperactive sans dyssynergie (figure 14.5)

De ce qui précède, il découle aussi qu'une lésion en amont du centre protubérantiel de la miction, donc au niveau cérébral, entraîne une hyperactivité vésicale, mais non une dyssynergie vésico-sphinctérienne puisque le centre protubérantiel est épargné et reste en lien fonctionnel avec l'appareil urinaire inférieur.

Les diverses régions du cerveau et du cervelet exercent des actions soit facilitatrices, soit inhibitrices sur le centre protubérantiel. Le résultat global de ces influences est celui d'une inhibition. Diverses affections qui interfèrent avec cet équilibre (accident vasculaire cérébral, maladie de Parkinson, etc.) entraînent, dans la plupart des cas, une hyperactivité vésicale.

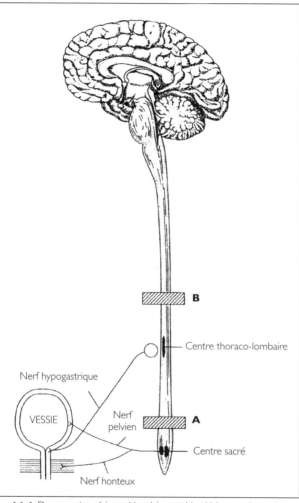

Figure 14.4 Dyssynergies vésico-sphinctériennes. Une lésion au niveau A provoquera une dyssynergie entre la contraction de la vessie et le relâchement du mécanisme sphinctérien distal, strié. La lésion au niveau B entraînera en plus une dyssynergie vésico-sphinctérienne proximale, lisse.

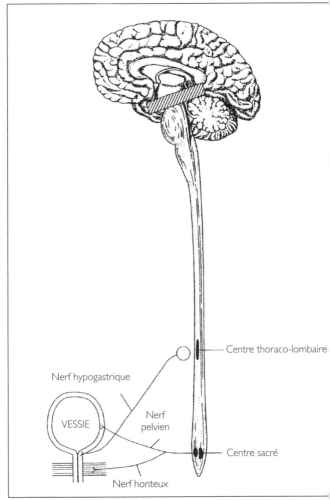

Figure 14.5 Une lésion cérébrale aura comme conséquence probable une vessie neurogène hyperactive avec conservation de la synergie vésico-sphinctérienne (striée et lisse).

Conséquences systémiques des atteintes neurologiques responsables des vessies neurogènes

Lésion complète par opposition à incomplète

Les situations décrites ci-dessus se produisent quand les lésions neurologiques sont complètes. Une lésion est considérée complète quand les fonctions motrice et sensitive sont entièrement abolies distalement au siège de la lésion. À des fins pédagogiques, l'enseignement des vessies neurogènes se fait en présumant que les lésions neurologiques sont complètes. Cependant, en clinique, les lésions sont très fréquemment incomplètes, c'est-à-dire que les voies motrices ou sensitives sont touchées de façon inégale et partielle. Les répercussions sur la fonction urétro-vésicale sont aussi variables, en fonction des voies touchées et du degré d'atteinte de ces voies.

Par exemple, la vessie peut conserver une certaine contractilité : au lieu d'être totalement acontractile, elle est hypocontractile. La force contractile du détrusor est amoindrie et la vidange vésicale, incomplète. De la même façon, la dyssynergie vésico-sphinctérienne peut atteindre divers degrés. Quand le détrusor se contracte, le sphincter strié urétral peut ne pas se relâcher complètement, comme il peut se contracter, créant ainsi une obstruction différente d'un malade à un autre.

La répercussion urétro-vésicale d'une affection neurologique ne peut être déterminée uniquement à l'interrogatoire et à l'examen physique. L'outil diagnostique par excellence est le bilan urodynamique. C'est la seule épreuve diagnostique qui permette d'étudier et d'analyser le fonctionnement de la vessie, de l'urètre, ainsi que leur interrelation et leur coordination. Il s'agit d'une technique qui, à l'aide des mesures simultanées de pressions et de débit, permet d'objectiver et de quantifier les divers événements qui surviennent au cours de la phase de remplissage de la vessie et celle de la miction (*voir chapitre 5*).

Choc spinal

À la suite d'un traumatisme de la moelle épinière au-dessus du centre sacré, les synapses centrales entre les branches afférentes et efférentes de l'arc réflexe mictionnel sont temporairement inactivées.

Le mécanisme exact responsable de ce choc est incertain. L'absence d'une facilitation supraspinale ou l'abolition complète de l'activité interneuronale, secondaire à la libération de neurotransmetteurs inhibiteurs, peuvent en être responsables. Le détrusor est paralysé, acontractile, et la sensation de plénitude vésicale est abolie. Le col de la vessie et l'urètre cependant demeurent fermés et la vessie continue à se distendre, puisque l'arc réflexe mictionnel ne fonctionne pas. La rétention urinaire qui en résulte est suivie d'une incontinence urinaire par trop-plein. L'activité réflexe du détrusor réapparaît dans la plupart des cas de 2 à 12 semaines plus tard, mais peut parfois prendre jusqu'à 1 an à s'établir. La stimulation électrique des racines sacrées durant cette phase de choc spinal peut faciliter l'émergence de l'activité réflexe de la vessie et diminuer ainsi la durée de la phase du choc spinal.

Dysréflexie autonome

Les fibres sympathiques quittent la moelle épinière entre D6 et D10. Ce centre sympathique est sous l'influence supraspinale qui y exerce une action inhibitrice. Quand la lésion est située au-dessus de D6, ce centre est libéré de cette action inhibitrice (figure 14.4). Tout stimulus afférent va donc entraîner une réponse sympathique exagérée, connue sous le nom de dysréflexie autonome. N'importe quel stimulus (infection urinaire, cystoscopie, étude urodynamique, simple distension vésicale précédant la miction) peut déclencher cette dysréflexie autonome. Quand l'influx provoqué par le stimulus remonte la moelle, le réflexe sympathique est activé. Ce réflexe cause une vasoconstriction cutanée (pâleur de la peau en dessous du niveau de la lésion) et du lit splanchnique, entraînant une hypertension artérielle grave (figure 14.6).

Le reste des manifestations cliniques est la conséquence des mécanismes compensatoires que l'organisme met en place pour parer à ce réflexe sympathique anormal.

L'hypertension artérielle stimule les barorécepteurs du sinus carodien et du sinus aortique qui envoient des messages au centre cérébral vasomoteur. Ce centre génère des influx efférents qui entraînent une vasodilatation généralisée au-dessus du niveau médullaire de la lésion (transpiration, bouffées de chaleur, congestion nasale, etc.). Les influx efférents qui empruntent le nerf vague sont responsables de la bradycardie qui accompagne la dysréflexie autonome (figure 14.7).

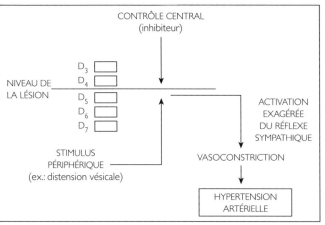

Figure 14.6 Physiopathologie de l'hypertension artérielle créée par la dysréflexie autonome (adaptée de Kursh *et al.*). Reproduite avec permission de J. Corcos et E. Schick: *La vessie neurogène de l'adulte*, Masson, Paris, 1996.

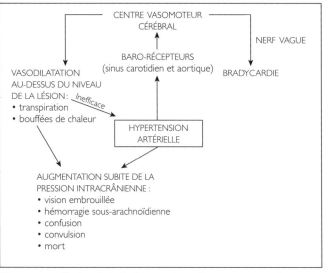

Figure 14.7 Physiopathologie des symptômes cliniques causés par l'hypertension artérielle dans la dysréflexie autonome (adaptée de Kursh *et al.*). Reproduite avec permission de J. Corcos et E. Schick: *La vessie neurogène de l'adulte*, Masson, Paris, 1996.

La vasodilatation n'est cependant pas suffisamment efficace pour contrer l'hypertension, puisque l'influx vasodilatateur ne peut pas atteindre les territoires situés en aval de la lésion. Cette hypertension persistante, associée à la vasodilatation cérébrale, entraîne une légère augmentation de la pression intracrânienne que le malade ressent sous la forme de céphalées pulsatiles. Une poussée hypertensive grave peut causer des accidents vasculaires cérébraux, et même entraîner la mort.

Complications des vessies neurogènes

Modifications de la compliance de la paroi vésicale

La compliance de la paroi vésicale est sa capacité d'accommoder des volumes de plus en plus grands, sans pour autant engendrer des pressions intravésicales excessives. Elle se définit par le changement du volume vésical divisé par le changement de la pression intravésicale concomitante. Elle s'exprime par la formule mathématique suivante :

$$C = \frac{\Delta V}{\Delta P}$$

où C est la compliance, ΔV et ΔP les changements de volume et de pression, respectivement.

Les mécanismes responsables d'une modification de la compliance vésicale ne sont pas très bien compris. Une atteinte parasympathique peut entraîner un effet alpha-adrénergique de contraction (au lieu de l'effet bêta-adrénergique habituel de relaxation). Une atteinte parasympathique prolongée provoque non seulement une augmentation des fibres cholinergiques, mais aussi une infiltration de la paroi par du collagène, une augmentation de son épaisseur et une diminution de sa contractilité. L'interruption de l'innervation sympathique chez le chat abaisse également la compliance. Il est fort possible que l'action conjuguée de certains ou de tous ces facteurs soit responsable de la modification de la compliance vésicale observée dans les vessies neurogènes (figure 14.8).

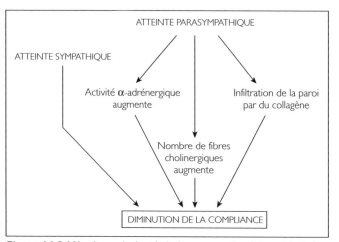

Figure 14.8 Mécanismes physiopathologiques pouvant contribuer à la diminution de la compliance de la paroi vésicale. Reproduite avec permission de J. Corcos et E. Schick: *La vessie neurogène de l'adulte*, Masson, Paris, 1996.

Infection urinaire et reflux vésico-urétéral

L'appareil urinaire possède plusieurs mécanismes de défense contre l'invasion bactérienne. Tous les facteurs ne sont pas d'égale importance, mais la vidange vésicale périodique et complète joue un rôle de premier plan dans la prévention des infections. Une stase le long de l'appareil urinaire est un facteur prédisposant connu.

   Nous avons vu précédemment les mécanismes physiopathologiques responsables de l'apparition d'un résidu vésical post-mictionnel. On a démontré que l'incidence de l'infection urinaire est proportionnelle au volume du résidu vésical chez les traumatisés de la moelle. La surdistension vésicale et l'hyperréflexie vésicale engendrent des pressions intravésicales anormalement élevées qui peuvent être responsables d'un reflux vésico-urétéral. Avec ce reflux, la voie est ouverte à une pyélonéphrite ascendante.

Lithiase urinaire

La lithogenèse est un phénomène complexe (*voir chapitre 15*). Dans le contexte particulier des vessies neurogènes, la stase, tout comme l'infection urinaire, prédispose à la formation de calculs.

De plus, les traumatisés de la moelle sont souvent immobilisés, ce qui favorise la décalcification osseuse et l'hypercalciurie. Le reflux d'urine infectée est une cause importante de lithiase rénale. La lithiase urinaire est plus fréquente chez les malades ayant une vessie hyperactive que chez ceux qui ont une vessie acontractile. Une corrélation existe entre la présence de calculs urinaires et le taux de mortalité chez les traumatisés de la moelle. L'incidence de lithiase dans ce groupe serait d'environ 8 %. Il est clairement établi que l'infection urinaire et la lithiase agissent de manière synergique et sont responsables de l'atteinte de l'appareil urinaire chez le traumatisé de la moelle.

Cancer

Le risque de cancer de la vessie est augmenté de 16 à 28 fois chez les traumatisés de la moelle par rapport à la population générale. Outre les facteurs habituels, le cathétérisme chronique, l'infection chronique et la présence de lithiase vésicale seraient des facteurs contributifs. Ces derniers facteurs expliqueraient la plus grande incidence de cancer épidermoïde retrouvée dans cette population.

Hydronéphrose et insuffisance rénale chronique

Les infections urinaires, le reflux vésico-urétéral et les calculs urinaires peuvent, à l'occasion, causer une insuffisance rénale. C'est toutefois la dilatation progressive de l'appareil urinaire supérieur qui constitue la principale cause d'insuffisance rénale chronique dans un contexte de vessie neurogène. Cette dilatation ou hydronéphrose est le plus souvent secondaire à l'apparition d'un système à haute pression à l'intérieur de la vessie. Les événements physiopathologiques conduisant à cette situation peuvent se résumer de la façon suivante.

Le principal rôle physiologique qu'on reconnaisse à l'uretère est d'acheminer l'urine du bassinet jusqu'à la vessie. Si le rein excrète de l'urine à un rythme régulier et si cette urine n'est pas transportée au même rythme vers la vessie, la fonction rénale finit par être affectée. C'est le concept de base de toute uropathie obstructive. Ce transport d'urine s'effectue par bolus successifs. Les ondes péristaltiques créent des pressions de 20 à 60 cm H_2O et se superposent à la pression de base de l'uretère, qui est inférieure à 5 cm H_2O. Pour que le bolus urinaire urétéral puisse être expulsé dans la vessie, la pression vésicale ne doit pas être supérieure à la pression péristaltique de l'uretère. L'expérience montre que l'uretère n'est pas capable de vaincre une pression intravésicale de plus de 40 cm H_2O pendant une période prolongée. Si la situation perdure, l'uretère décompense progressivement, se dilate, ne remplit plus son rôle de transporteur d'urine et finit par interférer avec la fonction rénale. Cette situation se produit surtout avec une vessie chroniquement distendue (*voir ci-dessus*) ou avec une vessie dont la compliance est abaissée. Un bilan urodynamique de qualité renseigne sur la présence éventuelle d'un système à haute pression (>40 cm H_2O) et sur le volume vésical correspondant (figure 14.9). Les malades présentant des contractions non inhibées durant la phase de remplissage vésical présentent le plus grand risque pour l'apparition éventuelle d'une urétéro-hydronéphrose.

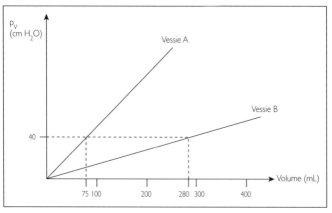

Figure 14.9 Vessie à compliance abaissée. Au fur et à mesure que la vessie se remplit, la pression intravésicale augmente progressivement. Dans le cas de la vessie A, cette augmentation de pression est rapide : avec seulement 75 mL dans la vessie, la pression intravésicale atteint déjà le seuil critique de 40 cm H_2O. Au-delà de ce volume de 75 mL, la vessie sera considérée comme un système à haute pression. Dans le cas de la vessie B, il faut infuser 280 mL dans la vessie pour atteindre le seuil critique. La compliance de la vessie A est plus basse que celle de la vessie B (P_v = pression intravésicale totale).

LECTURES SUGGÉRÉES

Abrams, P. *Urodynamics*, 2ᵉ édition, Springer-Verlag, London, 1997.

Corcos, J. et Schick, E. *Textbook of the Neurogenic Bladder – Adults and Children*, Martin Dunitz, Inc., 2ᵉ édition, Londres, 2008.

Gajewski, J. B. et Awad, S. A. « Traumatismes du système nerveux central », dans *La vessie neurogène de l'adulte*, par Corcos, J. et Schick, E., Masson, Paris, 1996.

Kursh, E. D., Freehafter, A. et Persky, L. « Complications of autonomic dysreflexia », *J Urol*, 1977 : 118 ; 70-72.

Stoffel, Jt. et Mcguire, EJ. « Treating the adult neurogenic blader », *Urol Cl N Am*, Nov 2010.

Chapitre 15

Physiopathologie de la lithiase urinaire

Denis Ouimet et Yves Ponsot

Lithiase calcique

Lithiase calcique primitive ou commune

Lithiase calcique secondaire

    Déshydratation
    Hypercalciuries absorptives non idiopathiques
    Hypercalciuries résorptives
    Hyperoxaluries non idiopathiques
    Hyperuricurie hyperuricémique
    Hypocitraturies non idiopathiques
    Anomalies morphologiques
    Grossesse

Lithiase urique

Lithiase urique et hyperuricémie

Lithiase urique idiopathique

Lithiase urique secondaire

Hyperuricuries tubulaires

Lithiase mixte d'acide urique et d'oxalate de calcium

Lithiase infectieuse

Lithiase cystinique

Démarche diagnostique

Traitement médical

Introduction

La lithiase urinaire constitue un problème de santé fréquent qui exige une démarche structurée à la fois par l'origine obstructive de la douleur en phase aiguë et par la nature hautement récidivante du phénomène. Ces deux facettes du problème justifient la recherche de mesures prophylactiques efficaces. Quoique les séquelles graves à l'arbre urinaire soient rares, les coûts sociaux en termes d'absentéisme au travail et de soins médicaux au moment des épisodes de colique néphrétique sont élevés.

La lithiase urinaire est beaucoup plus rare chez l'enfant que chez l'adulte. À l'exception des mécanismes généraux de la lithogénèse, les données présentées dans ce chapitre dépeignent principalement les situations cliniques rencontrées chez l'adulte. Plusieurs données sont tirées de notre expérience auprès d'une population adulte suivie à l'hôpital Maisonneuve-Rosemont de Montréal. Les particularités de la lithiase urinaire chez l'enfant seront mentionnées au passage.

Épidémiologie

Quoique les chiffres puissent varier d'une population à une autre, toutes les études réalisées dans les pays industrialisés ont révélé la fréquence élevée et croissante des calculs urinaires.

L'incidence annuelle d'un premier épisode lithiasique est d'environ 0,1 %. Cette incidence augmente avec l'âge jusqu'à la cinquantaine. Environ 50 % des personnes atteintes subiront une récidive au cours des 15 années suivantes. Les chances de récidive sont d'autant plus élevées que des antécédents familiaux sont présents et que le début a été précoce ; dans de telles circonstances, le taux de récidive est d'environ 50 % à 7 ans. Il en résulte que l'incidence globale annuelle des épisodes lithiasiques est plutôt de l'ordre de 1 % et que la prévalence globale d'antécédents lithiasiques avoisine les 5 %.

Modes de présentation clinique

Calcul asymptomatique

Un calcul du rein est souvent asymptomatique s'il est situé dans un calice dont il n'obstrue pas l'infundibulum. Il est alors découvert sur un cliché simple de l'abdomen ou à l'occasion d'une échographie abdominale. On peut même découvrir d'un seul coup plusieurs calculs de taille variable. De 30 à 45 % des calculs échographiques sont le résultat d'une découverte fortuite et asymptomatiques.

Colique néphrétique

La présentation clinique classique d'un calcul du haut appareil urinaire est la colique néphrétique. Celle-ci se manifeste par une douleur unilatérale au début brutal, intense, en coup de poignard, évoluant de façon continue pendant plusieurs heures, sans position antalgique, siégeant à l'angle costo-vertébral et irradiant vers le flanc et les organes génitaux externes. Elle peut être atypique dans son caractère et ses irradiations. Due à un calcul situé dans le haut uretère ou le rein, la douleur siège plutôt dans l'angle costo-vertébral avec des irradiations antérieures pouvant évoquer une cholécystite, une pancréatite ou un ulcère gastrique. Si le calcul est situé plus bas, il va être responsable de douleurs dans le flanc à irradiation antérieure et peut imiter une appendicite ou une diverticulite. Au niveau de l'uretère distal, la symptomatologie s'enrichit souvent d'irradiations scrotale ou vulvaire et de symptômes d'irritabilité vésicale (malaise suspubien, pollakiurie, dysurie) ; elle peut alors simuler une affection gynécologique ou urinaire basse.

La douleur de la colique néphrétique est due à la distension brutale de la capsule rénale et des voies excrétrices (bassinet et uretère) en amont de l'obstacle et s'accompagne d'une augmentation de la pression intraluminale. Elle s'oppose aux obstacles chroniques et progressifs qui peuvent entraîner une dilatation urétéro-pyélique massive asymptomatique, sans élévation de la pression intrapyélique. La douleur est véhiculée par des fibres nerveuses afférentes des voies sympathiques empruntant les racines spinales postérieures D11 à L2. Une symptomatologie digestive accompagne souvent le tableau clinique du fait d'une innervation autonome commune : nausées, vomissements et iléus peuvent évoquer une affection aiguë digestive ou gynécologique. Cette symptomatologie évocatrice est souvent accompagnée de la recherche vaine d'une position antalgique (colique « frénétique »), d'une hématurie macroscopique ou microscopique.

L'examen clinique révèle une douleur à la palpation et à la percussion de la fosse lombaire intéressée ; l'abdomen, bien que pouvant être ballonné, reste souple, exempt donc de tout signe d'irritabilité péritonéale. L'examen pulmonaire et les touchers pelviens normaux éliminent une affection viscérale extra-urinaire. Élévation de la pression artérielle et tachycardie sont habituelles dans ce tableau clinique douloureux.

Bien qu'un calcul urinaire en soit la cause la plus fréquente, toute obstruction urétérale aiguë ou subaiguë peut causer un tableau de colique néphrétique. *D'autres obstacles urétéraux intraluminaux* doivent être considérés : un caillot sanguin (anticoagulothérapie excessive, tumeur hémorragique du bassinet ou de l'uretère), un bézoard fongique (amas de champignons et de débris inflammatoires lors d'une infection fongique des voies urinaires), une papille nécrotique (le diabète sucré, une pyélonéphrite aiguë ou une anémie falciforme peuvent se compliquer d'une nécrose papillaire avec largage d'un séquestre papillaire) peuvent s'avérer obstructifs comme un calcul. La *sténose extrinsèque ou intrinsèque de l'uretère*, quoiqu'elle entraîne souvent une hydronéphrose silencieuse ou peu symptomatique, doit également faire partie du diagnostic différentiel : une sténose de la jonction pyélo-urétérale, une fibrose rétropéritonéale, une sténose urétérale traumatique, une endométriose avec ensemencement périurétéral et toutes les lésions inflammatoires ou tumorales rétropéritonéales, primitives ou secondaires, sont à classer dans cette catégorie.

Les *examens biologiques* de base lors d'un épisode lithiasique aigu sont une analyse et une culture d'urines de même qu'un dosage de la créatinine sérique. L'analyse d'urine recherche une hématurie microscopique et une leucocyturie. Une hématurie accompagne si fréquemment l'épisode lithiasique que son absence remet en question le diagnostic de lithiase urinaire obstructive. Une leucocyturie, habituellement discrète, peut accompagner un calcul urinaire obstructif. Une leucocyturie abondante, de même que la présence de bactéries sur un échantillon d'urine frais, doivent cependant évoquer la possibilité d'une infection urinaire concomitante. La culture des urines confirme l'infection urinaire et identifie le germe impliqué de même que sa sensibilité aux antibiotiques. Le niveau de créatinine sérique, un indice simple de la filtration glomérulaire, permet de vérifier la conservation des fonctions d'épuration, malgré l'uropathie obstructive, habituellement unilatérale.

Hématurie asymptomatique

Une lithiase du haut appareil urinaire peut être découverte à l'occasion du bilan d'une hématurie macroscopique ou microscopique, par ailleurs asymptomatique. Une calcification papillaire ou un calcul caliciel fixe n'explique habituellement pas une hématurie. Il faut rechercher les autres causes d'hématurie isolée avant de retenir la lithiase comme étiologie; on doit, par exemple, exclure une néoplasie rénale ou une tumeur vésicale (*voir chapitre 17*).

Infection urinaire chronique

Une calcification rénale peut être découverte fortuitement à l'occasion de l'exploration d'une infection urinaire. Une infection urinaire simple, sans relation avec le calcul rénal, est causée par des germes usuels, comme *Escherichia coli*, et répond favorablement à l'antibiothérapie. Par contre, des calculs d'infection, habituellement coralliformes (*voir plus loin*), sont souvent découverts à l'occasion d'une infection urinaire liée à un germe inhabituel et uréolytique comme *Proteus mirabilis* dans un contexte d'infection urinaire chronique ou rebelle au traitement. La contamination bactérienne du calcul, sur laquelle les antibiotiques sont sans effet, entretient la bactériurie. Ces bactéries qui dégradent l'urée participent également, comme on le verra plus loin, à la croissance du calcul.

Infection urinaire aiguë

Un calcul urinaire obstructif peut compliquer une infection rénale aiguë bactérienne (*pyélonéphrite aiguë*) dont on aura remarqué la gravité inhabituelle ou la résistance partielle aux antibiotiques. L'état septique (fièvre élevée, frissons solennels, hypotension et tachycardie), témoin d'une infection en amont de l'obstacle, doit être considéré comme une véritable urgence. L'évolution peut être réversible si l'infection est traitée précocement par drainage urinaire en amont de l'obstacle et poursuite de l'antibiothérapie. En l'absence de traitement, l'évolution se fait vers la septicémie et la pyonéphrose, véritable rétention purulente rénale, dont l'effet destructeur sur le parenchyme est très rapide; une telle situation peut mener à un choc septique aux conséquences morbides ou laisser des séquelles rénales focales sous forme de déformations calicielles et d'atrophie corticale (pyélonéphrite chronique).

Calcul rénal mobile

L'anatomie des cavités pyélocalicielles, la morphologie de la jonction pyélo-urétérale, la forme et la taille d'un calcul peuvent empêcher celui-ci de s'engager dans le conduit urétéral. Un tel calcul peut changer de position sur des imageries sériées ; on le qualifie alors de *baladeur*. Un calcul pyélique est souvent mobile et entraîne une symptomatologie intermittente en raison d'un effet de clapet variable à la jonction pyélo-urétérale ; le malade se plaint de douleurs sourdes au flanc ou de coliques néphrétiques répétitives, d'intensité variable et souvent atypiques. Un calcul rénal mobile s'accompagne habituellement d'une hématurie.

Calcul vésical

Les calculs vésicaux sont le plus souvent la conséquence d'une affection vésicale neurologique ou d'un obstacle infravésical entraînant une mauvaise vidange et une stase urinaire. Ils se révèlent par des symptômes irritatifs (pollakiurie, brûlure mictionnelle), des symptômes obstructifs (jet urinaire interrompu), de l'hématurie ou des douleurs pelviennes.

Présentation clinique de la lithiase urinaire chez l'enfant

Inhabituelle chez l'enfant, la lithiase urinaire doit faire rechercher une cause métabolique héréditaire ou une malformation ; les uropathies obstructives s'accompagnent souvent d'une bactériurie à germes uréolytiques.

Les modes de présentation se distinguent de ceux des adultes. On remarque dans la couche du nourrisson une concrétion, une urine nauséabonde ou des urines foncées, voire hémorragiques. Chez l'enfant, les douleurs abdominales sont évidemment plus difficiles à rattacher aux voies urinaires. Un bilan révélera souvent une pyurie, une hématurie ou une protéinurie.

Exploration radiologique d'un épisode lithiasique

Devant un tableau évocateur de lithiase urinaire, diverses formes d'imagerie peuvent être utilisées pour confirmer le diagnostic de calcul obstructif, situer l'obstacle et établir la conduite thérapeutique. On peut choisir en général entre trois approches ayant leurs avantages et leurs inconvénients : le *cliché simple de l'abdomen* suivi d'une *urographie intraveineuse*, le *cliché simple de l'abdomen* suivi d'une *échographie abdominale*, et la *tomodensitométrie abdomino-pelvienne*. La sensibilité et la spécificité de ces divers examens sont semblables pour établir le diagnostic recherché.

Un *cliché simple de l'abdomen* est souvent le premier examen radiologique disponible en raison d'un tableau abdominal douloureux. La présence d'une opacité arrondie ou ovale dans l'aire rénale ou sur le trajet de l'uretère doit faire évoquer le diagnostic. Néanmoins, toute opacité découverte n'est pas forcément dans la voie excrétrice. Enfin, certains calculs sont peu denses ou radiotransparents ; d'autres peuvent se dissimuler par superposition radiologique avec les apophyses transverses des vertèbres, les os du bassin et parfois le contenu des anses intestinales.

La *tomodensitométrie abdomino-pelvienne* à coupes minces et sans colorant («*uroscan*», figure 15.1) est, dans la majorité des centres, devenue l'examen de choix. Elle offre les meilleures sensibilité et spécificité au prix d'une irradiation cependant non négligeable. Elle peut être rapidement réalisée et même être interprétée à distance par téléradiologie. À l'exception des calculs protéiniques médicamenteux d'indinavir (*voir plus loin*), tous les calculs se distinguent des tissus parenchymateux par leur densité plus élevée. On peut ainsi distinguer entre un calcul radiotransparent au cliché simple, un caillot sanguin et une néoplasie endoluminale. La tomodensitométrie permet également de déterminer l'origine d'une compression urétérale extrinsèque. On peut en outre identifier ou exclure, par le même examen, d'autres causes non rénales de douleur abdominale.

L'*urographie intraveineuse* (aussi appelée pyélographie intraveineuse) est plutôt utilisée dans un deuxième temps lorsqu'on recherche une imagerie détaillée des voies urinaires et des lésions endoluminales. Elle requiert cependant l'injection d'un colorant iodé et souvent la prise de clichés tardifs. La pyélographie est souvent remplacée par la *tomodensitométrie abdomino-pelvienne avec injection de colorant* («pyéloscan»), laquelle permet une meilleure exploration des lésions pariétales et extrinsèques de l'uretère et du bassinet.

L'*échographie abdominale* peut démontrer rapidement et simplement une uropathie obstructive en cas de grossesse ou dans le

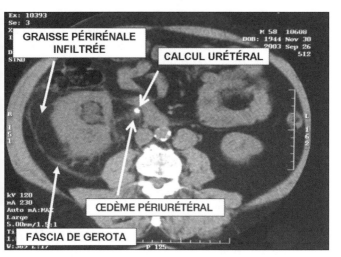

Fig. 15.1 Calcul urétéral à la tomodensitométrie abdomino-pelvienne à coupes minces et sans colorant («uroscan»)

cadre d'un épisode abdominal douloureux atypique. Peu (moins) efficace pour rechercher un calcul urétéral, hormis au niveau de l'uretère distal, elle permet toutefois de trouver facilement une lithiase intrarénale, que le calcul soit radioopaque ou radiotransparent. Le calcul se caractérise par son aspect hyperéchogène et son ombre acoustique postérieure. L'échographie permet surtout d'authentifier une dilatation des cavités rénales qui traduit indirectement la présence d'un obstacle urétéral en aval.

D'autres examens sont parfois nécessaires, comme la *pyélographie rétrograde*, opacification rétrograde de l'arbre urinaire effectuée en cours de cystoscopie.

Complications d'un épisode lithiasique aigu

Obstruction complète ou partielle prolongée

L'obstruction partielle ou *a fortiori* complète de l'uretère entraîne une diminution progressive de la fonction rénale ipsilatérale. Une levée tardive de l'obstacle n'améliore que partiellement la fonction rénale, et le déficit résiduel est proportionnel à la durée et à l'importance de l'obstruction.

Une rarissime colique néphrétique bilatérale ou, plus fréquemment, une colique néphrétique sur rein fonctionnel unique peut être responsable d'une anurie obstructive (insuffisance rénale aiguë postrénale) et nécessiter un drainage par néphrostomie percutanée en radiologie ou montée de sonde urétérale (appelée « *double J* ») par cystoscopie.

Infection concomitante

L'infection urinaire en amont de l'obstacle est la complication la plus grave de la lithiase urinaire. Un tableau infectieux se superpose alors à celui de la colique néphrétique et peut évoluer rapidement jusqu'au choc septique. Il s'agit d'une véritable urgence urologique nécessitant un drainage du rein obstrué et une antibiothérapie à large spectre.

Traitement de l'épisode aigu

Le traitement de l'épisode lithiasique aigu vise à faciliter l'expulsion spontanée du calcul, sinon à lever l'obstruction et à l'extraire.

Traitement conservateur

La majorité des calculs urinaires sont expulsés spontanément, sans intervention urologique. Un calcul urétéral non infecté, d'un diamètre inférieur à 5 mm, peu symptomatique et peu obstructif, peut être traité de façon conservatrice, car ses chances de passer spontanément sont supérieures à 90 %. Le soulagement de la douleur est évidemment essentiel. Une fois la douleur soulagée, la progression du calcul est suivie en externe par des imageries sériées. Certains médicaments sont également prescrits pour favoriser la migration du calcul. Signalons notamment l'emploi de plus en plus répandu de bloqueurs des récepteurs adrénergiques alpha du bas uretère, comme la tamsulosine, mieux connus pour réduire les symptômes obstructifs liés à l'hypertrophie prostatique (*voir chapitre 17*). Comme le col vésical, la paroi urétérale est en effet porteuse de récepteurs alpha-adrénergiques.

Interventions urologiques

Les interventions urologiques reposent habituellement sur 2 modes de traitement : la lithotritie extracorporelle et l'endo-urologie. Le lithotriteur extracorporel réalise, sous simple sédation, la fragmentation du calcul urinaire par focalisation d'ondes de choc sur ce dernier. L'endo-urologie vise à extraire le calcul, sous anesthésie générale, au moyen d'un endoscope. S'il s'agit d'un calcul urétéral, l'extraction se fait habituellement par voie basse à l'aide d'un urétéroscope. En situation rénale, l'approche du calcul se fait soit par voie basse à l'aide d'un urétéroscope flexible ou par voie percutanée à l'aide d'un néphroscope. Le choix de la méthode d'extraction dépend principalement de la taille et de la position du calcul.

La chirurgie classique à ciel ouvert ou par laparoscopie a encore une place, quoique très limitée, lorsque les autres techniques ont échoué, lorsque la charge lithiasique est élevée et qu'on craint un nombre excessivement élevé d'interventions endo-urologiques ou lorsqu'il est nécessaire d'enlever un rein détruit.

Classification générale des calculs urinaires

Les calculs urinaires sont formés d'un agrégat de cristaux. Les calculs n'étant pas toujours constitués d'une seule substance cristalline, ils sont en général classés selon la nature du cristal prédominant. La connaissance de la nature d'un calcul permet d'orienter l'investigation et le plan thérapeutique.

La fréquence relative des différents types de calculs varie d'un pays à un autre. Cette variabilité tient principalement à des différences de climat, de régime alimentaire, de niveau socio-économique et de bagage génétique.

Les *calculs calciques* constituent, et de loin, le principal type de lithiase rencontré (figure 15.2). Ils sont constitués de cristaux d'oxalate et de phosphate de calcium; les cristaux d'oxalate de calcium prédominent largement. Les *calculs uriques* sont environ 10 fois moins fréquents. La quasi-totalité (97 %) sont en fait des calculs d'acide urique. Les calculs d'urate acide de sodium et d'urate acide d'ammonium sont rarissimes. Les *calculs infectieux* viennent au troisième rang. Ils sont principalement constitués de cristaux phospho-ammoniaco-magnésiens et phosphocalciques. La présence de cristaux phospho-ammoniaco-magnésiens (*struvite*) signe la nature infectieuse de la lithiase (*voir plus loin*). Les autres types de calcul sont rares. Ils sont composés de cristaux de cystine ou encore d'un médicament cristallisé tel le triamtérène, un diurétique épargneur de potassium, ou l'indinavir, un antirétrovirus utilisé dans le traitement du sida. D'autres raretés ont été

décrites dans la littérature, comme des calculs de xanthine, conséquence exceptionnelle d'un traitement à l'allopurinol, de 2,8-dihy-
droxyadénine ou d'acide orotique, deux autres rarissimes lithiases
puriques associées à des déficits enzymatiques congénitaux.

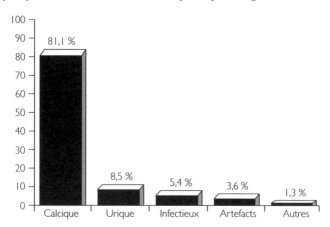

Figure 15.2 Fréquence relative des divers types de lithiase urinaire au Québec.

L'analyse cristallographique d'un prétendu calcul urinaire
permet également d'exclure les crises lithiasiques simulées. Ces
faux calculs urinaires sont en fait plus fréquents que les calculs urinaires de cystine ou les calculs médicamenteux.

En raison de la fréquence élevée d'anomalies métaboliques (25 %)
ou urologiques (25 %) chez l'enfant, la nature des calculs rencontrés en pratique pédiatrique est tout à fait particulière. À l'âge
préscolaire, les calculs calciques sont habituellement à prédominance de phosphate de calcium. Les calculs infectieux sont beaucoup plus fréquents que chez l'adulte, surtout durant la première
enfance. Dans un centre urbain traitant des nourrissons de nouveaux immigrants d'origine orientale, les calculs uriques sont plus
fréquemment constitués de cristaux d'urate acide d'ammonium.

Lithogénèse

La cristallisation des sels dont sont faits les calculs urinaires est le
résultat d'un déséquilibre entre la saturation urinaire pour ces sels

et l'activité inhibitrice de l'urine. La capacité de l'urine à maintenir des sels en solution est en effet bien supérieure à celle d'une solution purement aqueuse; elle n'est cependant pas illimitée. À titre d'exemple, la capacité de l'urine à maintenir de l'oxalate de calcium en solution peut être dépassée en ajoutant soit un excédant d'oxalate, soit un excédant de calcium ou les deux à la fois. C'est le produit mathématique de la concentration des ions formant un sel qui détermine l'état de saturation d'une solution pour ce sel.

Une solution non saturée (ou désaturée) peut permettre la dissolution d'un cristal préformé ou d'un calcul. Une solution saturée, quoique instable, ne donne pas lieu à une cristallisation spontanée. Une cristallisation y est possible sur un calcul préformé de même nature, sur une formation cristalline de nature différente ou sur un corps étranger. On peut augmenter progressivement le niveau de saturation d'une telle solution en ajoutant lentement une des composantes ioniques d'un sel, mais on atteindra éventuellement un niveau de sursaturation, à partir duquel une cristallisation spontanée de ce sel sera obligatoire. L'urine humaine est habituellement saturée en terme d'oxalate de calcium et proche du point de saturation pour les sels d'acide urique et de phosphate de calcium. Une urine normale est toujours désaturée pour les sels phospho-ammoniaco-magnésiens ou la cystine.

Les calculs urinaires peuvent prendre naissance et croître à différents niveaux de l'arbre urinaire. Les calculs les plus fréquents, à prédominance d'oxalate de calcium, se forment habituellement au sein d'un calice. Ils se développent comme des stalactites de forme ovalaire, sur des plaques d'ancrage papillaire. Ces *plaques de Randall* sont des dépôts phosphocalciques. La physiopathologie de la formation de ces plaques est mal connue. Leur analyse histopathologique révèle des cristaux d'apatite allant de la médullaire profonde jusqu'à l'espace urinaire. D'autres types de calculs résultent d'une cristallisation précoce dans la lumière même des tubules collecteurs les plus distaux (tubes de Bellini). Finalement, une formation lithiasique peut se rencontrer en amont d'un obstacle dans une urine stagnante ou sur un corps étranger comme une sonde urétérale.

Pour chaque type de calcul urinaire, on a identifié des facteurs de risque urinaires, c'est-à-dire des anomalies urinaires clairement associées à une formation calculeuse. Ces anomalies concernent habituellement la composition de l'urine, mais elles comprennent également des malformations congénitales ou acquises des voies urinaires. Le traitement prophylactique passe habituellement par la correction de ces anomalies.

Lithiase calcique

Les calculs calciques sont plus fréquents chez l'homme que chez la femme ; au Québec, plus de deux patients sur trois sont de sexe masculin. Ces calculs sont formés de cristaux d'oxalate de calcium, de phosphate de calcium ou d'un mélange des deux. Ces calculs se forment en urine stérile. La fréquence relative des diverses compositions cristallines dans notre population adulte est illustrée à la figure 15.3.

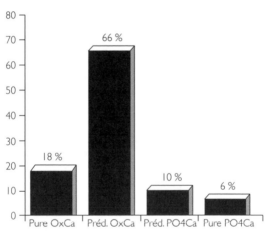

Figure 15.3 Fréquence relative des diverses compositions cristallines dans la lithiase calcique au Québec

Les calculs calciques peuvent aussi être classés, d'un point de vue étiologique, en calculs primitifs (communs ou idiopathiques) et en calculs secondaires, c'est-à-dire associés à des situations pathologiques spécifiques (tableau 15.1). Près de 85 % des calculs à prédominance ou essentiellement composés d'oxalate de calcium sont d'origine primitive. Par contre, près de la moitié des calculs purs ou à prédominance de phosphate de calcium sont secondaires à une anomalie précise qui élève le pH urinaire et qu'il faut rechercher ; les causes sont alors plus limitées.

Les facteurs de risque urinaires principaux de la lithiase calcique, sans égard à sa composition cristalline exacte ou à son origine connue ou idiopathique, sont

– un faible volume urinaire (< 1200 mL/24 h) ;
– une hypercalciurie (> 7,50 mmol/24 h chez l'homme ; 6,25 mmol/ 24 h chez la femme) ;
– une hyperoxalurie (> 0,50 mmol/24 h chez l'homme ; > 0,37 mmol/ 24 h chez la femme) ;
– une hyperuricurie (> 4,8 mmol/24 h chez l'homme ; 4,4 mmol/24 h chez la femme) ;
– un pH urinaire relativement élevé (> 6,5) ;
– une diminution de l'excrétion d'inhibiteurs de la cristallisation, comme le citrate (< 1,5 mmol/24 h) ;
– un élément de stase urinaire.

Une *hypercalciurie* peut être absorptive (augmentation de l'absorption intestinale du calcium), résorptive (résorption osseuse supérieure à la formation d'os nouveau), rénale (diminution de la réabsorption tubulaire du calcium) ou mixte. Ces formes d'hypercalciurie peuvent être le *primum movens* à l'origine d'une lithiase ou n'être que secondaires à d'autres anomalies métaboliques.

L'*hyperphosphaturie* n'est habituellement pas un facteur de risque important.

Lithiase calcique primitive ou commune

Plus de 80 % des calculs calciques ne sont associés à aucune pathologie spécifique connue. On les qualifie donc d'idiopathiques. Leur physiopathologie est probablement multifactorielle. Près de 90 % de ces calculs sont purs ou à prédominance d'oxalate de calcium. Ils surviennent chez des sujets par ailleurs en bonne santé. La prédominance masculine est évidente (70 %). L'âge moyen à l'apparition du premier calcul est de 35 ans. Une prédisposition génétique est vraisemblable, du moins chez un grand nombre de sujets. Près de 50 % des patients ont des antécédents familiaux de lithiase ; en corollaire, de tels antécédents augmentent de deux à trois fois le risque lithiasique. La transmission se fait probablement selon un mode polygénique complexe. Le phénotype se manifeste principalement au niveau de la calciurie. Le bilan sanguin est habituellement normal, à l'exception d'une hypophosphatémie légère, de signification encore inconnue, qu'on peut noter chez 15 à 20 % des sujets. À distance de la colique néphrétique, l'imagerie des voies urinaires est sans particularité, à l'exclusion d'une présence, relativement fréquente (37 %), de calculs rénaux radio opaques résiduels.

Tableau 15.1	
Classification des calculs calciques	
	%
CALCULS PRIMITIFS (COMMUNS/IDIOPATHIQUES)	82
CALCULS SECONDAIRES	18
A. DÉSHYDRATATION Environnement Diarrhée chronique	
B. HYPERCALCIURIES ABSORPTIVES Alimentaire Hyperparathyroïdie primaire Hypervitaminose D Sarcoïdose Syndrome du lait et des alcalins	
C. HYPERCALCIURIES RÉSORPTIVES Thyrotoxicose Immobilisation prolongée	
D. HYPEROXALURIES Hyperoxalurie entérique Hyperoxalurie primaire	
E. HYPERURICURIES HYPERURICÉMIQUES Hyperuricémie asymptomatique Goutte	
F. HYPOCITRATURIES Diarrhée alcaline Acidose tubulaire	
G. ANOMALIES MORPHOLOGIQUES Stase urinaire Stase tubulaire	
H. GROSSESSE	

La fréquence relative des anomalies urinaires rencontrées varie à nouveau selon les pays. Au Québec, à la lumière de notre enquête auprès de 387 patients, la prévalence des facteurs de risque urinaires pour une lithiase calcique idiopathique est la suivante :

hypercalciurie	37 %
faible volume urinaire (<1200 mL)	33 %
pH > 6,5	26 %
hyperuricurie	18 %
hyperoxalurie	15 %
hypocitraturie	15 %
aucun	11 %

On trouve fréquemment plus d'une anomalie urinaire favorisant la lithiase ; à titre d'exemple, l'hypercalciurie est associée à une hyperoxalurie et à une hyperuricurie dans 24 et 31 % des cas, respectivement. De plus, les anomalies sont souvent inconstantes, d'un recueil d'urine à l'autre.

La physiopathologie de l'*hypercalciurie idiopathique* est complexe. Les sujets présentant une hypercalciurie idiopathique ont globalement un transit calcique transcorporel élevé. On observe une baisse de la réabsorption du calcium par les tubules rénaux, une augmentation de l'absorption calcique intestinale et une tendance à perdre de la masse osseuse. Cette hypercalciurie semble donc d'origine mixte, c'est-à-dire rénale, absorptive et même résorptive au long cours. On cherche toujours le *primum movens*. Il est important de rappeler ici que, sauf quelques cas d'exception, l'hypercalciurie n'est pas associée à un apport élevé en produits laitiers. Au contraire, paradoxalement, on a démontré que le risque de récidive après l'expulsion d'un calcul oxalocalcique était inversement proportionnel aux apports alimentaires en calcium, sans doute parce qu'une partie du calcium ingéré fixe l'oxalate alimentaire et en réduit l'absorption intestinale et, par conséquent, l'excrétion urinaire. L'absorption calcique intestinale est néanmoins plus élevée chez ces sujets quel que soit le niveau d'apport calcique. De plus, la calciurie est proportionnelle à l'apport en sodium et en protéines ; la calciurie s'élève de 0,6 mmol et 0,4 mmol pour chaque augmentation d'apport de 100 mmol et de 10 g, respectivement.

Une hydratation peu abondante augmente simultanément les concentrations urinaires de calcium, d'oxalate et de phosphates. La saturation urinaire pour les sels d'oxalate et de phosphate de calcium s'accroît inévitablement. Près de 20 % des patients dans notre population ont un volume urinaire très faible (moins de 1 L). Un faible volume urinaire participe donc à la lithogénèse chez plusieurs malades.

Un pH urinaire à tendance alcaline n'a aucune influence sur la saturation urinaire en oxalate de calcium, mais favorise la cristallisation des sels de phosphate de calcium. Le pourcentage de cristaux de phosphate de calcium dans la lithiase idiopathique à prédominance d'oxalate de calcium est directement proportionnel au pH urinaire moyen.

L'hyperuricurie (on dit aussi hyperuricosurie) est non seulement un facteur de risque pour la lithiase d'acide urique (*voir plus loin*), mais également pour la lithiase oxalocalcique. L'augmentation de la concentration urinaire des urates entraînerait l'inactivation de certains inhibiteurs de la cristallisation oxalocalcique. *L'hyperuricurie idiopathique*, par définition associée à une uricémie normale, est probablement liée à l'apport alimentaire en purines, principalement sous forme de protéines animales.

L'hyperoxalurie idiopathique est habituellement légère (0,5 à 0,8 mmol/24 h). Elle est liée à l'alimentation puisque le jeûne la fait disparaître. Toutefois, un excès d'oxalate urinaire provient rarement d'une alimentation riche en oxalate à elle seule. L'hyperoxalurie provient probablement d'une absorption intestinale accrue ou d'une stimulation de la production endogène d'oxalate.

L'hypocitraturie idiopathique, souvent intermittente, ne représente probablement pas la perturbation de l'activité inhibitrice de l'urine la plus importante dans la genèse de la lithiase calcique commune, mais c'est l'anomalie la plus étudiée au cours des dernières années. Le citrate dans l'urine amène la formation de complexes de citrate de calcium, diminuant ainsi l'activité ionique du calcium ; le citrate inhibe également la nucléation et la croissance des cristaux calciques, mais surtout il inhibe l'agrégation des cristaux oxalocalciques. On doit exclure les causes connues d'hypocitraturie (*voir plus loin*) avant de conclure à une forme idiopathique (de cause inconnue).

Rappelons à nouveau que l'urine de ces patients révèle souvent plusieurs anomalies concomitantes, ce qui incite à une approche globale de cette problématique. À cet égard, il est intéressant de noter qu'une alimentation riche en protéines, surtout animales (viande de boucherie, volaille, poisson), modifie la composition des urines en regard de plusieurs facteurs de risque lithiasique. L'addition de 34 g de protéines animales à un régime de type européen le rend semblable à un régime de type américain et augmente du même coup la calciurie de 23 %, l'oxalurie de 24 % et l'uricurie de 48 %, tout en diminuant la citraturie. De telles données apportent une explication plausible à l'observation courante de diverses anomalies urinaires, souvent difficilement explicables lorsque considérées isolément.

Lithiase calcique secondaire

Déshydratation

Il n'est pas rare qu'un sujet présentant une diathèse lithiasique méconnue ou qu'un patient ayant un passé lithiasique présente une colique néphrétique à l'occasion d'un *voyage sous les Tropiques* ou lors d'une *canicule estivale*. L'accroissement de la concentration urinaire joue probablement un rôle très important dans ce contexte particulier.

Toute forme de *diarrhée chronique*, surtout si l'alimentation est maintenue, amène également un risque accru de lithogénèse en concentrant les urines. L'exemple classique est le porteur d'une iléostomie, dont le risque lithiasique est accru, principalement pour des calculs d'acide urique (*voir plus loin*), mais également pour des calculs oxalocalciques.

Hypercalciuries absorptives secondaires

L'absorption calcique intestinale est normalement proportionnelle aux apports calciques. Une *consommation très élevée de produits laitiers*, au-delà des recommandations des organismes de santé, et surtout de *suppléments de calcium non alimentaires* (comprimés, poudre d'os, etc.) entraîne donc une *hypercalciurie alimentaire*, qu'on distingue habituellement de l'hypercalciurie idiopathique, et qui peut favoriser un épisode lithiasique.

L'*hyperparathyroïdie primaire* est une sécrétion autonome de parathormone (PTH), habituellement causée par un adénome d'une des quatre glandes parathyroïdiennes. Les effets biologiques principaux de la PTH sont une stimulation de la synthèse rénale de $1,25(OH)_2D_3$, une stimulation de la résorption osseuse, une augmentation de la réabsorption tubulaire du calcium ainsi qu'une diminution de la réabsorption tubulaire des phosphates. Le bilan sanguin se caractérise donc par une hypercalcémie et une hypophosphatémie, cette dernière anomalie stimulant à son tour la synthèse rénale de $1,25(OH)_2D_3$. L'hypercalcémie sera maintenue surtout par le biais d'une hyperabsorption calcique intestinale et d'une augmentation de la réabsorption tubulaire du calcium. Malgré une réabsorption fractionnelle rénale accrue de calcium, la charge filtrée étant très élevée, on observe une hyper-calciurie marquée. Mentionnons finalement que la PTH diminue la réabsorption tubulaire proximale du bicarbonate, causant ainsi une forme d'acidose tubulaire (*voir plus loin*). Quoique l'hypercalciurie puisse provoquer la formation de calculs oxalocalciques, l'élévation concomitante du pH urinaire qui caractérise l'hyperparathyroïdie primaire favorise plutôt la formation de calculs phosphocalciques.

Dans l'*hypervitaminose D* qui peut faire suite à un apport excessif en vitamine D sous la forme d'un précurseur (suppléments alimentaires contenant de l'ergocalciférol ou du cholecalciférol) ou d'un métabolite actif disponible sous ordonnance médicale (p. ex. le calcitriol), l'hypercalciurie est d'autant plus marquée qu'elle est couplée à des suppléments calciques.

Dans le cadre de certaines affections, des cellules lymphoïdes ou myéloïdes peuvent exprimer le gène de la 1-alpha-hydroxylase et être responsables d'une sécrétion ectopique de $1,25(OH)_2D_3$. L'exemple le plus courant est la *sarcoïdose*, associée à une hyper-calciurie et à une hypercalcémie dans 20 % des cas.

Le *syndrome du lait et des alcalins*, rare de nos jours, se ren-contre chez des patients souffrant d'ulcères gastro-duodénaux et ingérant d'énormes quantités de calcium et d'alcalins, soit simulta-nément sous forme de carbonate de calcium ou en associant lait et bicarbonate. L'hyperabsorption intestinale de calcium est ici indé-pendante de la vitamine D ; elle entraîne une hypercalciurie. L'alca-linité des urines favorise la formation de calculs phosphocalciques.

Hypercalciuries résorptives

Toute *lyse osseuse d'origine néoplasique* peut entraîner une hyper-calciurie d'origine résorptive. Une lithiase urinaire est cependant rare, probablement parce que la survie de ces malades est trop courte ou qu'un traitement palliatif ou curatif est rapidement ins-titué.

L'immobilisation prolongée, chez un *enfant victime d'un poly-traumatisme* ou plus rarement chez un adulte dont le renouvellement de la masse osseuse est accru par une *maladie de Paget* ou par une *thyrotoxicose,* peut entraîner une résorption osseuse accélérée et favoriser la formation de calculs rénaux. La déminéralisation osseuse rapide s'accompagne d'une élévation de la calcémie et de la phosphatémie, de même que d'une hypercalciurie et d'une hyperphosphaturie. Ces anomalies urinaires peuvent ainsi favoriser la formation de calculs phosphocalciques.

Hyperoxaluries secondaires

Une *hyperoxalurie entérique* peut se rencontrer dans toute entéropathie malabsorptive (insuffisance pancréatique, maladie de Crohn, maladie cœliaque, syndrome de l'intestin court, chirurgie bariatrique) en présence d'un côlon intact, celui-ci étant le siège de l'hyperabsorption intestinale de l'oxalate. L'hyperoxalurie est modérée (0,8 à 1,2 mmol/24 h). Deux mécanismes sont impliqués : une augmentation de la concentration des ions oxalate libres dans la lumière colique et une augmentation de la perméabilité de la muqueuse colique. Le premier phénomène s'explique par la stéatorrhée (ou malabsorption des graisses) qui entraîne une saponification du calcium, libérant ainsi de grandes quantités d'ions oxalate ; le second s'explique par une malabsorption des sels biliaires et des acides gras libres, dont l'arrivée massive dans le côlon altère les propriétés de la muqueuse. En raison de la diarrhée alcaline et de la tendance à l'acidose métabolique qui accompagnent ces états malabsorptifs, on note également un faible volume urinaire et une hypocitraturie, celle-ci étant favorisée par l'acidose (*voir plus loin*).

L'*hyperoxalurie primaire* (ou *oxalose primitive*) est due à un déficit enzymatique héréditaire rare entraînant une production massive d'oxalate. La transmission est autosomique récessive. L'hyperoxalurie est marquée (>1,2 mmol/24 h). Les premières manifestations se produisent habituellement durant l'enfance. Une cristallisation spontanée se produit tant dans les cavités rénales (calculose souvent bilatérale et croissante) qu'à l'intérieur des tubules rénaux (néphrocalcinose), entraînant ainsi une insuffisance rénale progressive.

Hyperuricurie hyperuricémique

Les patients souffrant de *goutte* ou ayant une diathèse goutteuse (*hyperuricémie asymptomatique*) sont non seulement sujets aux calculs d'acide urique (*voir plus loin*), mais présentent également, à l'occasion, des calculs oxalocalciques, en raison de l'hyperuricurie qui est un facteur de risque commun aux deux types de lithiase.

Hypocitraturies secondaires

Toute *acidose métabolique chronique,* qu'elle soit reliée à une diarrhée alcaline (*voir plus haut*) ou à une acidose tubulaire, de même que toute déplétion potassique chronique, qu'elle soit d'origine digestive ou rénale, augmente la réabsorption tubulaire du citrate ; elle entraîne une hypocitraturie très marquée et soutenue.

De plus, dans les cas d'acidose tubulaire, la présence d'une acidose systémique cause une hypercalciurie et une hyperphosphaturie résorptives en favorisant la dissolution des sels phosphocalciques osseux. Qui plus est, le défaut d'acidification urinaire maintient une alcalinité urinaire anormale et favorise la formation de calculs phosphocalciques. *L'acidose tubulaire distale* ou défaut d'acidification urinaire distal est rare, mais elle peut entraîner une calculose rénale évolutive et un risque de néphrocalcinose extensive. Elle peut être congénitale ou acquise. L'acidose tubulaire proximale, avec sa fuite proximale en bicarbonate, n'est habituellement pas associée à des calculs. Deux exceptions peuvent cependant être mentionnées : l'acidose tubulaire proximale médicamenteuse induite par l'*acétazolamide*, un inhibiteur de l'anhydrase carbonique utilisé dans le traitement du glaucome, et la *maladie de Dent*, une tubulopathie héréditaire très rare associée à un syndrome de Fanconi (déficit généralisé de la réabsorption tubulaire proximale, entraînant une fuite urinaire non seulement de bicarbonate, mais aussi d'acide urique et de phosphate).

Anomalies morphologiques

Toute anomalie morphologique des voies urinaires entraînant une stase peut favoriser la formation de calculs en amont de l'obstacle. Les anomalies peuvent être congénitales (*sténose de la jonction pyélo-urétérale, reins en fer à cheval, polykystose rénale*) ou acquises (*séquelles d'instrumentation, rein transplanté pelvien*). Ces uropathies obstructives peuvent certes s'associer à une diathèse lithiasique sous-jacente commune, mais la formation anormalement fréquente de calculs phosphocalciques suggère un défaut d'acidification urinaire associé.

Le *rein en éponge* (*ectasie tubulaire précalicielle* ou *spongiose rénale*) se caractérise par une dilatation congénitale des tubes collecteurs. L'atteinte peut être uni- ou bilatérale ; un seul groupe caliciel ou l'ensemble des pyramides d'un rein peut être atteint. Cette anomalie est associée à la formation de calculs caliciels, mais sa particularité vient du fait qu'on observe également des calcifications dans les tubes collecteurs, donnant lieu à une forme de *néphrocalcinose*, plus grossière que celle des états hypercalcémiques ou de l'acidose tubulaire distale et limitée aux groupes caliciels atteints. En l'absence de calcifications médullaires, le diagnostic se pose sur un aspect en pinceau des pyramides rénales à l'urographie intraveineuse. Les facteurs de risque urinaires invoqués sont une stase tubulaire et une hypercalciurie absorptive fréquemment associée.

Grossesse

La *grossesse*, finalement, en plus de favoriser la descente en position urétérale basse de calculs préformés, peut causer la formation *de novo* d'un calcul phosphocalcique chez une femme ayant une diathèse lithiasique, connue ou méconnue. Les facteurs de risque urinaires sont la stase (urétéro-hydronéphrose physiologique), l'alcalinité des urines (alcalose respiratoire physiologique) ainsi que la calciurie qui s'élève à deux ou trois fois les valeurs *prepartum* (hyperabsorption calcique intestinale vitamine-D-dépendante physiologique).

Lithiase urique

Les calculs d'acide urique ont la particularité d'être *radiotransparents* à l'imagerie conventionnelle. C'est dire qu'ils sont invisibles sur un cliché simple de l'abdomen et qu'ils apparaissent comme des images de soustraction lorsqu'un colorant est utilisé pour opacifier les voies urinaires (urographie intraveineuse). L'échographie abdominale, cependant, les révèle facilement s'ils sont localisés à l'étage rénal. Ils sont aussi décelés facilement à la tomodensitométrie abdominale sans injection de colorant, car leur densité est nettement supérieure à celle du parenchyme rénal, d'une lésion tumorale ou d'un caillot.

Les calculs d'acide urique se présentent sous forme de sable ou de calculs souvent relativement petits et multiples, de couleur typiquement orangée. Soixante-quinze pour cent des sujets atteints sont des hommes. L'apparition du problème lithiasique est plus tardive que chez les nombreux patients atteints de lithiase calcique commune. Une première colique néphrétique après l'âge de 50 ans est caractéristique.

Les facteurs de risque urinaires théoriques d'un calcul d'acide urique sont un faible volume urinaire, une hyperuricurie (on dit aussi hyperuricosurie) et un pH urinaire acide. La distribution de ces facteurs de risque dans notre population lithiasique est la suivante :

pH urinaire < 5,5	93 %
hyperuricurie > 4,5 mmol/24 h	46 %
volume urinaire < 1200 mL/24 h	21 %

De loin, le facteur de risque le plus fréquent est un pH urinaire particulièrement acide. C'est le seul facteur de risque identifié chez 39 % des sujets. Il s'agit alors souvent de personnes originaires du bassin méditerranéen.

L'uricurie (ou uricosurie) est la mesure de l'excrétion urinaire des urates. L'urate urinaire existe principalement sous forme d'anions urate et d'acide urique non dissocié. L'importance d'un pH acide est facile à comprendre lorsqu'on sait que chez un sujet dont l'uricurie est à 4,5 mmol/24 h, avec un pH habituel autour de 6,2-6,3, seulement 25 % des urates sont sous forme d'acide urique non dissocié, alors qu'avec un pH inférieur à 5,5, plus de 50 % des urates sont sous cette forme.

Même si un pH urinaire particulièrement acide caractérise les urines de la majorité des patients présentant un calcul d'acide urique, les causes sont diverses (tableau 15.2).

Lithiase urique et hyperuricémie

Une production anormalement élevée d'acide urique peut entraîner une hyperuricémie, une hyperuricurie et un risque lithiasique accru. Une telle situation est très rare. Elle peut être congénitale (p. ex. syndrome de Lesch-Nyhan) ou acquise (p. ex. syndromes myélo- et lymphoprolifératifs).

L'affection de loin la plus fréquente est cependant la diathèse goutteuse primitive, qu'elle soit cliniquement manifeste (*goutte*) ou non (*hyperuricémie asymptomatique*). Environ le quart des sujets goutteux présenteront une lithiase d'acide urique. Chez les sujets hyperuricémiques, la fréquence des calculs est proportionnelle à l'hyperuricurie associée. Une caractéristique cependant tout aussi, sinon plus, importante de ces sujets est un pH urinaire anormalement acide. L'excrétion urinaire acide se fait préférentiellement sous forme d'acidité titrable plutôt que d'ammonium. La raison précise de cette acidification urinaire particulière n'est pas connue.

Tableau 15.2

Classification des calculs uriques

ÉTIOLOGIE	%
HYPERURICÉMIES	46
– Hyperproduction (très rare)	
– Diathèse goutteuse familiale (fréquente)	
CALCULS URIQUES IDIOPATHIQUES	43
– Goutte (~30 %)	
– Hyperuricémie asymptomatique (~70 %)	
– Obésité	
– Syndrome métabolique	
– Diabète sucré	
CALCULS URIQUES SECONDAIRES	11
– Déshydratation	
– Diarrhée alcaline (iléostomie)	
HYPERURICURIES TUBULAIRES	< 1

Lithiase urique idiopathique

Le risque de calcul symptomatique, toutes formes confondues, augmente proportionnellement à l'indice de masse corporelle (IMC) et au tour de taille (obésité abdominale); il est également plus élevé chez les diabétiques que chez les non-diabétiques. De plus, chez les patients lithiasiques, la proportion de calculs d'acide urique peut passer de 10 % à 40 % en présence d'un diabète sucré et de 10 à 60 % en cas d'obésité. Des calculs d'acide urique sont donc associés à l'obésité, surtout abdominale, et au diabète qui y est souvent associé. En corollaire, chez les patients présentant des calculs uriques, on remarque une augmentation de la prévalence des caractéristiques du syndrome métabolique (obésité, résistance à l'insuline, hypertension artérielle et dyslipidémie). Nombre de ces patients sont normo-uricémiques, normo-uricuriques et excrètent un volume urinaire adéquat. On dit de ceux-ci qu'ils présentent des calculs uriques idiopathiques. Le facteur de risque urinaire commun à ce groupe de patients est un pH urinaire constamment très acide. On a d'ailleurs démontré que le pH urinaire était inversement proportionnel au poids et à la résistance à l'insuline qui caractérise le diabète associé à l'obésité.

Lithiase urique secondaire

Une simple *déshydratation* lors d'un séjour sous un climat tropical peut provoquer la formation d'un calcul d'acide urique, en concentrant les urines, particulièrement chez un sujet prédisposé.

Toute *diarrhée profuse* entraînant une perte d'eau et de bicarbonate peut favoriser la formation d'un calcul d'acide urique, en favorisant la production d'une urine concentrée et acide. Les porteurs d'une *iléostomie* sont particulièrement susceptibles.

Hyperuricuries tubulaires

De rares déficits de réabsorption tubulaire de l'acide urique, comme l'hypo-uricémie rénale familiale, le syndrome de Fanconi (tubulopathie proximale) et des médicaments uricosuriques (salicylates à fortes doses) peuvent également causer des calculs uriques.

Lithiase mixte d'acide urique et d'oxalate de calcium

Près de 50 % des calculs classés comme étant d'acide urique en raison de leur prédominance cristalline contiennent également des cristaux d'oxalate de calcium.

La classification des calculs par prédominance cristalline tend à faire oublier ces *calculs mixtes* d'oxalate de calcium et d'acide urique. Globalement, près de 75 % de ces calculs mixtes sont à prédominance d'acide urique et 25 % à prédominance d'oxalate de calcium. À l'inverse, le quart de tous les calculs oxalocalciques présentent un noyau d'acide urique.

L'existence de tels calculs n'est pas surprenante compte tenu de la présence souvent simultanée de plusieurs facteurs de risque urinaires.

Lithiase infectieuse

La lithiase liée à l'infection urinaire se définit par la présence de cristaux phospho-ammoniaco-magnésiens (*struvite*) à l'analyse du calcul. L'urine est normalement désaturée pour ce sel. À toutes fins utiles, seule une infection urinaire par un *germe uréolytique* peut modifier la composition de l'urine au point de la sursaturer pour ce sel. Ces germes producteurs d'*uréase* hydrolysent l'urée en ammoniac et CO_2. Les molécules d'ammoniac (NH_3) à leur tour captent rapidement des ions hydrogène pour former des ions ammonium (NH_4^+). La baisse des ions hydrogène libres élève le pH urinaire. La concentration urinaire en ammonium peut facilement doubler, voire tripler, et le pH urinaire dépasser 7, voire 8. Le pH alcalin favorise finalement la dissociation des phosphates, produisant ainsi des conditions idéales pour la cristallisation de sels phospho-ammoniaco-magnésiens.

Outre l'infection urinaire comme telle, la présence fortuite d'un calcul rénal préformé et toute anomalie morphologique de l'arbre urinaire favorisant une stase sont d'autres facteurs de risque urinaires souvent impliqués.

Plus de 50 % des sujets adultes atteints sont de sexe féminin, en accord avec la fréquence élevée des infections urinaires chez la femme. Chez l'homme, ce type de calcul se rencontre aux deux extrêmes de la vie, en relation avec les uropathies obstructives, congénitales chez le jeune enfant et prostatiques chez le vieillard.

Les principaux germes impliqués et le pourcentage des souches productrices d'uréase sont présentés ici à titre indicatif.

Proteus	> 90 %
Providencia	> 90 %
Klebsiella pneumoniæ	> 60 %
Pseudomonas æruginosa	> 30 %
Serratia marcescens	> 25 %

La concentration ionique élevée des phosphates et le pH alcalin favorisent de façon concomitante la formation de cristaux de phosphate de calcium. De fait, presque tous les calculs d'infection contiennent également des cristaux de phosphate de calcium.

Ces calculs sont radioopaques et progressent rapidement. Ils peuvent mouler les cavités pyélocalicielles et prendre un aspect *coralliforme* (figure 15.4). On dit d'un calcul qu'il est coralliforme dès qu'il établit un pont entre deux tiges calicielles. Les calculs d'acide urique, radiotransparents, et les calculs de cystine (*voir plus loin*) peuvent également être coralliformes.

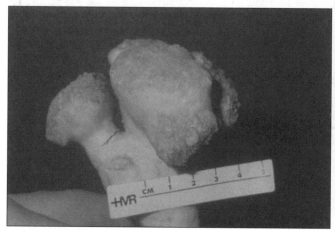

Figure 15.4 Calcul coralliforme. Notez la grande taille du calcul et sa forme qui épouse le contour des cavités pyélocalicielles.

Lithiase cystinique

La *cystinurie* est l'une des manifestations, la seule d'ailleurs ayant des conséquences cliniques, d'une maladie héréditaire rare, autosomique récessive, affectant le transport épithélial, rénal et intestinal, d'acides aminés dibasiques, la cystine, l'ornithine, la lysine et l'arginine, désignés collectivement par l'acronyme *COLA*.

Le défaut de réabsorption tubulaire provoque une concentration urinaire très élevée en cystine, dépassant sa limite de solubilité dans l'urine. La solubilité de la cystine dans l'urine est d'environ 1 mmol/L; or, la concentration urinaire dépasse facilement 3 mmol/L chez les homozygotes. La solubilité augmente à un pH supérieur à 7,0, mais un tel pH ne s'observe que lors d'interventions thérapeutiques, de sorte que le seul facteur de risque urinaire est la cystinurie massive elle-même.

La concentration urinaire normale de la cystine est inférieure à 0,1 mmol/L. La simple observation de cristaux hexagonaux de cystine dans l'urine d'un patient suffit à poser le diagnostic (figure 15.5).

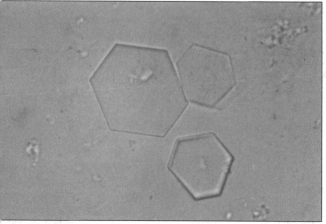

Figure 15.5 Cristaux de cystine (sédiment urinaire ×400). Notez leur forme hexagonale caractéristique.

La diathèse lithiasique se manifeste habituellement à l'adolescence. Les calculs rénaux sont souvent multiples ou bilatéraux et parfois coralliformes. Leur couleur dorée est caractéristique.

Bilan métabolique

Avant de procéder à une évaluation métabolique, on doit procéder à une anamnèse détaillée pour cerner l'importance du problème lithiasique, revoir les habitudes alimentaires et d'hydratation, prendre bonne note de tout médicament ou supplément alimentaire, et enfin passer en revue les antécédents médicaux et chirurgicaux. On doit revoir également le *dossier radiologique* et tenter à la revue de l'imagerie, ou par l'*analyse cristallographique* d'un calcul, de déterminer la nature de celui-ci. À l'imagerie traditionnelle, les calculs calciques sont radioopaques, les calculs uriques radiotransparents alors que les calculs de cystine sont de densité intermédiaire. À l'échographie et à la tomodensitométrie, tous ces calculs sont facilement identifiables. L'analyse cristallographique permet de confirmer une hypothèse diagnostique ou de découvrir une composition inhabituelle comme un calcul à prédominance de phosphate de calcium, un calcul associé à une anomalie métabolique ou un calcul médicamenteux.

À la lumière des affections les plus fréquemment rencontrées, un *bilan sanguin* limité portera sur la *calcémie* et l'*uricémie*. Une culture des urines permet d'exclure toute infection urinaire concomitante. Finalement, les facteurs de risque urinaires des calculs les plus fréquemment rencontrés étant relativement limités, on procède à un ou deux *recueil d'urines de 24 h,* alors que le patient a repris ses habitudes alimentaires (donc, à distance d'une colique néphrétique), pour déterminer le *volume,* le *pH* ainsi que les teneurs en *calcium, oxalate, urate* et *citrate* des urines.

Traitement médical

Dès lors que des anomalies urinaires sont identifiées, on doit tenter d'en cerner l'origine et d'intervenir. Le traitement des calculs secondaires à des maladies spécifiques déborde le cadre de ce chapitre.

La conduite du traitement préventif face à une lithiase calcique commune est relativement simple. Elle est d'abord diététique. Elle inclut une hydratation accrue, un apport normal en calcium et un apport restreint en protéines animales. Des anomalies urinaires rebelles peuvent nécessiter l'emploi de médicaments spécifiques. Une *hypercalciurie* peut répondre à l'administration de diurétiques thiazidiques, qui augmentent la réabsorption tubulaire du calcium. Une *hyperuricurie* répond habituellement très bien à l'administration d'allopurinol ou de fébuxostat, qui diminuent la synthèse de l'acide urique. Finalement, *l'hypocitraturie* se corrige par des suppléments de citrate de potassium ou de sodium, et une acidité urinaire excessive par l'administration d'alcalins comme le citrate ou le bicarbonate.

LECTURES SUGGÉRÉES

« Nephrolithiasis », dans *Endocrinology and Metabolism Clinics of North America,* Charles Y. C. Pak, Guest Editor, 31 (4), W.B. Saunders, décembre, 2002.

« Nephrolithiasis », dans *Seminars in Nephrology,* W.B. Saunders, an Imprint of Elsevier, John R. Asplin, Guest Editor, 28(2), 2008.

Denstedt, JD. et Dhar, M. « Imaging in Diagnosis, Treatment and Follow-Up of Stone Patients », dans *Advances in Chronic Kidney Disease,* 2009 ; 16(1) : 39-47.

Chapitre 16

Infections urinaires

Denis Ouimet, Thierry Lebeau et Luc Valiquette

Introduction

Les infections urinaires représentent un problème de santé particulièrement important en raison de leur fréquence, de leur morbidité et des coûts qu'elles engendrent. En termes de fréquence, elles se placent au premier rang des infections nosocomiales et au deuxième rang des infections acquises dans la collectivité.

La prévalence des infections urinaires varie en fonction de l'âge et du sexe. À l'exception de la période néonatale, les infections urinaires sont plus fréquentes dans la population féminine. Chez la femme, elles se manifestent concomitamment au début de l'activité sexuelle et ne cessent de croître en fréquence par la suite; elles sont le plus souvent d'évolution bénigne. Chez l'homme, les infections urinaires apparaissent parallèlement à l'apparition de symptômes du bas appareil urinaire; elles font souvent suite à une obstruction infravésicale et à son instrumentation diagnostique ou thérapeutique. Durant l'enfance, les infections urinaires sont souvent associées à des anomalies anatomiques ou fonctionnelles de l'appareil urinaire, justifiant ainsi un diagnostic et une exploration précoces pour prévenir les récidives et une atteinte éventuelle de la fonction rénale.

Les infections urinaires sont en général d'origine bactérienne. La majorité sont causées par des entérobactéries ou certains cocci. Plus rarement, des mycobactéries, certains virus ou des levures sont en cause. Ce chapitre porte principalement sur les infections bactériennes courantes.

Terminologie et classification

L'urine est normalement stérile. L'infection urinaire se définit par la présence de microorganismes dans l'urine. En pratique, en raison de la flore habituellement rencontrée, on la définit souvent par la présence de bactéries dans l'urine (*bactériurie*). La bactériurie peut être accompagnée ou non de symptômes cliniques. On distingue ainsi l'infection urinaire clinique de la bactériurie asymptomatique. Par ailleurs, devant un tableau clinique d'infection urinaire, l'absence de bactériurie doit évoquer la possibilité d'une infection à germes inhabituels (mycobactéries, virus, levures ou parasites) et commander des analyses spécifiques qui permettront d'identifier l'agent causal.

Au plan clinique, il existe plusieurs classifications des infections urinaires. Afin d'optimiser le diagnostic et le traitement, on doit classifier les infections selon leur siège, leur complexité et leur tendance à récidiver.

On doit d'abord distinguer les infections de l'appareil urinaire inférieur (*infections basses*) des infections de l'appareil urinaire supérieur (*infections hautes*). La cystite, la prostatite et l'épididymite sont les infections les plus fréquentes de l'appareil urinaire inférieur. D'autres infections de l'appareil urogénital peuvent imiter une infection urinaire basse en raison de symptômes urinaires communs, sans qu'il y ait bactériurie. L'urétrite représente habituellement une infection transmise sexuellement (à gonocoque ou à chlamydia) et limitée à l'urètre. Mentionnons également l'herpès génital chez l'homme ou chez la femme de même que, chez la femme, la vaginite à *candida* ou à *trichomonas*. Au niveau de l'appareil urinaire supérieur, on doit mentionner la pyélonéphrite aiguë, la pyonéphrose et l'abcès rénal.

On doit ensuite déterminer s'il s'agit d'une infection urinaire non compliquée ou compliquée. Une infection urinaire est dite *non compliquée* lorsqu'elle survient sur un appareil urinaire anatomiquement et fonctionnellement normal chez un hôte par ailleurs en bonne santé ; cette catégorie comprend la majorité des cas de cystites, isolées ou récidivantes, de même que la plupart des pyélonéphrites aiguës chez la femme. L'appareil urinaire des femmes les prédispose en effet d'emblée aux infections urinaires et elles présentent donc le plus souvent des infections simples. Ces infections sont habituellement causées par des germes pathogènes courants et répondent rapidement à une antibiothérapie. En comparaison, les infections urinaires *compliquées* surviennent chez des hôtes fragiles, qui ont subi une instrumentation ou dont l'appareil urinaire fonctionne de façon anormale. Ces conditions réduisent l'efficacité des antibiotiques, augmentent le risque de récidives et sont associées à un potentiel accru de séquelles rénales irréversibles. L'appareil urinaire de l'homme normal ne prédispose pas aux infections et, pour cette raison, une infection urinaire chez un homme, en général dès le premier épisode et certainement lors d'une récidive, doit être considérée comme compliquée, jusqu'à preuve du contraire. Il en va de même chez tous les enfants, qui présentent souvent une anomalie sous-jacente du tractus urinaire.

Finalement, on doit diviser les infections urinaires selon leur tendance à récidiver et selon la chronologie des récidives.

- Les *infections isolées* ou sporadiques : première infection ou infection qui survient au moins 6 mois après un premier épisode.
- Les *infections récidivantes,* dont on distingue deux types :
  - Les *rechutes* Il s'agit d'infections survenant rapidement, habituellement moins de deux semaines après la fin de l'antibiothérapie. Elles peuvent refléter une infection non résolue, souvent avec un tableau clinique qui ne s'est pas amendé complètement, en raison d'une résistance bactérienne ou d'une antibiothérapie inadéquate. Elles peuvent également exprimer une persistance bactérienne en raison d'un foyer infectieux toujours présent dans l'arbre urinaire (abcès, calcul ou corps étranger). On isole alors la même souche bactérienne qu'initialement. Chez l'homme, la majorité des infections récidivantes sont des persistances bactériennes.
  - Les *réinfections* Il s'agit d'infections survenant à distance de l'épisode initial. Le germe est souvent de nature différente ou de sensibilité différente aux antibiotiques. Chez la femme, les réinfections représentent 95 % des infections récidivantes.

Définition de la bactériurie

Comme nous le verrons, le tableau clinique des infections urinaires varie beaucoup selon le segment de l'appareil urinaire qui est atteint. Le dénominateur commun dans la majorité de ces situations cliniques est le lien entre le tableau clinique et la croissance de microorganismes dans les urines. Une culture d'urine positive est habituellement une condition *sine qua non* pour poser un diagnostic d'infection urinaire. Il est donc important d'identifier avec soin le germe présumé responsable du tableau clinique pour confirmer le diagnostic et planifier le traitement. Par ailleurs, il faut être conscient que, dans certains cas, une bactériurie peut être asymptomatique, de découverte fortuite et n'avoir aucun lien avec le tableau clinique, ou représenter une simple contamination lors du prélèvement urinaire.

La culture d'urine constitue donc la méthode diagnostique de référence. Elle impose un délai de 24 à 48 heures, mais elle offre une identification précise du germe et permet un antibiogramme.

Certains critères ont été établis afin de s'assurer que la bactériurie est significative, c'est-à-dire que les germes identifiés sont en nombre suffisamment important pour représenter vraisemblablement une infection urinaire et pouvoir être tenus responsables du tableau clinique.

Normalement, l'urine produite par le rein est stérile et le demeure jusqu'au col vésical ou à l'urètre proximal. L'urètre distal est par contre souvent colonisé par des bactéries, comme *Staphylococcus epidermidis*, proteus et providencia. Une culture d'urine obtenue par ponction vésicale suspubienne devrait normalement être négative et, par voie de conséquence, toute croissance bactérienne considérée comme significative. Cette méthode de prélèvement étant effractive, on obtient plutôt un échantillon, principalement d'origine vésicale, par un prélèvement à mi-jet après toilette du méat urétral. Une croissance de $> 10^8$ colonies bactériennes par litre définit habituellement une *bactériurie significative*. Chez un homme symptomatique, on peut accepter comme critère une croissance de $> 10^6$ colonies bactériennes par litre alors que chez une femme symptomatique, une croissance de $> 10^5$ colonies de coliformes (bacilles Gram négatif) par litre suffit.

Il est à noter que certains autres facteurs peuvent modifier la signification de la numération bactérienne. Un seul germe est habituellement isolé. La présence de trois souches bactériennes ou plus correspond le plus souvent à un résultat faussement positif en raison d'une contamination lors du prélèvement, à l'exception des malades porteurs d'une sonde vésicale à demeure, d'un calcul urinaire infectieux, d'un cancer des voies urinaires ou d'une fistule entre l'intestin ou le vagin et le tractus urinaire. Le résultat peut à l'inverse être faussement négatif en cas de prise d'un antimicrobien avant le prélèvement, si les urines sont très diluées, ou si le segment infecté de l'appareil urinaire est isolé par une obstruction complète. On ne recherche pas les bactéries anaérobies lors d'une culture d'urine courante. Ce ne sont que des contaminants, à moins bien sûr qu'on ne soit en présence d'une fistule entéro-vésicale ou vésico-vaginale, souvent accompagnée dans le premier cas d'une pneumaturie (miction interrompue par le passage de gaz) ou d'un écoulement vaginal citrin ininterrompu dans le second.

Nature des microorganismes impliqués

La flore microbienne responsable des infections urinaires bactériennes varie considérablement selon que l'infection est simple ou
compliquée. Chez la femme et l'adolescente sexuellement actives,
les deux germes les plus fréquemment responsables d'une *infection
urinaire non compliquée* sont *Escherichia coli* et *Staphylococcus saprophyticus*. Ces germes sont responsables respectivement de plus de
80 % et de près de 10 % des épisodes infectieux. *Escherichia coli*
est un bacille Gram négatif de la famille des entérobactéries. *Staphylococcus saprophyticus* est un staphylocoque coagulase-négatif
dont le réservoir naturel est vraisemblablement le rectum et qui,
en culture, prend la forme de colonies de cocci Gram positif. Plus
rarement, un streptocoque du groupe B (*Streptococcus agalactiæ*) ou
d'autres bactéries d'origine digestive, comme *Klebsiella pneumoniæ*,
Proteus mirabilis ou un streptocoque du groupe D (entérocoque)
sont en cause. Chez l'enfant, chez l'homme et chez les personnes âgées des deux sexes, *Escherichia coli* demeure le germe le plus
fréquemment rencontré, *Staphylococcus saprophyticus* n'étant à peu
près jamais retrouvé. Les infections contractées lors d'un séjour en
milieu hospitalier (*infections nosocomiales*) de même que les *infections compliquées* sont causées par une plus grande variété d'organismes. *Escherichia coli* est quand même isolé dans 50 % des cas.
On retrouve par contre plus fréquemment d'autres bacilles Gram
négatif comme proteus, klebsiella, pseudomonas, enterobacter, citrobacter, de même que des cocci Gram positif comme *Staphylococcus aureus* (staphylocoque coagulase-positif), *Staphylococcus epidermidis* (staphylocoque coagulase-négatif) et *Streptococcus fæcalis* (de la
famille des entérocoques). On peut même à l'occasion identifier des
levures (champignons), principalement *Candida albicans*.

Pathogenèse des infections

On connaît trois voies d'infection de l'appareil urinaire : la voie extrinsèque, la voie hématogène (ou descendante) et surtout la voie
ascendante. La voie extrinsèque est peu fréquente et concerne quelques cas de fistules entéro-urinaires. La voie hématogène est également rare et concerne principalement les cas où une bactériémie
non urinaire (sur cathéter veineux central infecté, par exemple) se
complique d'un ensemencement à distance du tractus urinaire. On
explique ainsi certains cas d'abcès rénaux et d'abcès prostatiques.

La voie ascendante est de loin la plus fréquente. Cette voie implique l'introduction d'un germe dans la vessie par voie urétrale. Dès lors que la vessie a été colonisée, le microorganisme peut, selon les circonstances, poursuivre son ascension vers le bassinet et le parenchyme rénal. La survenue d'une infection par voie ascendante dépend en partie de la virulence bactérienne, mais surtout de l'inefficacité des mécanismes de défense de l'hôte.

Facteurs bactériens   Certaines bactéries entériques ont un potentiel d'uropathogénicité intrinsèque qui favorise l'adhérence aux cellules urothéliales et l'envahissement de la paroi. Cependant, à l'exception des femmes d'âge moyen sans anomalie de l'arbre urinaire et chez qui la virulence des germes joue probablement un grand rôle, le principal facteur responsable de l'apparition d'une infection urinaire réside souvent chez l'hôte, dont les mécanismes de défense naturels sont incapables de se débarrasser d'un inoculum bactérien et de maintenir l'urine stérile.

Facteurs de l'hôte   L'organisme possède de nombreux mécanismes de défense contre l'invasion bactérienne. Chez l'homme, la longueur de l'urètre crée un obstacle naturel à l'introduction des germes et, de plus, les sécrétions prostatiques ont une activité bactéricide. Chez la femme, l'introïtus vaginal, par son pH acide et sa flore commensale propre (lactobacillus, corynebacterium, etc.), limite la croissance de souches uropathogènes au pourtour du méat urétral. Si un inoculum bactérien pénètre dans la vessie, l'urine inhibe la croissance bactérienne par son osmolarité élevée, son pH acide et surtout sa concentration élevée d'urée. L'effet dilutionnel de la diurèse et l'évacuation de l'inoculum par la vidange vésicale complète lors de la miction constituent deux autres mécanismes de défense très importants. La paroi vésicale elle-même combat l'infection par plusieurs mécanismes qui limitent l'adhérence des bactéries. Une jonction urétéro-vésicale compétente, par ses propriétés antireflux, empêche l'urine de remonter de la vessie vers le rein au moment de la miction et contribue donc à prévenir l'ascension de l'infection de même que la stagnation urinaire.

À l'inverse, plusieurs facteurs de risque qui contrecarrent les mécanismes naturels de défense ont été identifiés. On sait que la femme d'âge moyen présente un risque d'infection urinaire 30 fois supérieur à celui des hommes du même âge. Il a également été démontré chez la femme que l'activité sexuelle s'accompagne d'une augmentation de l'incidence des infections. Chez la femme, dont l'urètre est relativement court et dont l'introïtus vaginal peut être colonisé par une flore d'origine anale ou cutanée, les relations sexuelles favorisent la migration de bactéries vers la vessie, particulièrement si l'activité sexuelle a été intense; la cystite dite « de la lune de miel » en constitue un exemple éloquent. De plus, toute perturbation de la flore bactérienne vaginale, comme chez la femme ménopausée et carencée en œstrogènes, favorise la colonisation du méat urétral par des bactéries uropathogènes. Chez l'homme, une relation sexuelle anale peut faciliter une contamination vésicale par des germes entériques; une relation sexuelle avec une partenaire dont l'introïtus vaginal est colonisé par des uropathogènes constitue également un facteur de risque. Tant chez l'homme que chez la femme, des mictions retenues favoriseront la prolifération bactérienne intravésicale, de même que la présence de sucre dans l'urine (glycosurie) chez le diabétique. Toute malformation ou anomalie fonctionnelle de l'appareil urinaire prédispose aux infections urinaires, particulièrement en cas de stase urinaire ou de résidu vésical. On retiendra les valves de l'urètre postérieur chez le nouveau-né, le reflux vésico-urétéral chez les enfants, les vessies neurogènes congénitales (*spina bifida*) ou acquises (traumatisme médullaire, sclérose en plaques, neuropathie diabétique autonome) de même que les uropathies obstructives (calculs, hypertrophie bénigne de la prostate), chez les adultes. L'instrumentation urétro-vésicale, soit pour cathétérismes itératifs ou manipulations endoscopiques, représente aussi une cause fréquente d'infections urinaires iatrogènes. Finalement, on doit mentionner que le port d'une sonde vésicale à demeure est toujours associé à une bactériurie qu'il ne faudra traiter que dans de rares exceptions.

Diagnostic

Bien qu'une infection urinaire soit habituellement confirmée par une culture d'urine positive, le diagnostic clinique repose initialement sur la présentation clinique (*voir plus loin*) et la présence d'anomalies urinaires associées. Le traitement est d'ailleurs très souvent amorcé avant que le résultat de la culture d'urine ne soit disponible. Une infection de l'appareil urinaire devrait se refléter par la présence de leucocytes dans les urines, témoins d'un processus inflammatoire.

De plus, une bactériurie importante modifie souvent la composition chimique de l'urine. L'analyse d'urine constitue donc un outil diagnostique très précieux. Au cabinet, elle se limite souvent à une analyse chimique au moyen d'une bandelette réactive ; en milieu hospitalier, elle est complétée d'un examen microscopique dès qu'il y a une anomalie détectée à la bandelette.

Une bactériurie peut ainsi être indirectement diagnostiquée par une réaction positive pour les nitrites sur une bandelette réactive. Les entérobactéries et *Pseudomonas æruginosa* réduisent en effet les nitrates présents dans l'urine en nitrites. Ce test est relativement spécifique mais peu sensible, surtout en ce qui a trait aux infections à staphylocoque. Il donne donc fréquemment des résultats faussement négatifs. L'observation au microscope de nombreuses bactéries dans un échantillon d'urine suggère également une infection mais peut également représenter une simple contamination lors du prélèvement, surtout si l'échantillon a tardé à être acheminé au laboratoire.

La présence de globules blancs (*leucocyturie*) ou d'amas de globules blancs (*pyurie*) peut aussi être détectée indirectement ou directement et corroborer un diagnostic présomptif d'infection urinaire. Une leucocyturie peut très facilement et rapidement être prouvée par la simple utilisation d'une bandelette réactive qui détecte la présence d'estérase leucocytaire, une enzyme habituellement retrouvée dans les neutrophiles. Ce test est relativement sensible et spécifique pour la présence de leucocytes dans l'urine mais une positivité peut aussi ne refléter qu'une contamination vaginale lors du prélèvement. La numération microscopique des leucocytes à l'analyse d'urine, en l'absence de cellules pavimenteuses d'origine vaginale, est plus fiable. Un nombre supérieur à 5 leucocytes par champ (à fort grossissement) est évocateur d'une infection urinaire, mais il est habituel d'en trouver 10 ou plus par champ. On peut donc facilement détecter une leucocyturie, mais sa valeur prédictive pour une infection urinaire demeure relativement faible, car cet élément diagnostique est très sensible mais peu spécifique, surtout chez la femme. La leucocyturie demeure cependant un élément diagnostique très important, car son absence, en présence de symptômes urinaires, remet en question l'hypothèse d'une infection urinaire.

L'analyse d'urine peut également révéler d'autres anomalies importantes. Une hématurie est souvent détectée par la bandelette ou observée à la microscopie ; elle reflète une inflammation vésicale et ajoute du poids au diagnostic, en dehors d'un épisode menstruel. La présence de cylindres leucocytaires signe une atteinte rénale parenchymateuse. Enfin, la découverte de levures peut, enfin, orienter vers une infection opportuniste.

Infections de l'appareil urinaire inférieur

Cystite

La *cystite* est une inflammation, habituellement superficielle, de la muqueuse vésicale, généralement d'origine bactérienne. En pratique courante, elle correspond aux symptômes cliniques irritatifs d'une infection limitée à la vessie. C'est l'infection la plus fréquente de l'appareil urinaire et elle survient surtout chez la femme. Environ le tiers des femmes présentent au moins un épisode de cystite après la puberté et plus de 25 % d'entre elles auront au moins une récidive. Le tableau classique comprend brûlures mictionnelles, pollakiurie, nycturie, urgenturie, voire incontinence urinaire et urines malodorantes. À l'examen, il n'y a pas de fièvre et on note, dans environ 10 % des cas, une sensibilité suspubienne. Le diagnostic d'une infection limitée à l'appareil urinaire inférieur en est un de présomption, puisque des études détaillées de localisation ont permis de démontrer une atteinte concomitante, mais silencieuse, du rein dans plusieurs cas. Le tableau clinique peut être trompeur, particulièrement chez la femme, puisque 20 à 30 % de celles qui présentent les symptômes d'une cystite auront une culture négative. Les vaginites (*Candida albicans, Gardenerella vaginalis* et *Trichomonas vaginalis*) et les urétrites aiguës transmises sexuellement (virus herpétique, *Neisseria gonorrϫæ* et *Chlamydia trachomatis*) constituent les deux principaux diagnostics différentiels. On doit également distinguer la cystite aiguë bactérienne de la cystite virale, fongique, voire parasitaire, de la cystite radique (radiothérapie pour des cancers pelviens), médicamenteuse (cyclophosphamide) ou chronique (non infectieuse mais d'étiologie controversée), de même que les atteintes vésicales par des tumeurs ou calculs. En plus de l'anamnèse, le recours à certains tests complémentaires, comme des cultures appropriées ou une cystoscopie, s'avère souvent nécessaire pour les distinguer.

Chez une femme de moins de 55 ans, par ailleurs en bonne santé, non ménopausée ni enceinte, ayant un tableau clinique évocateur d'une cystite simple, surtout si elle a présenté plus d'un an auparavant un épisode à germe courant qui a bien répondu au traitement, on est en droit d'omettre tout test complémentaire et de traiter empiriquement. Sinon, une recherche de leucocyturie d'hématurie et de bactériurie à l'aide d'une bandelette réactive en cabinet médical, ou d'une analyse d'urine en milieu hospitalier, est indiquée pour étayer le diagnostic avant de traiter. Une culture d'urine n'est pas toujours nécessaire, surtout chez une femme présentant des infections récidivantes bien documentées.

Cependant, une culture d'urine doit être obtenue impérativement dans les circonstances suivantes : toujours chez un enfant, toujours chez un homme ; chez une femme dans certains cas (âge supérieur à 65 ans, présentation atypique, délai à consulter de plus de 7 jours, grossesse, diabète ou immunosuppression, infection acquise en milieu hospitalier ou instrumentation récente, antibiothérapie récente, anomalie connue ou suspectée des voies urinaires). Toutes ces situations constituent des facteurs de risque d'infection haute ou compliquée.

Des infections récidivantes chez la femme peuvent justifier une exploration complémentaire, particulièrement en présence de germes inhabituels, de récidives fréquentes ou persistantes malgré une antibioprophylaxie. Les examens demandés sont habituellement une cystoscopie et une échographie abdominale avec évaluation du résidu postmictionnel. Selon le cas, une cystographie mictionnelle ou une évaluation urodynamique s'ajouteront.

Chez le jeune homme par ailleurs en bonne santé, une première infection ne nécessite pas nécessairement une exploration. Cependant, une deuxième infection chez un homme justifie également une échographie et souvent une cystoscopie pour éliminer une cause urétrale, prostatique ou vésicale.

Dans tous les cas, une hématurie macroscopique en l'absence de symptômes irritatifs ou qui récidive après antibiothérapie, ou encore une hématurie microscopique persistante, justifie une cystoscopie, des contrôles de cytologies urinaires et une imagerie de l'appareil urinaire supérieur afin d'exclure une lésion néoplasique sous-jacente.

Prostatite

Le terme « prostatite » désigne toute inflammation du tissu prostatique. On distingue la prostatite bactérienne aiguë (et l'abcès prostatique, qui peut en être une complication), la prostatite bactérienne chronique, la prostatite non bactérienne et la prostatodynie. La prostatite bactérienne et l'abcès prostatique sont les seules affections dans lesquelles l'inflammation est causée par une infection. Les germes responsables de la prostatite sont en général les mêmes que ceux associés aux infections urinaires, soit *Escherichia coli*, proteus, klebsiella et d'autres germes à coloration de Gram négative.

La *prostatite bactérienne aiguë* se manifeste par des symptômes d'infection urinaire basse associant pollakiurie, brûlures mictionnelles et dysurie, pouvant parfois aboutir à la rétention urinaire complète. Par opposition à la cystite bactérienne simple, les symptômes urinaires sont d'apparition soudaine et s'accompagnent souvent d'un syndrome d'allure grippale comportant de la fièvre, des frissons, des myalgies, et d'une douleur pelvienne ou périnéale. À l'examen, la prostate est gonflée et très douloureuse. Le diagnostic repose sur la présentation clinique particulière, associée à la présence de bactéries dans l'urine.

La *prostatite bactérienne chronique* est moins fréquente et son tableau plus insidieux. Elle peut faire suite à un épisode unique de prostatite aiguë ou se manifester par épisodes répétés. Elle se caractérise par la persistance d'uropathogènes dans les sécrétions prostatiques. On peut établir cette persistance bactérienne par la culture d'un écoulement urétral obtenu par un massage de la prostate effectué en dehors d'un épisode d'exacerbation. La prostatite bactérienne chronique est une cause fréquente d'infections urinaires récidivantes chez l'homme.

Le traitement de ces affections repose sur l'administration relativement prolongée d'un antibiotique approprié, en général durant quatre semaines. Dans certains cas, un retard à traiter ou un traitement inadéquat amène la formation d'un *abcès prostatique* qu'il faut drainer chirurgicalement, le plus souvent par voie transurétrale.

Épididymite aiguë

L'*épididymite aiguë* représente une inflammation aiguë de l'épididyme, un conduit dont les circonvolutions coiffent le testicule et qui est relié à l'urètre prostatique par le canal déférent. L'épididymite peut être associée à une infection transmise sexuellement (ITS) à gonocoque ou chlamydia, ou s'inscrire dans le cadre d'une infection urinaire. L'histoire clinique renseigne habituellement sur l'étiologie, l'âge étant un élément important à considérer. Les patients de moins de 35 ans sont plus susceptibles d'être atteints d'une ITS alors que les patients plus âgés ont plus souvent une infection urinaire, surtout s'ils présentent des symptômes vésicaux associés ou ont subi récemment des interventions urologiques. L'examen clinique est un élément important ; on doit prendre soin de bien palper la zone inflammatoire et de noter tout écoulement urétral. L'épididyme, et souvent le testicule (*orchiépididymite*), sont gonflés et douloureux. L'analyse et la culture des urines servent à confirmer le diagnostic d'infection urinaire alors que la recherche de *Chlamydia trachomatis* et de *Neisseria gonorrhœæ* par prélèvement urétral permet de confirmer ou d'infirmer une ITS. Le traitement antibactérien dépend du germe en cause. Une épididymite à point de départ urinaire requiert une enquête étiologique au niveau de l'appareil urinaire inférieur.

Infections de l'appareil urinaire supérieur

Pyélonéphrite aiguë

Pour l'anatomopathologiste, la pyélonéphrite aiguë représente une infiltration neutrophilique du bassinet, des calices, des capillaires péritubulaires et de l'interstice rénal avec, parfois, des microabcès péritubulaires. Pour le clinicien, ce diagnostic regroupe souvent l'ensemble des présentations cliniques d'une infection haute ou rénoparenchymateuse.

La *pyélonéphrite aiguë classique* se présente par un tableau de fièvre, de frissons, d'atteinte de l'état général et de douleur costo-lombaire ou au flanc. À l'examen, la palpation ou la percussion (*punch*) de l'angle costovertébral est très douloureuse, de même que la palpation antérieure bimanuelle de la loge rénale. Dans 50 % des cas, ce tableau est précédé de symptômes d'une infection urinaire basse, avant l'installation progressive des symptômes caractéristiques d'une atteinte de l'étage supérieur. Des symptômes digestifs (nausées, vomissements, douleurs abdominales plus diffuses et modifications des selles) complètent souvent le tableau clinique et reflèent un iléus paralytique. Ce tableau clinique doit être différencié de la colique néphrétique, reflet d'une obstruction urétérale, dans laquelle l'apparition de la douleur est subite et ne s'accompagne pas de fièvre. Les deux affections peuvent cependant survenir simultanément puisqu'une pyélonéphrite aiguë peut être secondaire à une uropathie obstructive (*voir la pyonéphrose plus loin*). La pyélonéphrite aiguë peut s'accompagner d'une bactériémie, surtout chez la personne âgée (60 % des cas). Cette bactériémie peut à son tour évoluer vers un choc septique (tachycardie/hypotension/hypoperfusion multisystémique) si l'infection n'est pas maîtrisée. Dans tous les cas, une culture d'urine doit être obtenue. Dans la majorité des cas, *Escherichia coli* est le germe responsable. On doit toujours procéder à des hémocultures lorsqu'une bactériémie est soupçonnée. Chez la femme, il n'est pas nécessaire de procéder immédiatement à une imagerie de l'appareil urinaire si la pyélonéphrite paraît non compliquée. Toutefois, un examen par imagerie, le plus souvent une échographie, devrait être obtenu dans les circonstances suivantes : toujours chez les enfants, toujours chez les hommes ; chez une femme enceinte, ou encore chez une femme ayant tardé à consulter (> 7 jours), vulnérable (personne âgée, diabète, immunodéficience), ayant des antécédents de lithiase urinaire, ne réagissant pas au traitement après 48 heures, ou cliniquement bactériémique ou septique.

Lorsqu'on soupçonne un obstacle sur le trajet des voies urinaires, par exemple quand une colique néphrétique typique a précédé l'apparition de la fièvre, on procède d'emblée à une échographie abdominale. La présence d'une ectasie (dilatation) pyélique ou urétérale (*hydronéphrose*) suggère un obstacle en aval et commande une tomodensitométrie abdomino-pelvienne pour en préciser la nature.

Le traitement de la pyélonéphrite aiguë est avant tout antibactérien et l'évolution est habituellement favorable.

La pyélonéphrite aiguë peut cependant se compliquer d'une atteinte plus grave, phlegmoneuse, d'un lobe rénal (calice, papille, pyramide et cortex sus-jacent). On parle alors de «*néphronie lobaire*». Parfois, plus d'un lobe est atteint, particulièrement chez les patients diabétiques, vulnérables ou ayant tardé à consulter. Ces malades sont souvent plus souffrants, fréquemment bactériémiques, et leur tableau clinique s'améliore plus lentement. L'imagerie révèle une zone hypofonctionnelle, donne souvent un aspect pseudotumoral et évoque à l'occasion un abcès (*voir plus loin*). Le traitement intraveineux est alors prolongé.

La pyélonéphrite aiguë peut également se présenter de façon atypique. Elle peut d'abord être *subclinique*, ce qui explique souvent les échecs thérapeutiques lors d'un traitement de courte durée d'une infection urinaire à symptomatologie basse (cystite). Elle peut ne se manifester que par de la fièvre chez un sujet qui présente par ailleurs un tableau typique de cystite bactérienne. Elle peut finalement se manifester d'emblée par un tableau septique, sans signe d'appel, notamment sans sensibilité à la palpation des loges rénales ni, chez l'homme, de la prostate. Une telle *septicémie d'origine urinaire* (*urosepsis*) se rencontre plus fréquemment chez des personnes âgées, des patients institutionnalisés porteurs de sonde vésicale à demeure, des hommes ayant subi récemment des interventions urologiques et des sujets atteints d'une uropathie obstructive méconnue. On doit toujours considérer ce diagnostic chez une personne âgée présentant un état confusionnel *de novo* accompagné d'un tableau fébrile.

La pyélonéphrite aiguë guérit habituellement sans séquelles. Une néphronie lobaire peut laisser une cicatrice corticale focale, habituellement sans conséquence. Des pyélonéphrites aiguës répétées et associées à un reflux vésico-urétéral ou à toute uropathie obstructive peuvent cependant jouer un rôle dans l'apparition d'une pyélonéphrite chronique et d'une insuffisance rénale chronique, éventuellement terminale. La *pyélonéphrite chronique* est une entité clinique et radiologique qui associe un dysfonctionnement rénal à des déformations pyélocalicielles asymétriques, donnant aux calices atteints un aspect en massue. Cette entité n'est habituellement pas le reflet d'une infection chronique ou d'infections répétées, mais plutôt de cicatrices rénales et d'anomalies sousjacentes de l'appareil urinaire.

Le sujet diabétique peut présenter deux complications particulières, la nécrose papillaire et la pyélonéphrite emphysémateuse. La *nécrose papillaire* est une nécrose ischémique à l'emporte-pièce d'une ou de plusieurs pyramides. Des débris macroscopiques expulsés dans les voies urinaires peuvent être la cause d'un tableau de colique néphrétique. La nécrose papillaire laisse des séquelles rénales sous la forme d'une pyélonéphrite chronique plus au moins étendue. La *pyélonéphrite emphysémateuse* est une infection grave, nécrosante, caractérisée à l'imagerie par la présence de gaz à localisation rénale ou périrénale. La formation de gaz reflète une prolifération bactérienne intraparenchymateuse intense. Cette complication se solde souvent par une néphrectomie d'urgence quand elle n'entraîne pas rapidement le décès.

Pyonéphrose

Toute obstruction des voies urinaires amène une accumulation d'urine et une ectasie des voies urinaires en amont de l'obstacle. Cette situation clinique et radiologique définit l'hydronéphrose obstructive. La *pyonéphrose* est une infection urinaire de l'appareil supérieur en présence d'une obstruction. Il s'agit alors d'une véritable collection purulente qui se comporte comme un abcès. En raison de l'obstruction, l'infection rénale est beaucoup plus grave et peut entraîner une destruction suppurative du parenchyme rénal et un état septique persistant, résistant aux antibiotiques, même intraveineux, ceux-ci ne pouvant atteindre les cavités rénales. Ces malades sont très atteints cliniquement. Une levée de l'obstacle ou une dérivation des urines par cathétérisme urétéral rétrograde ou par néphrostomie percutanée est donc essentielle au traitement. La présomption clinique de cette affection est très importante, surtout chez les patients ayant des antécédents de lithiase ou de chirurgie de l'appareil urinaire. Une imagerie simple comme une échographie permet de poser rapidement le diagnostic et d'amorcer la démarche thérapeutique.

Abcès rénal

L'*abcès rénal* est une collection purulente dans le parenchyme rénal, bien circonscrite et encapsulée contrairement à la néphronie lobaire, dont elle peut être un stade évolué. La voie d'infection peut être hématogène ou ascendante. Les infections hématogènes donnent lieu à des abcès corticaux par ensemencement rénal d'un inoculum bactérien provenant d'un foyer situé à distance de l'appareil urinaire (endocardite bactérienne, septicémie sur cathéter veineux central infecté). *Staphylococcus aureus* est le germe le plus fréquemment en cause. Ce type d'abcès survient le plus souvent chez des sujets immunodéprimés, chez des porteurs de cathéters veineux centraux, chez des sujets hémodialysés et chez des utilisateurs de drogues par voie intraveineuse. Il peut n'être apparent que plusieurs semaines après l'épisode bactériémique. Les abcès rénaux survenant à la suite d'une infection ascendante sont habituellement cortico-médullaires, à bacilles Gram négatif, et ils représentent des pyélonéphrites aiguës compliquées de néphronie lobaire ayant évolué vers une nécrose tissulaire focale et une liquéfaction purulente. Les symptômes cliniques des abcès rénaux sont insidieux, ce qui explique les délais diagnostiques. Le tableau clinique est souvent celui d'une vague douleur au flanc et d'une fièvre d'origine indéterminée. Les cultures d'urine sont parfois négatives s'il n'y a pas de communication entre la néocavité et le tractus urinaire.

Dans certains cas, l'abcès rénal se rompt et la collection purulente s'étend jusque dans l'espace graisseux périrénal ou pararénal (*abcès périrénal* ou *pararénal*), selon qu'elle est confinée ou non à l'intérieur du *fascia de Gerota*. Le germe en cause est isolé par culture d'urine (60 % des cas) ou par hémoculture (30 % des cas).

Le contenu liquidien d'un kyste rénal, chez un patient atteint d'une polykystose rénale par exemple ou, de façon exceptionnelle, d'un kyste simple, peut parfois s'infecter à l'occasion d'une infection urinaire ascendante. Le *kyste rénal infecté* prend toutes les caractéristiques d'un abcès.

Ces infections sont très sérieuses, et leur traitement consiste à administrer des antibiotiques et à leur associer souvent un drainage, percutané sous guidage radiologique ou chirurgical.

Bactériurie asymptomatique

La *bactériurie asymptomatique* est une découverte relativement fréquente, parfois fortuite, à l'occasion d'une analyse d'urine anormale, par exemple. Elle peut aussi constituer le mode de présentation d'une récidive chez un sujet suivi par des cultures répétées pour un problème d'infections urinaires. On recommande habituellement deux cultures d'urine positives avant de porter un tel diagnostic.

La prévalence de la bactériurie asymptomatique est plus élevée chez la femme que chez l'homme, sauf durant la première année de vie (0,9 *vs* 2,5 %). Chez la femme adulte jusqu'à 65 ans, la prévalence est stable à environ 5 %, même durant la grossesse. La bactériurie est cependant trois fois plus fréquente chez les femmes diabétiques.

Chez l'homme, la bactériurie est rarissime de 1 an jusqu'au troisième âge, où elle réapparaît en même temps que les problèmes prostatiques.

Au troisième âge, la fréquence de la bactériurie est proportionnelle au degré de perte d'autonomie. La perte d'autonomie à la suite d'un accident vasculaire cérébral, ou dans le cadre d'un syndrome cérébral organique, s'accompagne en effet souvent d'incontinence fécale, de vidange vésicale incomplète et de cathétérismes vésicaux, toutes circonstances qui favorisent une colonisation vésicale. Chez les sujets de plus de 65 ans, la bactériurie est présente chez 10 % des hommes et 20 % des femmes ; elle touche 20 % des hommes et 50 % des femmes de plus de 80 ans.

La bactériurie asymptomatique mérite une exploration lorsque découverte durant l'enfance ou chez un homme. Un germe inhabituel commande également une exploration chez la femme. Le traitement de la bactériurie asymptomatique est habituellement inutile chez l'adulte, qu'il soit en bonne santé ou âgé, qu'il soit diabétique ou immunosupprimé, ou encore porteur d'une sonde à demeure ou affligé d'une vessie neurogène. Par ailleurs, certaines situations justifient une antibiothérapie : enfant ou jeune homme, grossesse, reflux vésico-urétéral connu, et avant toute instrumentation urologique.

Infections urinaires de l'enfance

Les signes et les symptômes évocateurs d'une infection urinaire ne sont pas toujours évidents chez l'enfant. L'absence de symptôme d'appel chez un nouveau-né ou un jeune enfant oblige le praticien à une plus grande vigilance. Chez tout jeune enfant, la fièvre, les vomissements, la diarrhée, l'irritabilité, la léthargie et des urines malodorantes sont autant de modes de présentation. Une culture d'urine doit toujours être obtenue chez un nourrisson fébrile, car plus de 2 à 16 % d'entre eux présentent une bactériurie. L'enfant d'âge préscolaire peut également se plaindre de douleurs abdominales et présenter des urines troubles ou des changements de ses habitudes mictionnelles. L'enfant d'âge scolaire se plaint de façon beaucoup plus explicite de symptômes vésicaux irritatifs. De l'énurésie (incontinence nocturne), voire des incontinences diurnes peuvent attirer l'attention des parents ou du médecin. À l'adolescence, la symptomatologie s'apparente à celle de l'adulte.

À l'examen du nouveau-né ou du nourrisson, on porte une attention particulière à l'abdomen, à la recherche d'un rein hydronéphrotique ou d'un globe vésical, ainsi qu'aux organes génitaux externes, à la recherche d'anomalies de développement (cryptorchidie, hypospadias) associées à des malformations internes de l'appareil urinaire.

Obtenir un échantillon d'urine pour procéder à une culture d'urine n'est pas toujours facile chez un enfant en bas âge. On peut recueillir l'urine d'un jeune enfant non continent à l'aide d'un sac enveloppant les organes génitaux, mais les contaminations sont fréquentes et seul un résultat négatif a valeur de certitude. Le mijet est privilégié chez l'enfant continent ou de plus de 2 ans. Un cathétérisme vésical n'est pas sans problème à cet âge, mais reste le premier choix chez les enfants de plus de 6 mois incontinents. La ponction suspubienne est la méthode de référence pour obtenir un échantillon de qualité et tirer des conclusions solides pour les enfants de moins de 6 mois. Toute croissance bactérienne est alors significative.

Un diagnostic d'infection urinaire avec ou sans fièvre constitue une indication formelle de procéder à une imagerie du tractus urinaire chez toutes les filles de moins de 2 ans, chez celles ayant des antécédents d'infections récidivantes et chez tous les garçons. On recherche des anomalies anatomiques à tous les niveaux de l'appareil urinaire (sténose de la jonction pyélo-urétérale, reflux vésico-urétéral, urétérocèle, valve postérieure) ou leurs séquelles rénales (hydronéphrose, pyélonéphrite chronique). On procède habituellement à une échographie abdominale. La cystographie mictionnelle est faite chez presque tous les enfants de moins de 4 ans, chez le jeune garçon de plus de 4 ans avec anomalie du jet urinaire ou incontinence diurne, chez le jeune enfant dont les antécédents sont impossibles à obtenir ou si l'échographie montre des signes évocateurs d'une obstruction ou d'un reflux. Le reflux vésico-urétéral, qui reflète une imcompétence de la jonction urétéro-vésicale, est une anomalie fonctionnelle relativement fréquente. Le reflux, unilatéral ou bilatéral, peut causer une ectasie urétérale (hydronéphrose) et des déformations pyélo-calicielles (pyélonéphrite chronique) et entretient une stase urinaire favorisant l'infection. La majorité des lésions rénales surviennent durant les 3 à 5 premières années de vie. Cependant, la correction chirurgicale d'un reflux vésico-urétéral est rarement entreprise avant l'âge de 5 ans, compte tenu d'une résolution spontanée durant cette période dans une grande majorité des cas.

Infections urinaires et grossesse

La femme enceinte exige une attention particulière quant au diagnostic et au traitement de la bactériurie asymptomatique et des infections urinaires. Les changements hormonaux et mécaniques de la grossesse entraînent une dilatation du système collecteur et une augmentation de la capacité vésicale. Dès la septième semaine, on peut observer une ectasie pyélo-urétérale qui s'accentue au fil du temps (*hydronéphrose physiologique de la grossesse*). En fin de grossesse, un uretère peut contenir jusqu'à 200 mL d'urine et la vessie, sans inconfort, près de deux fois son volume d'urine habituel. Le péristaltisme urétéral et le tonus vésical sont réduits. Il y a donc un élément de stase urinaire.

Bien qu'une bactériurie asymptomatique ne soit pas plus fréquente chez la femme gravide, les modifications physiologiques de la grossesse ont des répercussions importantes sur l'évolution de cette bactériurie. En effet, il est établi que les femmes enceintes et bactériuriques ont une incidence plus élevée de pyélonéphrite aiguë (25 à 40 %) que les femmes non enceintes et bactériuriques. Ces infections hautes surviennent surtout au troisième trimestre. De plus, la pyélonéphrite aiguë est associée à un risque accru de prématurité, de faible poids à la naissance et de mortalité périnatale. Un dépistage de la bactériurie est donc recommandé chez les femmes enceintes et toute infection urinaire justifie un traitement. Une culture est habituellement obtenue au début de la grossesse et répétée à la fin du deuxième trimestre chez celles qui présentent des antécédents d'infection urinaire.

Bactériurie associée aux cathéters urinaires

La vidange vésicale à l'aide d'un cathéter posé par voie urétrale crée une communication directe entre l'appareil urinaire normalement stérile et le milieu extérieur. On évalue entre 1 et 3 % le risque de contaminer la vessie par un simple cathétérisme vésical, même s'il est réalisé de façon présumément stérile. Le risque augmente évidemment lorsque le cathétérisme est effectué dans des conditions difficiles ou à répétition. Lorsqu'une sonde vésicale est laissée en place, on évalue le risque quotidien de coloniser la vessie à 5 % chez l'homme et à 10 % chez la femme. Ce risque étant cumulatif, au bout de 10 à 20 jours, la bactériurie devient inévitable. Des bactéries peuvent également coloniser l'urine par un tube de néphrostomie mis en place pour décomprimer une hydronéphrose obstructive. Ainsi, les bactériuries associées aux cathéters urinaires sont-elles responsables de près de 40 % des infections acquises à l'hôpital. De 2 à 4 % des bactériuries associées aux cathéters urinaires se compliquent d'une bactériémie à bacille Gram négatif, une infection particulièrement grave. La sonde vésicale à demeure constitue le principal facteur de risque évitable des septicémies nosocomiales.

Les germes isolés sont ceux rencontrés dans les infections urinaires compliquées. On trouve fréquemment des bactéries résistantes à plusieurs antibiotiques, *Staphylococcus epidermidis* et des flores polymicrobiennes. Ces infections peuvent également être à levures (candida).

Certaines recommandations ont été émises pour prévenir ce type d'infection :

- n'installer une sonde qu'en cas de nécessité et la retirer dès que possible ;
- installer la sonde vésicale dans des conditions strictes d'asepsie ;
- utiliser un système de drainage fermé et le suspendre sous le niveau de la vessie ;
- vider le sac de drainage régulièrement.

Infections mycobactériennes et non bactériennes

Une infection urinaire peut parfois être causée par des pathogènes inhabituels qu'il faut garder à l'esprit dans des situations cliniques particulières. Ces microorganismes causent de véritables infections, parfois très graves, même si la culture d'urine courante est négative. L'analyse d'urine, cependant, est toujours perturbée (leucocyturie), ce qui reflète une atteinte inflammatoire des voies urinaires. Les microorganismes en cause seront identifiés par des cultures spécifiques et d'autres méthodes diagnostiques.

Mycobactéries   La *tuberculose des voies urinaires* doit être envisagée chez un patient ayant des antécédents de tuberculose ou de contact tuberculeux et certainement chez un patient qui présente une tuberculose active à un autre niveau. Elle atteint l'appareil urinaire par voie hématogène et à tous les niveaux. Le germe habituellement en cause est *Mycobacterium tuberculosis*. La période de latence entre la primo-infection et l'atteinte des voies urinaires est souvent longue et en moyenne de plus de 20 ans. Près de 40 % des sujets auront une atteinte pulmonaire concomitante. Typiquement, la tuberculose des voies urinaires se manifeste par une hématurie microscopique et une *leucocyturie stérile*, c'est-à-dire une leucocyturie avec une culture courante des urines négative. La radiographie pulmonaire révèle souvent des stigmates de tuberculose alors que l'imagerie urinaire montre des calcifications rénales, souvent typiques, et des sténoses urétérales multi-étagées. Les patients atteints du VIH présentent parfois une tuberculose d'emblée miliaire ou disséminée. Dans cette population immunodéprimée, le germe peut être une mycobactérie atypique, particulièrement *Mycobacterium avium intracellulare*. La bacillurie étant souvent peu marquée, la coloration spécifique des urines (coloration de Ziehl-Neelsen) est habituellement négative. Le diagnostic se fait au moyen de trois cultures d'urine matinale sur milieux appropriés. On doit préciser sur la demande d'examen qu'on recherche une mycobactérie, car ces bacilles poussent lentement et exigent des milieux de culture spécifiques.

Virus Des recherches microbiologiques spéciales peuvent mettre en évidence la présence de virus dans l'urine. La virurie ne reflète souvent qu'une virémie face à laquelle les reins ne jouent qu'un rôle de filtre passif (oreillons, rougeole, infections à adénovirus ou cytomégalovirus). Dans de rares circonstances, la virurie reflète cependant une atteinte organique de l'appareil urinaire. Des adénovirus de type 11 et 21 peuvent causer des cystites hémorragiques chez des enfants d'âge scolaire. Ces enfants ont une culture bactérienne négative et leur évolution est bénigne. Après une greffe d'organe, une infection à cytomégalovirus peut causer une atteinte organique des reins et de la vessie.

Champignons Des levures sont souvent décrites à l'analyse d'urine chez la femme et représentent habituellement une contamination vaginale lors du prélèvement. Dans certaines circonstances, cependant, cette découverte représente une infection réelle des voies urinaires. Les deux principaux organismes pathogènes sont *Candida albicans* et plus rarement *Candida tropicalis*. Les candida sont des commensaux naturels du tube digestif, de la peau et de l'appareil génital chez la femme. Les facteurs de risque associés à ce type d'infection sont les suivants:

- cathéters urinaires laissés en place de façon prolongée ;
- cathéters veineux centraux et antibiothérapie à large spectre ;
- diabète, corticothérapie, immunodéficience ;
- vaginite à candida.

La *cystite à candida* se fait habituellement par voie hématogène à l'occasion d'une candidémie. Une candidémie peut survenir à la suite de la contamination d'un cathéter veineux central chez un malade sous antibiothérapie à large spectre, ou être d'origine digestive chez un malade neutropénique. Le patient est fébrile, mais la *candidose rénale* reste par ailleurs souvent silencieuse sur le plan clinique. Un bilan métabolique peut cependant révéler une atteinte fonctionnelle du rein. L'atteinte rénale naît habituellement par voie ascendante. Elle survient de façon caractéristique à la suite d'une antibiothérapie à large spectre chez un patient, souvent diabétique ou immunosupprimé, porteur d'une sonde vésicale à demeure.

La description de levures à l'examen microscopique des urines doit évoquer ces hypothèses diagnostiques. Le diagnostic de candidurie sera confirmé par la culture des urines, en prenant soin de mentionner que l'on recherche des levures, car leur croissance en milieu de culture est un peu plus lente que celle des bactéries ; les milieux de culture doivent donc être observés plus longtemps que pour une recherche purement bactérienne, sinon la candidurie passe inaperçue. Les hémocultures, par ailleurs, ne sont positives que dans 50 % des candidoses rénales.

Parasites En médecine tropicale, la vessie et les uretères peuvent être atteints par un parasite, *Schistosoma hæmatobium*. La *bilharziose* ou *schistosomiase* urinaire est causée par une réaction granulomateuse aux œufs déposés dans la paroi urétérale et vésicale. Les schistosomiases sont endémiques en Égypte, en Afrique et au Proche-Orient. Cette possibilité diagnostique doit être envisagée chez un sujet ayant séjourné dans ces régions et chez qui une atteinte inflammatoire touchant ces segments de l'appareil urinaire s'associe à des cultures bactérienne et mycobactérienne négatives.

LECTURES SUGGÉRÉES

Foxman, B. «The epidemiology of urinary tract infection», *Nature Reviews/Urology,* 7 : 653-660, Macmillan Publishers, 2010.

Nielubowicz, G. R. et Mobley, H.L.T. «Host-pathogen interactions in urinary tract infection», *Nat Rev Urol,* 7 : 430-441, Macmillan Publishers, 2010.

Litza, J.L. et Brill, J.R. «Urinary Tract Infections», *Prim Care Clin Office Pract,* 37 : 491-507, Elsevier Inc, 2010.

Dielubanza, E.J. et Schæffer, A.J. «Urinary Tract Infections in Women», *Med Clin N Am,* 95 : 27-41, Elsevier Inc, 2011.

Raynor, M.C. et Carson, C.C. «Urinary Infections in Men», *Med Clin N Am,* 95 : 43-54, Elsevier Inc, 2011.

Nocolle, L.E. «Urinary Tract Infections in the Elderly», *Clin Geriatr Med,* 25 : 423-436, Elsevier Inc, 2009.

Campbell-Walsh, *Urology,* 9e édition, Elsevier Inc. 2007.

Chapitre 17

Tumeurs urologiques

Fred Saad, Jean-Baptiste Lattouf, Mathieu Latour et
Luc Valiquette

Introduction

Les tumeurs urologiques sont très fréquentes. L'hypertrophie prostatique est la tumeur bénigne la plus fréquente chez l'homme alors que les cancers urologiques représentent plus du tiers des cancers diagnostiqués chez les hommes et une proportion importante des cancers chez les femmes. Dans ce chapitre, nous traiterons de l'hypertrophie prostatique et des principaux cancers urologiques.

Prostate

Hypertrophie bénigne de la prostate

L'hypertrophie bénigne de la prostate (HBP) est la tumeur bénigne la plus fréquemment diagnostiquée chez l'homme. Elle affecte plus de 80 % des hommes de plus de 70 ans. Cette affection est associée au vieillissement et plus précisément à une altération du métabolisme des androgènes. Elle survient surtout dans la zone péri-urétrale (portion centrale) de la prostate, ce qui explique son association étroite à des symptômes urinaires. L'HBP ne présente aucun lien ou facteur de risque avec le cancer de la prostate. Elle évolue en trois stades. Au premier, elle n'est pas palpable cliniquement, et ce stade ne peut être diagnostiqué que par l'examen histologique. Au deuxième, l'hypertrophie devient cliniquement palpable, mais n'est pas accompagnée de symptômes cliniques. Finalement, au troisième stade, l'hypertrophie est associée à des symptômes urinaires. Il s'agit surtout de symptômes obstructifs ou irritatifs liés à une compression de l'urètre. Le traitement de l'HBP dépend de la gravité des symptômes, de leur impact sur la qualité de vie et de la présence éventuelle de complications.

Manifestations cliniques

L'HBP se manifeste par des symptômes obstructifs et irritatifs connus sous le nom de prostatisme (tableau 17.1). Les symptômes obstructifs sont secondaires à l'obstruction infravésicale. Ils se manifestent par un jet affaibli, un retard à amorcer la miction, une vidange incomplète de la vessie et un goutte-à-goutte terminal.

Les symptômes irritatifs semblent être le résultat d'une instabilité vésicale et d'une diminution de la compliance vésicale et de sa capacité fonctionnelle. Ces changements se manifestent par de la nycturie, de la pollakiurie, de l'impériosité mictionnelle (urgenturie) et même, occasionnellement, de l'incontinence urinaire par hyperactivité vésicale. Les manifestations de l'HBP sont dues à des phénomènes d'obstruction mécanique (volume de la prostate) et dynamique (tonus musculaire). Il est donc très difficile d'évaluer la gravité des symptômes à partir du seul volume prostatique. De plus, l'impact de certaines manifestations cliniques sur la qualité de vie varie beaucoup d'un malade à l'autre.

Tableau 17.1

Symptômes du prostatisme

Symptômes obstructifs	Symptômes irritatifs
Affaiblissement du jet urinaire	Pollakiurie
Miction en deux temps	Impériosité mictionnelle/urgenturie
Retard à amorcer la miction	
Goutte-à-goutte terminal	Nycturie
Sensation de mauvaise vidange vésicale (jusqu'à la rétention)	Incontinence d'urgence
Incontinence par regorgement	

Évolution naturelle

Il est important de savoir qu'avec le temps l'HBP n'évolue pas nécessairement vers une détérioration des symptômes. En effet, on observe une stabilisation des symptômes chez environ 30 % des sujets, une détérioration progressive chez environ 50 % d'entre eux, alors que l'état de 15 à 20 % des patients s'améliore spontanément.

À long terme, entre 5 et 10 % des patients affectés de prostatisme souffriront de complications, notamment de rétention urinaire, d'hydronéphrose, d'infections urinaires, d'hématurie macroscopique et de calculs vésicaux (figure 17.1).

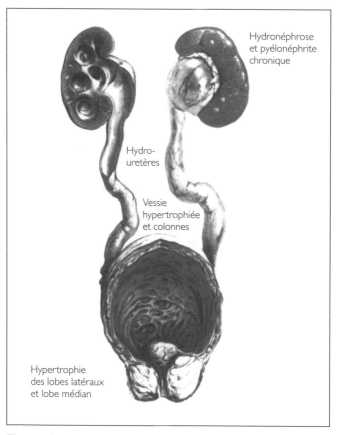

Hydronéphrose
et pyélonéphrite
chronique

Hydro-
uretères

Vessie
hypertrophiée
et colonnes

Hypertrophie
des lobes latéraux
et lobe médian

Figure 17.1 La rétention urinaire et l'hydronéphrose obstructive sont des complications de l'HBP.

Évaluation

Lorsqu'un patient présente des symptômes de prostatisme, le médecin doit inclure dans son évaluation un examen de l'abdomen et un toucher rectal. On peut évaluer la gravité des symptômes selon l'échelle internationale de cotation des symptômes prostatiques I-PSS (tableau 17.2). Le médecin doit toujours faire une

Tableau 17.2

Échelle internationale de cotation des symptômes prostatiques (I-PSS) et évaluation de la qualité de vie*

	Jamais	Moins de 1 fois sur 5	Moins de 1 fois sur 2	Environ 1 fois sur 2	Plus de 1 fois sur 2	Presque toujours
1. Au cours du dernier mois, combien de fois avez-vous eu l'impression de n'avoir pas vidé complètement votre vessie après avoir uriné?	0	1	2	3	4	5
2. Au cours du dernier mois, combien de fois avez-vous eu besoin d'uriner à nouveau dans un intervalle de deux heures?	0	1	2	3	4	5
3. Au cours du dernier mois, combien de fois avez-vous eu un jet urinaire intermittent, c'est-à-dire un jet qui s'est arrêté et qui a repris plusieurs fois pendant la miction?	0	1	2	3	4	5
4. Au cours du dernier mois, combien de fois avez-vous trouvé difficile d'attendre avant d'aller uriner?	0	1	2	3	4	5
5. Au cours du dernier mois, combien de fois avez-vous eu un jet urinaire faible?	0	1	2	3	4	5

Tableau 17.2 (*suite*)

	Très heureux	Heureux	Plutôt satisfait	Sentiment partagé (entre satisfait et insatisfait)	Plutôt insatisfait	Malheureux	Très affligé
6. Au cours du dernier mois, combien de fois avez-vous eu à pousser ou à faire un effort pour amorcer le jet urinaire ?	0	1	2	3	4	5	
7. Au cours du dernier mois, combien de fois vous êtes-vous réveillé pour uriner entre votre coucher et votre réveil ?	0	1	2	3	4	5	

Indice I-PSS global S =

Qualité de vie en fonction des symptômes urinaires

	Très heureux	Heureux	Plutôt satisfait	Sentiment partagé (entre satisfait et insatisfait)	Plutôt insatisfait	Malheureux	Très affligé
	0	1	2	3	4	5	6
1. Si vous deviez souffrir pour le reste de votre vie des symptômes urinaires actuels, quelle serait votre réaction ?	0	1	2	3	4	5	6

Évaluation de la qualité de vie L =

* D'après Cockett, A.T.K. *et al.* « Consensus recommendations. The international consultation on benign prostatic hyperplasie (BPH) – proceedings », *SCI*, 1991, p. 279-281.

analyse d'urine et, lorsqu'il envisage un traitement, il est recommandé de doser la créatinine et, chez les hommes de plus de 50 ans, l'antigène prostatique spécifique (APS). S'il entrevoit une complication de l'HBP ou lorsque le diagnostic d'HBP demeure incertain, le médecin peut compléter l'exploration par un examen d'imagerie de l'appareil urinaire supérieur (échographie ou urographie intraveineuse ou pyéloscan), par une étude urodynamique ou par une cystoscopie (tableau 17.3). Le diagnostic différentiel est présenté au tableau 17.4.

Tableau 17.3

Évaluation du prostatisme

Minimum recommandé
Anamnèse et examen physique (incluant le toucher rectal)
Cotation des symptômes prostatiques
Analyse d'urine

Facultatif
Créatininémie (en présence de rétention urinaire ou si l'on
    soupçonne une hydronéphrose)
APS (si l'on envisage un traitement)
Résidu postmictionnel (par échographie ou cathétérisme)
Échographie prostatique (si toucher rectal douteux ou APS élevé)
Cystoscopie (si analyse d'urine anormale ou diagnostic imprécis)
Échographie rénale, UIV ou pyéloscan
Bilan urodynamique

Tableau 17.4

Diagnostic différentiel de l'HBP

Sténose urétrale
Sténose du col vésical
Néoplasie de la prostate
Prostatite
Vessie neurogène (atone ou spastique)
Infection urinaire
Calcul vésical
Tumeur vésicale
Diurèse aqueuse
Diurèse osmotique

Indications thérapeutiques

Les indications thérapeutiques sont relatives ou absolues. Le plus souvent, les indications sont relatives et dépendent de la gêne fonctionnelle éprouvée. L'échelle I-PSS permet de quantifier les symptômes et la gêne fonctionnelle. Les indications absolues de traitement de l'HBP sont la rétention urinaire récidivante, l'incontinence urinaire de trop-plein, l'infection urinaire récidivante, l'hématurie importante et l'insuffisance rénale par obstruction (tableau 17.5).

Tableau 17.5

Indications de traitement de l'HBP

Indications absolues
Rétention urinaire
Uropathie obstructive
Infections urinaires à répétition secondaires à une HBP
Calculs vésicaux
Incontinence par trop-plein
Hématurie macroscopique importante

Indication relative
Impact sur la qualité de vie (travail, sommeil)

Dans ces cas, il est indiqué de procéder à une prostatectomie (transurétrale ou ouverte). La prostatectomie est encore le traitement qui sert de point de comparaison pour les autres modalités. Les options thérapeutiques peuvent se classer en quatre catégories (tableau 17.6).

Cancer de la prostate

Épidémiologie

Depuis plusieurs années, le cancer de la prostate est devenu le cancer le plus fréquent chez le Nord-Américain, son incidence ayant dépassé celle du cancer du poumon. Un homme sur 7 en sera affecté. On estime à environ 24 000 le nombre de nouveaux cas par année au Canada. Ce cancer est aussi le 2e en termes de mortalité (environ 4000 décès par an au Canada) après le cancer pulmonaire. Environ un homme sur quatre ayant un cancer de la prostate en mourra. Les statistiques du cancer de la prostate sont comparables à celles du cancer du sein chez la femme.

Tableau 17.6

Options thérapeutiques dans l'HBP

I. Observation
II. Traitement médical
   a) Inhibiteur de la 5-alpha-réductase (finastéride ou dutastéride)
   b) Antagoniste des récepteurs alpha-1 (térazosine, doxazosine, tamsulosine et alfuzosine)
III. Traitement interventionniste non chirurgical
   a) Hyperthermie – thermothérapie
   b) Ultrasons focalisés de haute intensité
IV. Traitement chirurgical
   a) Prostatectomie (transurétrale ou ouverte)
   b) Laser

Facteurs de risque

Âge   Le risque de cancer de la prostate augmente avec l'âge. Un pour cent des cancers sont diagnostiqués avant l'âge de 40 ans. Soixante pour cent le sont chez des hommes de plus de 65 ans. On considère que le risque devient significatif vers l'âge de 50 ans, sauf chez les hommes de race noire chez qui la prévalence est déjà importante à 40 ans.

Antécédents familiaux   Le risque de cancer de la prostate augmente de façon significative si un ou plusieurs membres de la famille en sont ou en ont été atteints (tableau 17.7). Dans certaines familles, on a également noté une association entre le cancer de la prostate et le cancer du sein.

Tableau 17.7

Risques de cancer de la prostate selon les antécédents familiaux

Un parent au premier degré atteint	risque x 2 à 2,4
Un parent au deuxième degré atteint	risque x 1,7 à 2,1
Parents du premier et deuxième degrés atteints	risque x 8,8

Race   Il existe une grande variation dans l'incidence du cancer de la prostate selon les races. Les hommes de race noire sont particulièrement affectés. Les Afro-Américains présentent le taux le plus élevé au monde. À l'autre extrême se classent les Chinois. Ainsi, un Afro-Américain a un risque jusqu'à 120 fois plus élevé de cancer de la prostate qu'un Chinois vivant dans son pays.

Milieu de vie   Comme pour le cancer du sein, le cancer de la prostate semble suivre une certaine distribution géographique. En effet, les Nord-Américains courent un risque 35 fois plus élevé que les habitants de l'Asie ou de l'Europe de l'Est. Le risque d'un immigrant se rapproche du risque observé dans son pays d'accueil. Par exemple, un Chinois qui immigre au Canada voit son risque augmenter de façon importante.

Alimentation   Des études suggèrent qu'une alimentation riche en gras animal puisse contribuer à l'émergence de la maladie. Certains éléments pourraient avoir au contraire un rôle protecteur (zinc et lycopènes).

Vasectomie   Plusieurs études aux résultats contradictoires ont tenté d'établir un lien entre la vasectomie et le cancer de la prostate. Les plus récentes études ont conclu qu'un tel lien est improbable.

Manifestations cliniques

Le cancer de la prostate est une maladie remarquablement silencieuse à ses débuts. À mesure que le tissu néoplasique prend de l'expansion, les symptômes apparaissent. Le mode de présentation le plus fréquent est le prostatisme. L'hématurie, la rétention urinaire, l'incontinence, l'insuffisance rénale postrénale, l'impuissance, l'asthénie, la perte de poids et les douleurs osseuses peuvent également amener le patient à consulter. Malheureusement, lorsqu'apparaissent les symptômes, le cancer a souvent débordé la glande prostatique. À ce stade, on ne peut plus offrir de traitement curatif au patient, d'où l'importance de détecter la maladie à un stade précoce.

Méthodes diagnostiques

Toucher rectal   Simple, peu coûteux, généralement bien toléré, le toucher rectal (TR) demeure le premier examen à effectuer pour détecter un cancer de la prostate. Sa sensibilité dépend de l'attention et de l'expérience de l'examinateur. Celui-ci doit rechercher un nodule, une induration, une irrégularité ou une asymétrie de la glande prostatique. Le TR demeure essentiel puisque 15-20 % des patients atteints d'un cancer curable ont un APS normal. Dans ces cas, le diagnostic ne peut être posé qu'au TR. Malheureusement, les cancers trouvés au TR tendent à être plus avancés que ceux diagnostiqués par l'APS et l'échographie transrectale. En fait, plus de la moitié sont trop avancés pour qu'on puisse espérer une guérison.

Antigène prostatique spécifique (APS) L'APS est une glycoprotéine sécrétée spécifiquement par les cellules épithéliales de la prostate. Facile à exécuter, son dosage a d'abord été utilisé dans le suivi des patients atteints de cancer de la prostate. L'élévation de l'APS constitue souvent le premier indice de récidive ou de progression du cancer. Depuis plusieurs années, on a reconnu l'utilité du dosage de l'APS dans la détection du cancer de la prostate. Les glandes cancéreuses n'étant pas reliées au réseau canalaire normal de la prostate, leurs sécrétions entrent alors en communication plus directe avec le système lymphatique et vasculaire, d'où l'augmentation des concentrations sanguines d'APS. L'élévation de l'APS n'est toutefois pas spécifique au cancer.

D'autres affections et interventions peuvent également entraîner son augmentation, comme une HBP, une prostatite, un infarctus prostatique, une cystite, une biopsie prostatique, un cathétérisme uréthral ou une cystoscopie. Même un TR peut affecter légèrement le dosage de l'APS.

Valeurs de référence pour le dosage de l'APS Actuellement, on définit comme normal un APS de 0 à 4 ng/mL. À cette concentration, le risque de cancer de la prostate est faible, mais il existe. En effet, on sait que jusqu'à 20 % des cancers guérissables s'accompagnent d'un APS normal. À des concentrations de 4 à 10 ng/mL, on parle de zone grise du dosage de l'APS, et le risque de néoplasie passe à près de 40 %. Au-dessus de 10 ng/mL, le risque dépasse 60 %. Ajoutons qu'en plus de son utilité pour la détection et le suivi des patients atteints de cancer de la prostate, l'APS peut servir d'indicateur prédictif du stade de la maladie, les taux plus élevés étant habituellement associés à des stades plus avancés.

Densité et élévation annuelle de l'APS Afin d'améliorer la spécificité et la sensibilité du dosage de l'APS pour la détection du cancer de la prostate, certains concepts ont été mis de l'avant et continuent d'être perfectionnés. Par exemple, afin de mieux interpréter le dosage de l'APS en présence d'une HBP, certains centres font appel au calcul de la densité de l'APS. Le calcul s'effectue en divisant le taux d'APS par le volume de la glande mesuré à l'échographie. On estime que chaque gramme d'hyperplasie produit un taux sérique de 0,3 ng/mL, tandis que chaque gramme de cancer sécrète 10 fois plus d'APS, soit 3 ng/mL. Les études ont démontré que si la densité calculée dépasse 0,15, le risque de cancer augmente. Malheureusement, cette méthode requiert l'utilisation à grande échelle de l'échographie prostatique, ce qui n'est pas réalisable.

On a aussi exploré la notion d'élévation annuelle de l'APS. En effet, lorsqu'on suit régulièrement un malade et que l'on effectue des dosages annuels de l'APS, une élévation de plus de 0,7 ng/mL devient inquiétante, même si le chiffre absolu d'APS demeure dans les limites de la normale.

Enfin, plusieurs auteurs ont tenté d'établir un tableau de valeurs normales d'APS selon l'âge. Les valeurs de référence ont évolué au cours des 10 dernières années, et plusieurs auteurs estiment actuellement qu'un taux de plus de 2,5 ng/mL devrait être considéré comme anormal chez un homme de moins de 60 ans.

Quand l'APS dépasse 20 ng/mL, le risque de métastases osseuses devient non négligeable et quand il dépasse 50 ng/mL, une dissémination métastatique est presque certaine.

Échographie transrectale (ETR)   L'ETR vient compléter le bilan diagnostique. On ne procède à cette technique que dans les cas où le TR ou le dosage de l'APS se sont avérés anormaux. Cet examen permet d'évaluer l'aspect du tissu prostatique, de calculer la densité de l'APS et de diriger les biopsies. La fiabilité de ce test dépend de l'habileté et de l'expérience de l'examinateur. On estime qu'environ 30 à 40 % des cancers de la prostate ne seront pas apparents à l'échographie. En présence d'un TR normal, d'un APS élevé et d'une ETR normale, le calcul de la densité de l'APS peut faciliter la décision d'effectuer ou non des biopsies. Les complications de l'ETR sont exceptionnelles, mais il existe des risques associés aux biopsies qui sont pratiquées par voie transrectale : hématurie, rectorragie, hémospermie, infections prostatiques et septicémie. Le patient doit recevoir une prophylaxie antibiotique avant l'intervention pour réduire le risque de septicémie.

Anatomie pathologique

Le cancer de la prostate se déclare surtout dans la périphérie de la glande : 75 % des cancers prostatiques y prennent leur origine. Les autres viennent surtout de la zone de transition où peut siéger l'hypertrophie bénigne. La forme histologique de loin la plus

Tableau 17.8

Classification, traitement et pronostic du cancer de la prostate

Stade	Définition	Traitement	Survie moyenne avec traitement
A1 ou T1a	Présence de cellules cancéreuses dans moins de 5 % des fragments provenant d'une RTU-P	Observation Traitement conservateur à moins que le cancer n'évolue	Plus de 10 ans
A2 ou T1b	Présence de cellules cancéreuses dans plus de 5 % des fragments provenant d'une RTU-P ; aucun nodule détecté au TR	Prostatectomie ou radiothérapie	Plus de 10 ans
B0 ou T1c	Cancer détecté par ETR effectuée après constatation d'un taux d'APS élevé ; pas de nodule détecté au TR	Prostatectomie ou radiothérapie	Plus de 10 ans
B1 ou T2a	Nodule cancéreux occupant moins de la moitié d'un lobe prostatique	Prostatectomie ou radiothérapie	Plus de 10 ans
B2 ou T2b	Nodule cancéreux occupant plus de la moitié d'un lobe prostatique	Prostatectomie ou radiothérapie	Plus de 10 ans

Tableau 17.8 (*suite*)

B3 ou T2c	Tumeur touchant les deux lobes prostatiques	Prostatectomie ou radiothérapie	10 ans
C ou T3	Tumeur non confinée à la capsule prostatique, envahissant les vésicules séminales ou le bassin	Radiothérapie ou, dans certains cas, prostatectomie	5 à 10 ans
D1 ou N+	Atteinte des ganglions lymphatiques pelviens	Hormonothérapie (précoce ou retardée)	5 ans
D2 ou M1	Métastases à distance (osseuses)	Hormonothérapie	2-3 ans
D3	Rechute consécutive à l'hormonothérapie	Soins palliatifs, chimiothérapie ou protocole expérimental	12 mois

RTU-P : résection transurétrale de la prostate
TR : toucher rectal
ETR : échographie transrectale
APS : antigène prostatique spécifique

fréquente est l'adénocarcinome prostatique. Plusieurs variantes et sous-variantes histologiques ont été décrites ces dernières années, certaines étant plus agressives que d'autres (variante canalaire par exemple). Le grade histologique (c'est-à-dire l'agressivité biologique propre de la tumeur) est évalué par le pathologiste en réalisant le score de Gleason. Ce dernier est basé sur l'évaluation du degré de différenciation glandulaire de la tumeur établi sur une échelle de un à cinq. Le grade histologique possède une grande valeur pronostique qui est prise en compte dans l'évaluation et le traitement de l'adénocarcinome prostatique. La dissémination tumorale se fait généralement surtout dans le relais ganglionnaire local ainsi que dans les os.

Bilan d'extension et traitement

L'établissement du stade de la maladie est essentiel pour déterminer le meilleur traitement. Le stade dépend de l'extension locale de la tumeur, de l'atteinte des ganglions lymphatiques et de la présence de métastases osseuses (tableau 17.8). Le degré d'extension locale est d'abord évalué par le TR. L'échographie est parfois utilisée pour compléter cette évaluation. La scintigraphie osseuse permet de vérifier la présence éventuelle de métastases osseuses. Les études ont démontré que ces métastases sont très rares quand l'APS est inférieur à 20 ng/mL. En l'absence de métastases à distance, il reste à vérifier l'état des ganglions pelviens. Malheureusement, aucune méthode radiologique ne s'est révélée fiable pour déterminer s'il y a dissémination lymphatique de la tumeur. On doit donc parfois procéder à une lymphadénectomie par laparoscopie ou par voie ouverte pour vérifier l'état des ganglions pelviens. Cette procédure peut être réalisée en même temps que la prostatectomie radicale, si un tel traitement a été choisi, ou avant la radiothérapie. L'APS est un outil précieux pour estimer l'extension tumorale, le risque de propagation et la nécessité ou non de prélever les ganglions pelviens.

Rappelons que le type de traitement dépend essentiellement du stade de la maladie. À stade égal, les autres paramètres à considérer dans le choix du traitement sont le degré de malignité histologique, l'espérance de vie du malade ainsi que sa préférence personnelle pour un type particulier de traitement, en tenant compte des complications possibles (tableau 17.9).

Tableau 17.9

**Complications de la prostatectomie radicale
et de la radiothérapie**

Complication	Radiothérapie	Prostatectomie
Mortalité	0,2 %	0,7 %
Incontinence	0,4 à 10 %	0,6 à 30 %
Impuissance	40 à 80 %	40 à 80 %
Sténose urétrale	3 à 6 %	5 à 16 %

Tumeurs des voies urinaires

Épidémiologie

Les tumeurs de l'urothélium sont surtout localisées à la vessie
(> 90 %) et dans moins de 5 % des cas, au bassinet ou à l'uretère.
Ce type de cancer se place au 5e rang en incidence (17/100 000)
chez les hommes et au 12e rang chez les femmes (6/100 000). Les
hommes sont trois fois plus susceptibles d'avoir un cancer de la
vessie que les femmes. La forme la plus fréquente en Amérique du
Nord est le *carcinome urothélial.*

Facteurs de risque

Le facteur de risque le plus répandu est le tabagisme. On estime
qu'un fumeur a un risque de 3 à 6 fois plus élevé qu'un non-fumeur.
Les travailleurs dans les industries où l'on utilise des teintures
d'aniline (textile, caoutchouc) ainsi que des produits contenant des
bêta-naphthylamines et du benzène sont aussi exposés. Au Québec, l'industrie de l'aluminium est une source de risque. Le mécanisme exact est inconnu. On pense que ces produits, comme le
tabac, sont irritants et deviennent cancérigènes pour l'urothélium
à la suite d'expositions répétées. Une prédisposition génétique a
été évoquée. Dans certains pays, particulièrement ceux du Proche-
Orient, les infections chroniques (schistosomiase) sont aussi un
facteur prédisposant important. En fait, dans ces pays, le type de
cancer le plus fréquent de tous est le carcinome épidermoïde (ou
squameux) de la vessie.

Présentation clinique

La présentation la plus courante est l'hématurie, macroscopique ou microscopique. Elle est le plus souvent asymptomatique (silencieuse). Cependant, certains patients peuvent présenter des douleurs vésicales pouvant évoquer une cystite. Chez l'adulte, une hématurie macroscopique en l'absence d'infection bien établie doit faire penser à une néoplasie jusqu'à preuve du contraire.

Exploration d'une hématurie

L'analyse d'urine confirme la présence d'une hématurie dans la grande majorité des cas. Chez un patient qui présente une hématurie, une exploration complète de l'appareil urinaire doit être réalisée : analyse d'urine microscopique, cultures (si une infection est soupçonnée par les symptômes ou l'analyse), sédiment urinaire (si une cause néphrologique fait partie du diagnostic différentiel), cytologie urinaire (*voir ci-dessous*), imagerie de l'appareil urinaire supérieur (échographie rénale, pyéloscan ou urographie intraveineuse), cystoscopie (seul examen fiable pour évaluer l'urètre et la vessie).

Cytologie urinaire

L'examen cytopathologique des urines peut contribuer à confirmer la présence d'un carcinome urothélial. Sa capacité à prédire la présence de cellules malignes varie de 63 à 89 %, et dépend en grande partie du degré histologique de la tumeur, les tumeurs à degré faible (bas grade) étant associées à une cytologie négative dans une forte proportion des cas. Inversement, une tumeur de haut grade résulte souvent en des cytologies positives. Ceci est dû au degré de différenciation faible des cellules constituant ces tumeurs, avec comme conséquence, une perte des adhérences intercelluaires et de celles entre les cellules et la matrice extracellulaire. Il en découle une desquamation plus importante des cellules néoplasiques dans la lumière vésicale. L'avantage principal de la cytologie est qu'elle est très spécifique et sert principalement au suivi de malades traités pour ce type de cancer. Notons qu'un carcinome urothélial de la vessie comporte un risque d'environ 2 à 5 % de tumeur synchrone de l'appareil urinaire supérieur (bassinet, uretère), tandis qu'en présence d'une tumeur de l'appareil supérieur il y a environ 50 % de risque de tumeur synchrone dans la vessie. En présence d'une tumeur urothéliale ou lorsque l'on en suspecte une, une exploration de l'ensemble de l'appareil urinaire s'impose.

Diagnostic

Le diagnostic de tumeur urothéliale se fait par biopsie-exérèse de la lésion et confirmation histopathologique.

Anatomie pathologique

Quatre-vingt-quinze pour cent des tumeurs des voies urinaires sont, à l'histologie, des carcinomes urothéliaux et plus de 90 % de ces tumeurs sont localisées à la vessie. Les autres peuvent se retrouver des calices jusqu'à l'urètre proximal. Ces tumeurs sont souvent multiples. Elles sont classifiées selon leur degré de différenciation et plusieurs sous-variantes histologiques existent, certaines plus agressives que d'autres. On distingue les tumeurs superficielles et les tumeurs infiltrantes.

Tumeurs superficielles (Ta, T1, CIS)

Les tumeurs superficielles, par définition, se limitent à la muqueuse ou à la sous-muqueuse. Elles peuvent être surélevées, généralement de formes papillaires, ou planes. Les formes planes sont plus volontiers diffuses et progressent plus souvent vers une forme infiltrante. Les tumeurs superficielles sont généralement de bon pronostic, avec peu de chances de dissémination si le traitement est précoce.

Tumeurs infiltrantes (T2 et plus)

Les tumeurs infiltrantes sont celles qui pénètrent la paroi musculaire de la vessie (le détrusor). Elles représentent environ 20 à 25 % des tumeurs vésicales. Le risque de métastases augmente de façon importante avec les formes infiltrantes. Les endroits de prédilection des métastases sont les ganglions lymphatiques, le foie, les poumons et les os.

Bilan d'extension et traitement

Le traitement varie selon que les tumeurs sont localisées à l'appareil urinaire inférieur ou supérieur. Pour l'appareil urinaire inférieur, les tumeurs superficielles sont généralement traitées par résection transurétrale et les patients, suivis étroitement, généralement par des cytologies urinaires et des cystoscopies répétées. En cas de tumeurs multiples, récidivantes ou de degré de malignité indifférencié, on utilise, en plus de la résection, l'instillation directement dans la vessie de produits chimio- ou immunothérapeutiques. Ces traitements permettent, dans la majorité des cas, de réduire les risques de récidive et de progression. Les tumeurs infiltrantes nécessitent une cystectomie radicale (exérèse complète de la vessie), ce qui implique la construction d'une dérivation urinaire à l'aide d'un segment intestinal pour permettre l'élimination de l'urine. Le plus souvent, cette dérivation prend la forme d'un conduit fait avec un segment d'iléon auquel on connecte les uretères et qu'on aboute à la peau pour créer une stomie qui sera appareillée (sac pour conduit iléal). Une reconstruction *in situ* (orthotopique) de la vessie permettant une miction par l'urètre s'avère parfois possible. Les cancers métastatiques sont traités par chimiothérapie, laquelle est rarement curative.

En général, le pronostic est excellent pour les tumeurs superficielles et bon pour les tumeurs infiltrantes, mais localisées. Le pronostic est mauvais, avec une survie de moins de 10 % à 5 ans, pour les tumeurs métastatiques.

Les tumeurs urothéliales de l'arbre urinaire supérieur exigent généralement une néphrectomie avec exérèse de tout l'uretère ipsilatéral. Ces tumeurs se manifestent souvent à un stade plus avancé que les tumeurs de la vessie et, pour cette raison, leur pronostic est moins bon que celui des tumeurs vésicales.

Dans tous les cas de tumeurs urothéliales traitées, les patients sont encouragés à diluer leurs urines par une hydratation abondante et à cesser de fumer.

Tumeurs rénales

Les tumeurs rénales peuvent être kystiques ou solides, cette distinction reposant généralement sur des examens tels que l'échographie ou la tomodensitométrie. En général, les lésions kystiques simples sont bénignes, tandis que les lésions solides ou kystiques, mais complexes, sont malignes. Les tumeurs rénales sont ensuite divisées en tumeurs primaires ou secondaires. Parmi ces dernières, les métastases de cancers du poumon sont les plus fréquentes, mais sont souvent sans conséquence clinique au niveau urologique, les symptômes du patient étant le plus souvent reliés à la malignité de base ; par exemple, un patient avec cancer du poumon métastatique au rein décèdera de son cancer bien avant d'avoir des manifestations urologiques. Les tumeurs primaires peuvent être bénignes ou malignes.

Tumeurs bénignes

L'*adénome papillaire du rein* est la tumeur bénigne la plus fréquente. Il s'agit d'une tumeur de moins de 0,5 cm découverte par définition à l'autopsie ou fortuitement sur un spécimen de néphrectomie. Il présente des caractéristiques histologiques similaires à celles du carcinome papillaire du rein qui est une néoplasie maligne. Un adénome rénal ne peut donc être diagnostiqué cliniquement et demeure un diagnostic histologique. L'*oncocytome* est une autre lésion rénale à comportement bénin. Elle peut se présenter comme une masse rénale de plusieurs centimètres comportant une cicatrice centrale à l'imagerie ainsi qu'à la pathologie. Finalement, l'angiomyolipome est une tumeur rénale bénigne apparentée aux tumeurs des cellules épithélioïdes périvasculaires comportant du muscle lisse, des vaisseaux, ainsi que du tissu adipeux. Ce type de lésion a une incidence plus élevée chez la femme et se retrouve fréquemment chez les patients porteurs d'une sclérose tubéreuse de Bourneville. Cette dernière maladie est caractérisée par un retard mental, des crises épileptiques et des lésions cutanées caractéristiques.

Tumeurs malignes

Le carcinome rénal (anciennement nommé hypernéphrome) survient chez les patients adultes tandis que chez les enfants, la tumeur rénale maligne la plus fréquente est le *néphroblastome* (*tumeur de Wilms*).

Épidémiologie et étiologie

Le carcinome rénal représente environ 2 % de tous les cancers. Il survient à un âge moyen d'environ 55 ans. On note une prédominance de 2 à 3 hommes pour une femme. Dans la majorité des cas, l'étiologie est inconnue. Certains facteurs de risque ont été identifiés, tels l'obésité, le tabagisme et la maladie kystique acquise des dialysés. Il existe par ailleurs des désordres génétiques rares associés directement au carcinome rénal et à ses différentes formes histologiques. Ainsi, le *syndrome de Von-Hippel-Lindau* est une maladie héréditaire caractérisée par l'apparition, à un âge précoce, de tumeurs rénales bilatérales et multifocales, sous forme de carcinome à cellules claires. Les autres manifestations de cette maladie incluent les hémangiomes cérébelleux, les angiomes rétiniens, les phéochromocytomes, les tumeurs pancréatiques neuroendocrines et les kystes rénaux et pancréatiques.

Anatomie pathologique

Le carcinome rénal naît des cellules épithéliales du rein. Lors de sa progression, il a tendance à infiltrer les veines du sinus rénal et à former un thrombus néoplasique s'étendant dans la veine rénale et même jusque dans la veine cave. Les sièges les plus fréquents de métastases sont les poumons, le foie, les os et le cerveau. His-tologiquement, de plus en plus de types cellulaires sont reconnus, mais le plus fréquent reste le carcinome à cellules claires (80-85 %). Les autres types histologiques les plus fréquents sont le carcinome papillaire (10 %), le carcinome chromophobe (2-4 %) et les histo-logies plus rares telles que le carcinome médullaire et le carcinome des tubes collecteurs de Bellini (< 1 %). En étudiant les familles dont les membres souffrent d'une maladie génétique associée au cancer du rein, il a été possible, au cours des dernières années, d'identifier divers gènes impliqués dans le cancer du rein. Le gène VHL a été le premier à être identifié; il est muté dans la majorité des carci-nomes du rein à cellules claires sporadiques (non héréditaires). Le pronostic dépend du stade de la tumeur et du grade histologique. Ce dernier est basé sur l'évaluation du grade nucléaire de Fuhrman.

Clinique

La majorité de ces tumeurs sont silencieuses. La triade classique (douleur, masse et hématurie) s'observe dans 10 % des cas. En général, la présence de symptômes est malheureusement souvent associée à une maladie avancée. Lorsque présents, les signes et les symptômes le plus souvent rencontrés sont la douleur, l'hématurie, l'hypertension artérielle, l'anémie, la perte de poids, une masse ab-dominale et une fièvre. La capacité des cellules tumorales à sécréter des substances endocrines mène à des manifestations paranéoplasi-ques telles que l'hypercalcémie (liée à une production de substances qui miment l'action de la parathormone) ainsi que la polycythémie (liée à une production d'érythropoïétine). L'utilisation répandue de l'échographie a permis la détection fortuite de néoplasies asympto-matiques et l'amélioration de la survie moyenne. Le pronostic est directement lié au stade de la maladie (tableau 17.10).

Tableau 17.10

Stades de l'adénocarcinome

T1	< 7 cm, confiné à la capsule
T2	> 7 cm, confiné à la capsule
T3	Extension dans la veine rénale ou la veine cave, ou dépassement capsulaire sans dépassement du fascia de Gerota
T4	Dépassement du fascia de Gerota Atteinte des organes adjacents
N+	Métastases ganglionnaires régionales
M+	Métastases à distance

Quand la tumeur est confinée au rein, le pronostic est très bon. Une fois la tumeur répandue en dehors du rein, le pronostic est sombre, car la plupart du temps il n'existe pas de traitement systémique curatif.

Évaluation

L'urographie intraveineuse peut démontrer la présence d'une masse rénale avec déplacement pyélo-caliciel ou altération du contour rénal. L'échographie permet de distinguer une masse solide d'une masse kystique, et de déceler des lésions parenchymateuses rénales de moins de 1 cm. C'est l'examen qui permet de découvrir la plupart des masses rénales. La tomodensitométrie est l'examen de choix pour préciser le diagnostic et pour établir le stade clinique de la tumeur. La densité des lésions peut être mesurée pour différencier une lésion solide d'une lésion kystique. Elle permet une meilleure appréciation des ganglions rétropéritonéaux, de l'extension tumorale ainsi que de l'atteinte éventuelle de la veine cave et de la veine rénale. De plus en plus, on se fie aux reconstructions d'images de tomodensitométrie ou de résonance magnétique en trois dimensions par ordinateur pour évaluer les masses complexes. L'artériographie, qui consiste à injecter du produit de contraste intra-artériel lors d'une fluoroscopie afin d'évaluer l'anatomie vasculaire du rein avant une chirurgie, est devenu un examen désuet.

Il est actuellement remplacé par l'angioscan, lequel consiste en un scan abdominal avec contraste intraveineux, les images étant acquises lorsque le contraste se retrouve dans le système vasculaire (phase artérielle : moins d'une minute après l'injection du produit de contraste).

Traitement

Le seul traitement curatif de l'adénocarcinome rénal est la néphrectomie. Celle-ci peut être radicale (le rein est excisé en entier avec le fascia de Gérota et les ganglions hilaires) ou partielle (seule la tumeur est excisée avec une marge chirurgicale saine). La néphrectomie partielle est une excellente option quand la tumeur est de petite taille (moins de 4 cm) et surtout dans les cas de rein unique ou d'insuffisance rénale. Le pronostic est généralement bon lorsque la tumeur est limitée au rein.

Par contre, lorsqu'il y a atteinte systémique, le pronostic est sombre, ce type de cancer étant chimio- et radiorésistant. L'immunothérapie sous forme d'interleukine-2 (IL-2) et d'interféron-α, a été utilisée durant les années 90 et demeure en usage dans de rares cas de cancer du rein métastatique. Elle comporte l'avantage d'offrir un potentiel de guérison à un faible pourcentage de patients en mesure de la subir. Elle a cependant l'inconvénient d'un profil de toxicité important, avec besoin d'hospitalisation aux soins intensifs lors de l'administration du traitement. Depuis 2004, une nouvelle classe de médicaments est disponible pour le traitement des adénocarcinomes du rein métastatiques. Il s'agit de thérapies ciblées sous forme d'inhibiteurs des récepteurs tyrosines kinase et de la molécule MTOR (Mammalian Target Of Rapamycine) ; ces cibles sont critiques dans la cascade intracellulaire du cancer du rein. Les thérapies ciblées sont à présent le traitement standard du cancer du rein métastatique.

Néphroblastome

L'incidence de cette tumeur est d'environ 1/100 000 enfants. Elle survient principalement chez les enfants de deux à cinq ans. Plusieurs cas semblent associés à des anomalies du chromosome 11. La présentation clinique la plus fréquente est celle d'une masse palpable rapidement progressive. Le traitement comporte une néphrectomie radicale suivie d'une chimiothérapie et parfois d'une radiothérapie. Le traitement trimodal a permis de nettement améliorer la survie de ces patients au cours des trente dernières années.

Tumeurs testiculaires

Épidémiologie

Les tumeurs testiculaires représentent 1 % des cancers chez les hommes, mais constituent un des cancers les plus fréquents chez ceux âgés de 15 à 35 ans. L'âge moyen au moment du diagnostic est d'environ 30 ans. Les porteurs de testicules atrophiques ou cryptorchides présentent un risque accru de cancer.

Classification

Les tumeurs testiculaires peuvent être classées en primaires et secondaires. Ces dernières sont peu fréquentes et surviennent principalement chez les patients âgés, le type le plus fréquent étant le *lymphome métastatique*.

Les *tumeurs primaires* sont classées selon qu'elles proviennent des cellules *germinales* ou des cellules *stromales* du testicule. Ces dernières, qui englobent les *tumeurs des cellules de Leydig* ou *de Sertoli*, sont peu fréquentes et représentent moins de 10 % des tumeurs testiculaires.

Les tumeurs provenant de cellules germinales sont fréquentes et représentent plus de 90 % des tumeurs malignes du testicule. Elles peuvent être indifférenciées comme c'est le cas pour les *séminomes*, ou se différencier en tissus embryonnaires ou placentaires dans le cas des *tumeurs non séminomateuses*. Cette distinction est importante du point de vue thérapeutique, car les séminomes (environ 45 % des tumeurs testiculaires) sont généralement très radiosensibles, alors que les tumeurs non séminomateuses (environ 50 % des tumeurs testiculaires) sont peu sensibles à la radiothérapie, mais très sensibles à la chimiothérapie. Les tumeurs non séminomateuses peuvent avoir une différenciation vers un tissu embryonnaire comme le tératome ou le carcinome embryonnaire, ou encore une différenciation vers un tissu placentaire comme le choriocarcinome.

Chez les jeunes enfants, la tumeur testiculaire la plus fréquente est la tumeur du sinus endodermique. En général, chez le jeune adulte, les formes mixtes sont les plus fréquentes.

Clinique

Les patients présentent le plus souvent une masse testiculaire solide et indolore. Plus de 95 % des tumeurs solides sont malignes. Un saignement ou une nécrose à l'intérieur de la tumeur peut occasionner de la douleur. La masse solide ne transillumine pas. L'échographie testiculaire peut confirmer la présence d'une lésion solide. Des marqueurs sérologiques tumoraux, le bêta-HCG (hormone choriogonadotrophique), l'AFP (alpha-foetoprotéine) et la LDH (lactate déshydrogénase), aident à préciser le diagnostic, la stadification et le pronostic, et sont nécessaires au suivi après traitement. Une masse à l'examen physique confirmée par échographie chez un jeune homme nécessite une orchiectomie. Le diagnostic sera précisé par l'examen histologique du testicule. L'évaluation est complétée par une tomodensitométrie abdominale et par une radiographie pulmonaire à la recherche de métastases rétropéritonéales, viscérales ou pulmonaires.

Traitement

L'orchiectomie par voie inguinale doit être pratiquée rapidement étant donné le risque de progression rapide de ces lésions. L'intervention consiste à enlever tout le testicule et son cordon. Le traitement complémentaire dépend de l'étendue de la maladie et du type cellulaire de la tumeur. Dans le cas des tumeurs séminomateuses sans évidence clinique, biochimique ou radiologique de métastases, le traitement, après l'orchiectomie, sera soit l'observation clinique ou la radiothérapie dirigée vers le rétropéritoine. Pour les cas de tumeurs localisées non séminomateuses, on pourra observer les patients, procéder à une excision chirurgicale des ganglions du rétropéritoine ou effectuer d'emblée une chimiothérapie adjuvante. En cas de métastases localisées au rétropéritoine, on utilisera la radiothérapie ou la chimiothérapie pour les tumeurs séminomateuses, et d'emblée la chimiothérapie pour les tumeurs non séminomateuses. Finalement, dans tous les cas de tumeurs testiculaires avec métastases au-delà du rétropéritoine, on utilisera la chimiothérapie et parfois la chirurgie.

Les résultats des traitements du cancer du testicule sont bons à excellents, meilleurs lorsque la maladie est moins avancée initialement. Dans tous les cas, le suivi consiste à répéter le dosage des marqueurs tumoraux, à effectuer une tomodensitométrie abdominale et des radiographies pulmonaires régulièrement et à intervenir en cas de récidive.

Cancers du pénis

Les lésions néoplasiques du pénis sont rares et surviennent le plus souvent chez des patients âgés, non circoncis. Elles sont habituellement associées à un manque d'hygiène. Ce sont habituellement des carcinomes épidermoïdes qui progressent localement avant de donner des métastases locorégionales (c'est-à-dire inguinales ou pelviennes). Le mode habituel de présentation est la découverte d'une lésion suintante qui tarde à guérir sur le pénis. Le diagnostic différentiel comprend la balanite, la syphilis et les condylomes. Le traitement consiste habituellement en l'ablation partielle ou totale du pénis. Le pronostic varie selon le stade de la maladie, seules les lésions localisées étant de bon pronostic.

Affections péno-scrotales non néoplasiques

Les affections péno-scrotales non néoplasiques sont fréquentes et leur diagnostic ne pose guère de difficultés.

Phimosis et paraphimosis

Le phimosis constitue un rétrécissement en bague de la peau du prépuce. Lorsqu'il est prononcé, le patient ne peut pas rétracter son prépuce ; lorsqu'il est partiel ou relatif, le patient ne s'en rend compte que lors d'une érection. Le phimosis est parfois congénital, mais le plus souvent acquis et résulte d'une inflammation du sillon balano-préputial. Il est souvent associé à des balanites récidivantes, fréquentes chez les diabétiques. Le traitement est habituellement la circoncision.

Le paraphimosis est en fait un phimosis qui a été rétracté en dessous du gland du pénis, le patient ne pouvant ramener le prépuce à sa position normale. L'anneau serré ainsi créé provoque une stase veineuse et lymphatique dans le gland qui devient très œdématié et amène le patient à consulter en urgence. Une réduction manuelle peut être effectuée, mais le traitement chirurgical du phimosis doit être envisagé.

Varicocèle

La varicocèle est une dilatation variqueuse du plexus pampiniforme du testicule gauche. Cette lésion est habituellement causée par une anomalie valvulaire du drainage veineux de la veine testiculaire gauche, qui se jette dans la veine rénale gauche. On observe une dilatation plus ou moins importante du plexus. Certains patients se plaignent d'un inconfort, d'autres présentent un problème d'infertilité secondaire, mais la majorité sont asymptomatiques. Le traitement consiste à occlure la veine anormale par chirurgie ou embolisation radiologique.

Spermatocèle

La spermatocèle est une dilatation kystique de l'épididyme. Cette dilatation indolore est localisée à la tête de l'épididyme. Dans certains cas, le kyste contient des spermatozoïdes. Le patient consulte habituellement pour une masse scrotale plus ou moins volumineuse. À l'examen, la masse est lisse et régulière et semble localisée à côté du testicule. Elle contient un liquide clair et transillumine. Son traitement est chirurgical et dicté par l'inconfort du malade.

Hydrocèle

L'hydrocèle est constituée par la présence de liquide entre les tuniques vaginales pariétale et viscérale du testicule. Il y a toujours une certaine quantité de liquide dans cet espace virtuel et l'on décrit habituellement une hydrocèle physiologique. Lorsque la quantité de liquide devient importante, on parle d'hydrocèle pathologique. Le patient consulte pour un inconfort en raison de l'effet de masse. À l'examen, on observe une masse lisse, mais le testicule n'est pas palpable, car il est à l'intérieur de la masse. L'hydrocèle contient un transsudat clair et transillumine. Son traitement définitif est habituellement chirurgical et dicté par l'inconfort du malade.

Hématocèle

L'hématocèle est une accumulation de sang entre les tuniques vaginales viscérale et pariétale. Elle ne transillumine pas. Elle est souvent secondaire à un traumatisme scrotal et parfois associée à une lésion sous-jacente comme une tumeur testiculaire. L'échographie testiculaire est souvent indiquée pour évaluer le contenu scrotal. En cas de doute, une exploration chirurgicale s'impose.

LECTURES SUGGÉRÉES

Walsh, P. *et al. Campbell's Urology*, 9ᵉ édition, W.B. Saunders Co., Philadelphie, 2007.

Chapitre 18

Maladie rénovasculaire

Danielle Pilon et Serge Quérin

Introduction

L'hypertension rénovasculaire est une forme secondaire d'HTA induite par une hypoperfusion rénale, elle-même provoquée par une sténose, parfois même une thrombose, de l'artère rénale. Cette forme d'hypertension offre donc *a priori* un potentiel de guérison, pour autant que l'on puisse revasculariser le rein ischémique. La simple présence de plaques athéroscléreuses, cause la plus fréquente de sténose sur les artères rénales, ne signe pas forcément l'origine rénovasculaire d'une HTA. En effet, les plaques athéroscléreuses, comme toutes les autres lésions de l'artère rénale, doivent entraîner une sténose hémodynamiquement significative, en général d'au moins 70 % de la lumière artérielle, avant de provoquer une ischémie rénale et le déclenchement de la cascade physiopathologique responsable de l'hypertension rénovasculaire. Il faut donc distinguer l'*hypertension rénovasculaire* de la *maladie rénovasculaire*. Celle-ci peut aussi avoir une autre conséquence, la *néphropathie ischémique*, c'est-à-dire une insuffisance rénale chronique induite par une ischémie rénale, quand celle-ci est bilatérale.

L'hypertension rénovasculaire représente la forme la plus fréquente d'HTA secondaire. Sa prévalence varie selon les populations ciblées : elle ne concerne que 1 % des malades souffrant d'HTA légère à modérée, mais entre 20 et 40 % des patients atteints d'HTA grave ou réfractaire. Elle constitue l'une des causes les plus fréquentes d'HTA chez l'enfant. La néphropathie ischémique, pour sa part, pourrait être responsable de 10 %, voire 15 %, de tous les cas d'insuffisance rénale terminale chez les malades de plus de 50 ans.

Les conséquences d'une HTA chronique, notamment l'atteinte des organes cibles et les effets secondaires du traitement, de même que celles associées à la néphropathie ischémique, ont d'énormes implications médicosociales. Il est donc primordial pour le clinicien d'être vigilant afin de pouvoir détecter l'hypertension rénovasculaire et la néphropathie ischémique, qui sont des affections potentiellement curables.

Physiopathologie

Avant d'aborder la physiopathologie de l'hypertension rénovasculaire, il importe de rappeler certains concepts physiologiques fondamentaux qui sont impliqués dans la genèse de l'hypertension et de ses conséquences cliniques. Rappelons tout d'abord la *cascade de formation de l'angiotensine II* (figure 18.1). À la suite d'une hypo-perfusion rénale, les cellules juxtaglomérulaires produisent de la rénine. Celle-ci transforme l'angiotensinogène produit par le foie en angiotensine I qui est à son tour transformée en angiotensine II par l'action de l'enzyme de conversion de l'angiotensine. L'angiotensine II circulante provoque une HTA par ses effets vasoconstricteurs directs et par une stimulation de la sécrétion de l'aldostérone, laquelle conduit à une rétention hydrosodée par ses effets rénaux. Par ailleurs, *l'autorégulation rénale* permet de maintenir une perfusion intrarénale et un débit de filtration glomérulaire stables, en dépit des fluctuations de la pression artérielle. La régulation de l'hémodynamique intrarénale se fait par le biais des artérioles afférentes et efférentes: ainsi, lorsque la pression de perfusion rénale est trop basse, il se produit une vasodilatation de l'artériole afférente afin de maintenir une pression intraglomérulaire stable. Cette autorégulation est cependant insuffisante lorsque la perfusion rénale est compromise au-delà de certaines limites, et d'autres mécanismes sont mis en jeu afin de maintenir au mieux la filtration glomérulaire. C'est ainsi que la diminution de la pression de perfusion rénale entraîne une vasoconstriction de l'artériole efférente

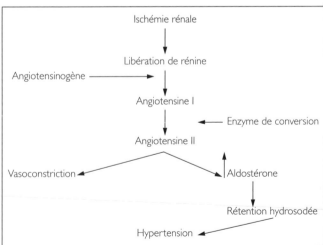

Figure 18.1 Activation du système rénine-angiotensine-aldostérone induite par une ischémie rénale

sous l'effet de l'angiotensine II. La pression intraglomérulaire est ainsi maintenue, mais au prix d'une augmentation de la fraction filtrée, c'est-à-dire du rapport du débit de filtration glomérulaire au débit plasmatique rénal.

Des modèles expérimentaux décrits par Goldblatt ont permis de préciser la physiopathologie de l'*hypertension rénovasculaire*. Goldblatt a étudié des rats chez qui il a procédé au clampage d'une artère rénale dans un modèle à rein unique (reproduisant une sténose bilatérale) et dans un modèle à deux reins (sténose unilatérale). Cette expérimentation animale a démontré que le modèle « deux reins-un clip » est rénine-dépendant. Le clampage de l'artère rénale déclenche d'abord une activation du système rénine-angiotensine du côté atteint. L'angiotensine II provoque ainsi une HTA par les mécanismes décrits précédemment (figure 18.1). Du côté du rein controlatéral non ischémique, l'HTA augmente la pression de perfusion, ce qui supprime de ce côté la sécrétion de rénine et induit une « natriurèse de pression ». Malgré cette natriurèse, le volume plasmatique efficace demeure stable, en raison d'une rétention hydrosodée par le rein ischémique sous l'effet d'une augmentation de la sécrétion d'aldostérone. Éventuellement, les taux plasmatiques de rénine peuvent se stabiliser à un niveau « normal », qui est en fait inapproprié, compte tenu de l'ischémie rénale.

L'administration d'un inhibiteur de l'enzyme de conversion de l'angiotensine (IECA) corrige totalement l'HTA aiguë induite par le clampage de l'artère rénale. Cependant, cet effet n'est pas retrouvé en phase chronique de l'HTA créée par ce même mécanisme. Il semble donc exister d'autres médiateurs de l'HTA durant la phase chronique. Plusieurs hypothèses ont été soulevées : il pourrait y avoir une augmentation de l'activité sympathique, une augmentation de la libération de certaines prostaglandines à effet vasoconstricteur, de même qu'une augmentation de la sécrétion d'endothéline, un peptide vasoconstricteur, par les cellules endothéliales.

L'HTA du modèle « rein unique-un clip » est, au contraire, volume-dépendante. En effet, l'activation du système rénine-angiotensine II ne peut être compensée par une natriurèse de pression comme dans le modèle « deux reins-un clip ». Il en résulte une hypervolémie qui contribue au maintien de l'hypertension en phase chronique.

Chez l'humain, l'hypertension rénovasculaire induite par une sténose unilatérale correspond au modèle animal « deux reins-un clip ». Au contraire, une sténose bilatérale chez l'humain ne correspond pas complètement au modèle animal « un rein-un clip ». En effet, l'installation d'une sténose bilatérale des artères rénales n'est qu'exceptionnellement synchrone et symétrique chez l'humain. Il y a d'abord sténose unilatérale avec hypertension rénine-dépendante. Par la suite, avec l'apparition et la progression d'une sténose controlatérale, on observe une rétention hydrosodée semblable à celle retrouvée dans le modèle animal « un rein-un clip ». Il s'agit donc d'un processus physiopathologique mixte.

La *néphropathie ischémique* survient lorsqu'il existe une sténose artérielle bilatérale (ou une thrombose d'un côté et une sténose de l'autre) suffisamment serrée pour entraîner une diminution de la pression de perfusion rénale qui dépasse les mécanismes d'autorégulation. Dans la sténose bilatérale, la fonction rénale globale est particulièrement dépendante de l'angiotensine II qui maintient une pression intraglomérulaire grâce à son effet vasoconstricteur sur l'artériole efférente. Quand la pression de perfusion descend en dessous d'un seuil critique du fait de la gravité de la sténose, il se produit une ischémie glomérulaire en dépit de l'action de l'angiotensine II. Cette ischémie se manifeste par une détérioration de la fonction rénale et une élévation de la créatinine plasmatique. En présence d'une sténose unilatérale, surtout si elle est serrée, une diminution de la filtration glomérulaire survient dans le rein ischémique. Cependant, la fonction rénale globale n'est en général pas affectée puisque le rein controlatéral réussit à compenser. Il peut toutefois s'installer une atteinte parenchymateuse de ce rein controlatéral sous l'effet de l'hypertension elle-même. Il s'agit de lésions de *néphroangiosclérose*, directement induites par l'HTA et caractérisées par une prolifération intimale et un épaississement des parois artériolaires rénales, surtout afférentes, qui entraînent une ischémie glomérulaire. Dans ce cas, même si la sténose est unilatérale, le rein controlatéral ne réussit plus à compenser pour l'ischémie, et on constate une baisse globale du débit de filtration glomérulaire avec augmentation de la créatinine plasmatique. Dans ce dernier cas, la néphropathie est mixte, c'est-à-dire à la fois ischémique et parenchymateuse.

Les mécanismes physiopathologiques décrits précédemment ont plusieurs conséquences cliniques. Le recours aux IECA ou aux antagonistes des récepteurs de l'angiotensine (ARA) constitue un choix pharmacologique *a priori* logique dans le traitement de l'hypertension rénovasculaire étant donné l'activation du système rénine-angiotensine qui la caractérise. Ces deux classes d'antihypertenseurs peuvent cependant entraîner une détérioration rapide de la fonction rénale. En effet, comme nous l'avons vu, la fonction du rein ischémique est pour une large part dépendante de l'action de l'angiotensine II, particulièrement en cas de sténose bilatérale. L'administration d'un IECA ou d'un ARA dans ce contexte contribue à inhiber l'effet de l'angiotensine II et entraîne une vasodilatation de l'artériole efférente. Il s'ensuit une diminution de la pression intraglomérulaire et, par le fait même, du débit de filtration glomérulaire. Cet effet, qui se traduit par une insuffisance rénale aiguë si la sténose est bilatérale, survient dans les quelques jours qui suivent l'administration d'un IECA ou d'un ARA et est habituellement réversible à l'arrêt du traitement.

Finalement, l'hypervolémie observée en présence d'une hypertension rénovasculaire par sténose bilatérale peut expliquer une manifestation clinique typique : un *œdème pulmonaire récurrent* en présence d'une dynamique ventriculaire gauche normale peut survenir dans ces circonstances et peut être prévenu par une revascularisation rénale.

Étiologie

La cause la plus fréquente de maladie rénovasculaire est l'*athérosclérose*. Cette affection survient essentiellement chez des patients âgés de plus de 50 ans, qui présentent habituellement d'autres facteurs de risque de maladie athéroscléreuse tels le tabagisme, le diabète ou des antécédents familiaux ou personnels de maladie vasculaire athéroscléreuse (accident vasculaire cérébral, angine de poitrine stable ou instable, infarctus du myocarde, insuffisance cardiaque, claudication intermittente). Les lésions athéroscléreuses des artères rénales sont habituellement localisées au tiers proximal et sont souvent la prolongation d'une athéromatose aortique (figure 18.2). Ce sont des lésions fréquemment bilatérales, quoique asymétriques, et qui ont tendance à progresser. Elles évoluent parfois vers une thrombose de l'artère.

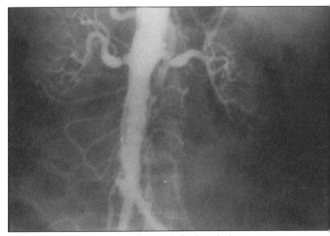

Figure 18.2 Sténose athéroscléreuse de l'artère rénale

Parmi les causes non athéroscléreuses de maladie vasculaire rénale, les lésions de *dysplasie fibromusculaire* sont les plus fréquentes (figure 18.3). Il en existe plusieurs types, dont la fibrodysplasie médiale observée chez la femme jeune. Cette forme de dysplasie atteint surtout les deux tiers distaux de l'artère rénale et quelquefois ses branches secondaires. À l'artériographie, ces lésions sont caractérisées par une alternance de dilatations anévrismales et de sténoses fibromusculaires donnant une image en grains de chapelet. Ce type de lésion peut progresser, mais rarement jusqu'à l'occlusion de l'artère. Parmi les autres formes de dysplasie fibromusculaire, il faut mentionner la variante intimale, le plus souvent observée chez l'enfant ou l'adolescent, de même que les variantes périmédiale et périartérielle. L'évolution naturelle de ces derniers types de dysplasie fibromusculaire est moins bien connue.

Parmi les causes plus rares de maladie rénovasculaire, il faut mentionner les *atteintes vasculitiques*. L'artérite de Takayasu, vasculite à cellules géantes atteignant les artères de gros calibre, et la périartérite noueuse (variante macroscopique), vasculite nécrosante qui affecte surtout les vaisseaux de moyen calibre, se manifestent habituellement par une atteinte systémique, qui peut intéresser le rein. Les *athéro-embolies*, ou embolies de cholestérol, provenant du détachement de fragments de lésions athéroscléreuses, peuvent survenir

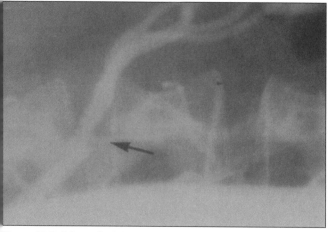

Figure 18.3 Sténose dysplasique de l'artère rénale

spontanément, mais font plus souvent suite à des interventions endovasculaires telles que la chirurgie de revascularisation, l'angioplastie ou l'artériographie. Les *anévrismes* isolés de l'artère rénale, les *dissections spontanées* (bien souvent d'une branche segmentaire plutôt que de l'artère rénale principale) et la *sténose artérielle du greffon rénal* sont des variétés plus rares de maladie rénovasculaire.

Enfin, il existe des *compressions extrinsèques de l'artère rénale* capables d'induire une hypertension rénovasculaire (tableau 18.1).

Manifestations cliniques

La maladie rénovasculaire reconnaît divers modes de présentation clinique, déjà évoqués précédemment : hypertension rénovasculaire, insuffisance rénale chronique (potentiellement réversible) par néphropathie ischémique, insuffisance rénale aiguë induite par un IECA ou un ARA, œdème pulmonaire récurrent en l'absence de dysfonctionnement du ventricule gauche. Une sténose artérielle rénale peut aussi être découverte de manière fortuite à l'occasion d'une coronarographie, si l'on choisit d'évaluer les artères rénales «en passant», ou d'une artériographie des membres inférieurs, si un reflux de produit de contraste permet de les opacifier.

Tableau 18.1

Causes de la maladie rénovasculaire

LÉSIONS VASCULAIRES INTRINSÈQUES

A. Lésions athéroscléreuses

B. Lésions non athéroscléreuses

Dysplasie fibromusculaire
- médiale
- périmédiale
- intimale
- périartérielle

Vasculite
- artérite de Takayasu
- périartérite noueuse (variante macroscopique)

Embolies
Anévrisme
Dissection spontanée
Malformation artério-veineuse
Sténose artérielle du greffon rénal
Traumatisme de l'artère rénale
Angiome ou neurofibrome

LÉSIONS VASCULAIRES EXTRINSÈQUES

Tumeurs rénales
Phéochromocytome
Fibrose rétropéritonéale

Une étude ayant porté sur 880 patients hypertendus a permis de préciser les indices cliniques qui permettent de suspecter une hypertension rénovasculaire. Aucun de ces indices cliniques n'est cependant pathognomonique de l'hypertension rénovasculaire, et le diagnostic présomptif de cette forme secondaire d'HTA est fondé sur un ensemble d'éléments cliniques.

L'anamnèse permet d'identifier certains de ces indices. Un âge inférieur à 30 ans ou supérieur à 50 ans au moment de l'apparition de l'HTA, une HTA réfractaire à trois antihypertenseurs administrés à bonnes doses, l'absence d'antécédents familiaux d'hypertension et la présence d'une maladie vasculaire athéroscléreuse ou de facteurs de risque d'athérosclérose, particulièrement le tabagisme, sont autant d'éléments qui doivent faire suspecter une atteinte rénovasculaire chez un sujet hypertendu.

Certains signes doivent être recherchés plus particulièrement à l'examen objectif. Le fond d'œil peut révéler une rétinopathie hypertensive de stade 3 ou 4, définie par la présence d'hémorragies rétiniennes en flammèches ou ponctiformes, ou encore d'exsudats mous (tâches blanchâtres à contour flou causées par une ischémie rétinienne) pour le stade 3, et la présence d'un œdème papillaire pour le stade 4. À l'auscultation de l'abdomen, on recherche un souffle lié à la turbulence du flot artériel à travers la sténose de l'artère rénale. Un tel souffle constitue l'indice clinique le plus spécifique à l'hypertension rénovasculaire, bien que sa seule présence chez un hypertendu ne suffise pas à prouver l'existence d'une sténose de l'artère rénale, encore moins d'une sténose hémodynamiquement significative. Bien que le souffle de l'artère rénale soit typiquement décrit comme systolodiastolique, la composante diastolique n'est en fait que rarement perceptible. Les souffles de l'artère rénale sont habituellement audibles au niveau des hypochondres. Enfin, le reste de l'examen physique cherchera à mettre en évidence une maladie athéroscléreuse multiétagée (souffles carotidiens et fémoraux en particulier) et les complications, particulièrement cardiaques, de l'HTA, notamment des signes de dysfonctionnement ventriculaire gauche.

Au bilan paraclinique, il existe peu d'analyses courantes qui puissent laisser soupçonner une hypertension rénovasculaire, si l'on exclut les épreuves diagnostiques plus spécifiques qui seront discutées ultérieurement. Une hypokaliémie, expliquée par une augmentation de la sécrétion d'aldostérone, peut être associée à l'hypertension rénovasculaire. Cependant, on rencontre aussi une hypokaliémie dans l'hyperaldostéronisme primaire, le syndrome de Cushing (deux autres causes d'HTA secondaire) et la prise de diurétiques. Une protéinurie légère, principalement caractérisée par une albuminurie, peut être détectée, mais elle est le plus souvent absente, du moins à la bandelette réactive. La présence d'une insuffisance rénale, définie par une élévation de la créatinine plasmatique, peut laisser suspecter une atteinte rénovasculaire bilatérale comme nous l'avons déjà mentionné. Cependant, une insuffisance rénale chronique associée à une HTA doit aussi faire envisager une hypovolémie induite par les diurétiques ou encore une atteinte rénale parenchymateuse, de type néphroangiosclérose en particulier. Celle-ci, comme nous l'avons vu, est une complication rénale possible de l'HTA, quoique des facteurs génétiques puissent aussi intervenir, notamment dans la population afro-américaine. La néphroangiosclérose est caractérisée par une atrophie rénale corticale, plus ou moins marquée à l'échographie, et par une analyse d'urine banale. D'autre part, une détérioration subite de la fonction rénale à la suite de l'utilisation d'un IECA ou d'un ARA peut aussi faire soupçonner une maladie rénovasculaire bilatérale. Ceci peut aussi survenir avec d'autres antihypertenseurs, dans le cas où une baisse exagérée de la pression artérielle systémique entraîne une diminution de la pression de perfusion rénale sous le seuil critique permis par les mécanismes d'autorégulation. Une sténose rénale bilatérale peut aussi se présenter par des épisodes récurrents d'œdème pulmonaire aigu en dépit d'une dynamique ventriculaire gauche normale. Finalement, il faut souligner qu'une sténose bilatérale de l'artère rénale peut exceptionnellement être rencontrée chez certains patients âgés normotendus. Ces patients présentent habituellement un débit cardiaque abaissé (ce qui explique la pression artérielle normale) et d'autres signes de maladie vasculaire athéroscléreuse.

Afin de mieux interpréter les divers tests diagnostiques, les indices cliniques cités ci-dessus ont été classifiés selon le degré auquel ils évoquent une hypertension d'origine rénovasculaire (tableau 18.2).

Tableau 18.2

Probabilité clinique d'une hypertension rénovasculaire

Probabilité faible
HTA limite ou légère à modérée sans autre argument clinique

Probabilité modérée
HTA modérée avec facteurs de risque d'athérosclérose ou maladie vasculaire athéroscléreuse
HTA avec souffle abdominal
HTA grave (pression artérielle diastolique >120 mmHg)
HTA réfractaire
HTA d'installation récente et âge < 30 ans ou > 50 ans

Probabilité élevée
HTA grave avec facteurs de risque d'athérosclérose ou maladie vasculaire athéroscléreuse
HTA avec rétinopathie stade 3 ou 4
HTA avec élévation de la créatinine plasmatique inexpliquée ou apparue sous traitement par un IECA ou un ARA

Évaluation diagnostique

L'évaluation d'une hypertension ou d'une insuffisance rénale que l'on soupçonne d'être d'origine rénovasculaire vise à mettre en évidence une ou plusieurs lésions anatomiques responsables de l'atteinte fonctionnelle. Par définition, une hypertension rénovasculaire ou une néphropathie ischémique est présente si une ou des lésions vasculaires sténosantes entraînent une hypoperfusion en aval. Le corollaire suivant s'impose donc : la démonstration d'une lésion vasculaire sténosante sans répercussion hémodynamique en aval ne suffit pas au diagnostic d'une hypertension rénovasculaire ou d'une néphropathie ischémique.

L'interprétation des résultats des épreuves diagnostiques doit tenir compte de la probabilité prétest, c'est-à-dire du degré de probabilité clinique *a priori* et des valeurs prédictives positive (VPP) et négative (VPN) de l'examen considéré. La VPP d'un test est définie comme la proportion des sujets porteurs de la maladie recherchée parmi l'ensemble des patients chez qui le test est positif. Cette VPP est directement associée à la prévalence de la maladie parmi les sujets étudiés, autrement dit à la probabilité prétest chez un individu donné : plus cette probabilité est élevée, plus la VPP est élevée. Un raisonnement similaire s'applique dans le cas de la VPN qui est la proportion des sujets qui n'ont pas la maladie parmi tous ceux dont le test est négatif : plus la probabilité prétest est élevée, moins la VPN est grande.

Épreuves non effractives

Scintigraphie rénale au captopril

Comme nous l'avons expliqué dans la section sur la physiopathologie, le débit de filtration glomérulaire d'un rein ischémique est maintenu grâce à l'effet vasoconstricteur de l'angiotensine II sur l'artériole efférente. Le principe de la scintigraphie rénale au captopril est basé sur une diminution de la filtration glomérulaire après l'administration de captopril (un IECA). Cette épreuve évalue donc la composante fonctionnelle de la maladie rénovasculaire. La positivité du test est confirmée en présence d'une asymétrie dans la vitesse d'élimination du radiotraceur entre les deux reins. Toute anomalie à la scintigraphie rénale au captopril doit être interprétée à la lumière des résultats d'une scintigraphie rénale de base, c'est-à-dire sans IECA, afin d'éliminer les biais causés par une atteinte rénale parenchymateuse. En raison d'une VPN d'à peine 75% dans certaines équipes, cet examen tend à être supplanté par le doppler des artères rénales pour le dépistage des sténoses hémodynamiquement significatives de l'artère rénale. Sa principale limitation est l'insuffisance rénale modérée à grave qui rend les résultats difficilement interprétables. De plus, l'utilisation chronique d'un IECA ou d'un ARA doit, autant que possible, être cessée au moins trois jours avant la réalisation de ce test, sous peine d'en réduire la sensibilité.

Échographie-doppler des artères rénales

L'échographie-doppler permet de dépister les lésions rénovasculaires et d'en apprécier l'impact hémodynamique par la détermination du débit artériel. En présence d'une insuffisance rénale inexpliquée, l'évaluation échographique de la taille des reins permet déjà de rechercher l'atrophie rénale asymétrique caractéristique de la néphropathie ischémique, l'installation et la progression des sténoses de chaque côté étant habituellement asynchrones, comme nous l'avons vu précédemment. Au contraire, quand l'investigation vise plutôt à rechercher une cause rénovasculaire à l'HTA d'un sujet dont la fonction rénale est préservée, l'échographie rénale elle-même n'est pas suffisamment sensible et c'est l'examen par doppler de la circulation artérielle rénale qui permet le mieux de rechercher une sténose, éventuellement unilatérale. Sa sensibilité et sa spécificité approcheraient 99 %, et ses VPP et VPN dans une population à probabilité clinique modérée à élevée d'HTA rénovasculaire sont d'environ 99 et 97 %, respectivement. En plus du dépistage de la sténose, le doppler permet une mesure de l'indice de résistance (1 − [vitesse télédiastolique/vitesse systolique maximale]) dans le lit artériolaire du parenchyme rénal, qui contribue à prédire le résultat d'une éventuelle revascularisation par angioplastie ou par chirurgie : un indice élevé (> 0,80) tend à prédire un échec de la revascularisation, c'est-à-dire que la correction de l'ischémie n'entraînera ni une amélioration de l'HTA ni une amélioration de la filtration glomérulaire du rein en question, du fait d'une atteinte parenchymateuse concomitante. Cependant, cette prédiction n'est pas absolue : certains patients avec un indice de résistance élevé peuvent néanmoins bénéficier d'une revascularisation. De plus, une obésité ou la présence de gaz intestinaux compliquent souvent l'interprétation des résultats du doppler. Enfin, il s'agit d'une technique dont la sensibilité varie beaucoup selon l'opérateur et qui demande du temps, une denrée rare dans les services de radiologie.

Angiorésonance des artères rénales

Cet examen permet d'évaluer les artères rénales principales ; la résolution pour les branches secondaires est limitée. Ce type d'examen a l'avantage de ne requérir aucune injection de colorant iodé néphrotoxique, puisque l'on a recours au gadolinium. Il ne requiert pas non plus d'effraction artérielle, ce qui limite les risques d'athéro-embolies. Il s'agit cependant d'une technique coûteuse et contre-indiquée chez certains patients porteurs d'implants métalliques. On doit également l'éviter en présence d'une insuffisance rénale relativement avancée (débit de filtration glomérulaire < 30 mL/min), car le gadolinium peut entraîner en pareil cas une complication redoutable, la *fibrose systémique néphrogénique*, caractérisée par un épaississement cutané diffus, parfois doublé d'une atteinte viscérale. La sensibilité, la spécificité et les VPP et VPN de l'angiorésonance sont excellentes pour le dépistage des sténoses de l'artère principale, surtout athéroscléreuses. Toutefois, elle surestime parfois le degré de sténose. En outre, d'ici à ce qu'elle puisse être réalisée en y combinant une intervention pharmacologique, elle ne donne pas encore d'information fonctionnelle sur l'impact hémodynamique de la lésion.

Angiographie par tomodensitométrie hélicoïdale

Cette technique (appelée en anglais *angioscan*) permet une évaluation anatomique des artères rénales et des branches secondaires. Cependant, tout comme l'angiorésonance, elle n'évalue pas les répercussions fonctionnelles des éventuelles sténoses. De plus, elle requiert l'injection de substance de contraste iodée, avec son risque inhérent de néphrotoxicité. La sensibilité de cet examen, sa spécificité et ses VPP et VPN restent encore mal définies. L'angiographie par tomodensitométrie hélicoïdale n'est pas actuellement recommandée comme examen de dépistage, sauf pour certaines variétés inhabituelles de maladie rénovasculaire, comme l'anévrisme de l'artère rénale, à condition que la fonction rénale permette le recours à un produit de contraste iodé.

Épreuves effractives

Aortographie abdominale

Cet examen est considéré comme l'examen de référence pour la confirmation, la description et la localisation des lésions rénovasculaires. Il est réalisé par l'injection intra-artérielle de substance de contraste iodée, les images étant ensuite obtenues par acquisition numérique. L'artériographie classique, quant à elle, se distingue de l'artériographie numérisée par le recours à un volume plus important de substance de contraste.

Dosage de la rénine dans les veines rénales

Le dosage de la rénine dans les veines rénales par cathétérisme, en passant par une veine fémorale et la veine cave inférieure, avec ou sans stimulation au captopril, est l'examen classique pour évaluer la répercussion fonctionnelle d'une sténose de l'artère rénale. Rarement employé de nos jours, il est surtout réalisé lorsqu'un doute persiste quant à la signification hémodynamique d'une sténose unilatérale de l'artère rénale ou pour décider de quel côté intervenir en priorité en cas de sténose bilatérale quand une intervention des deux côtés à la fois paraît risquée. On fait alors appel au rapport de la concentration de la rénine dans la veine rénale du côté atteint à celle mesurée dans la veine controlatérale : un rapport supérieur à 1,5 indique une latéralisation de la sécrétion de rénine et est compatible avec une sténose significative.

En résumé, le doppler des artères rénales est actuellement le test de dépistage le plus recommandé. L'utilisation de l'artériographie classique ou numérisée permet de confirmer une lésion suspectée et d'en apprécier les caractéristiques en vue d'une revascularisation. Certains auteurs recommandent l'artériographie d'emblée dans les cas où la probabilité clinique d'une hypertension rénovasculaire est élevée. À tout le moins, son utilisation devrait être restreinte aux patients pour lesquels il n'existe aucune contre-indication à une revascularisation.

Enfin, les examens faisant appel à une substance de contraste iodée ou au gadolinium (angiorésonance) sont relativement contre-indiqués chez les patients atteints d'insuffisance rénale, étant donné le risque de néphrotoxicité et de fibrose systémique néphrogénique, respectivement. Le doppler est un bon examen chez ce type de patient.

Traitement

Le but du traitement de l'hypertension rénovasculaire est de corriger l'HTA, surtout quand elle est réfractaire, et surtout de prévenir ou d'améliorer l'insuffisance rénale par néphropathie ischémique. Plus rarement, l'enjeu sera cardiaque : prévenir la récurrence d'épisodes d'œdème pulmonaire inexpliqués par un dysfonctionnement ventriculaire gauche, en général dans le contexte d'une sténose bilatérale. Trois modalités thérapeutiques sont possibles : la revascularisation chirurgicale, la revascularisation par angioplastie, avec ou sans mise en place d'une endoprothèse (*stent*), et le traitement médical.

Revascularisation chirurgicale

La revascularisation chirurgicale est efficace pour corriger l'HTA rénovasculaire, de même que pour corriger ou améliorer la néphropathie ischémique. Le taux de succès avoisine 85-90 % pour la correction ou l'amélioration de la pression artérielle, et 80-85 % pour l'amélioration ou la stabilisation de la fonction rénale. On peut choisir entre plusieurs techniques chirurgicales parmi les pontages aorto-rénal, ilio-rénal, spléno-rénal et hépatico-rénal. Le choix d'une technique plutôt que d'une autre est entre autres choses lié à l'étendue de l'athérosclérose aortique. La néphrectomie, quant à elle, n'est utilisée qu'en cas d'HTA réfractaire au traitement médical quand le rein ischémique est très atrophique (diamètre bipolaire < 8 cm) et afonctionnel ou presque.

Le risque de morbidité et de mortalité (3 à 5 %) de la revascularisation chirurgicale est variable selon les patients et l'expertise chirurgicale du milieu. Ce risque peut être atténué par une évaluation préopératoire à la recherche d'une maladie athéroscléreuse carotidienne ou coronarienne. En effet, la revascularisation chirurgicale rénale entraîne d'importants changements hémodynamiques peropératoires, lesquels réduisent les pressions de perfusion carotidienne et coronarienne, d'autant plus s'il y a des sténoses athéroscléreuses à ces niveaux. En pareil cas, l'intervention peut entraîner un risque d'accident vasculaire cérébral ou d'infarctus du myocarde péri-opératoire. Enfin, le risque d'athéro-embolies constitue un autre danger potentiel de la revascularisation chirurgicale.

Revascularisation par angioplastie percutanée

Il s'agit ici de procéder à une dilatation par ballonnet de la sténose, avec ou sans mise en place d'une endoprothèse. Cette technique ne requiert aucune anesthésie générale et n'entraîne aucun changement hémodynamique important, puisqu'il n'y a pas clampage vasculaire. Certaines études prospectives ont comparé l'angioplastie à la chirurgie pour ce type de lésions, et les résultats sont comparables. Dans les lésions ostiales, l'angioplastie simple entraîne un pourcentage relativement élevé de resténose (environ 30 %). Ceci s'explique par la propriété de retour élastique de la sténose, la progression de l'athérosclérose en provenance de l'aorte et l'installation d'une hyperplasie intimale. L'utilisation d'une endoprothèse mise en place après l'angioplastie de lésions ostiales réduit le risque de resténose immédiate. Toutefois, l'emploi de ces endoprothèses n'est pas sans risque, notamment d'athéro-embolies en aval qui peuvent entraîner une détérioration de la fonction rénale. Les autres complications de la revascularisation par angioplastie sont l'hématome au point de ponction et la dissection ou la rupture de l'artère rénale, qui peuvent nécessiter une chirurgie de reconstruction vasculaire urgente. L'évaluation des patients présentant des signes d'atteinte athéroscléreuse carotidienne ou coronarienne doit tenir compte de la possibilité d'une chirurgie urgente.

Critères de décision en faveur d'une revascularisation rénale

En pratique, il faut d'abord poser l'indication d'une revascularisation, puis choisir entre angioplastie percutanée et chirurgie. Une certaine controverse entoure les indications de revascularisation, mais on s'entend généralement sur la liste suivante : HTA réfractaire au traitement médical (surtout quand les IECA ou les ARA ont été les seuls médicaments efficaces, mais au prix d'une détérioration de la fonction rénale), œdèmes pulmonaires soudains (« OAP flash ») à répétition sur ventricule gauche normal, sténose critique bilatérale ou sur rein unique. Si l'objectif est d'améliorer la fonction rénale, les conditions suivantes doivent en général être respectées : détérioration de la fonction rénale au cours de l'année précédente (sans autre explication qu'une ischémie progressive), indice de résistance < 0,80 au doppler et, à l'artériographie, diamètre bipolaire du ou des rein(s) à reperfuser > 9 cm (ce qui correspond à environ 8 cm à l'échographie) et pyélogramme visible (ce qui traduit le fait que le rein est fonctionnel, ou du moins encore viable grâce à une circulation collatérale). L'absence de tels indices doit faire suspecter la présence d'une atteinte parenchymateuse irréversible, une néphroangiosclérose, par exemple. Une protéinurie abondante, chez un diabétique, par exemple, doit aussi faire suspecter une atteinte parenchymateuse qui ne bénéficiera pas d'une revascularisation.

Quant au choix d'une méthode de revascularisation plutôt que d'une autre, il dépend du risque d'une éventuelle intervention chirurgicale, mais aussi de la localisation et du type de lésion rénovasculaire. Les sténoses dysplasiques de l'artère rénale principale, de même que les lésions athéroscléreuses non ostiales sont celles qui répondent le mieux à l'angioplastie percutanée sans mise en place d'une endoprothèse. Pour les lésions ostiales, on a presque toujours recours à la mise en place d'une endoprothèse. Toutefois, la chirurgie a encore sa place, surtout si un pontage chirurgical aorto-fémoral (ou aorto-iliaque) est nécessaire de toute façon, en raison d'une anévrisme de l'aorte ou d'une insuffisance artérielle également présente aux membres inférieurs, ou encore en cas de petit rein afonctionnel avec HTA réfractaire (néphrectomie).

Le suivi des patients après revascularisation repose sur l'évaluation de la réponse de la pression artérielle et de la fonction rénale. Le doppler permet le dépistage des éventuelles resténoses. Les antihypertenseurs (si la pression artérielle n'est pas normalisée), les hypolipémiants et les antiagrégants plaquettaires contribuent à prévenir ou à retarder l'apparition d'une resténose, de même que la progression de la maladie sur le rein controlatéral.

Traitement médical

Le traitement médical permet dans bien des cas de maîtriser l'HTA, mais ses effets sur la progression de la maladie rénovasculaire athéroscléreuse et de l'insuffisance rénale par néphropathie ischémique sont limités. En dépit de ces limitations, le traitement médical s'est révélé aussi efficace sur la pression artérielle et la fonction rénale que la revascularisation percutanée, avec ou sans endoprothèse, dans des essais randomisés contrôlés. Pour cette raison, le traitement médical, assorti d'un suivi attentif, est en général privilégié en l'absence de l'une ou l'autre des indications spécifiques décrites dans les paragraphes précédents.

Le traitement médical de choix demeure les IECA ou les ARA en présence d'une sténose unilatérale. Les autres classes d'antihypertenseurs peuvent être employées advenant une contre-indication aux médicaments agissant sur l'axe rénine-angiotensine-aldostérone, en particulier une sténose bilatérale.

Conclusion

En résumé, l'hypertension rénovasculaire se caractérise par une lésion anatomique responsable d'une cascade d'événements physiopathologiques. C'est une forme secondaire d'HTA dépendante du système rénine-angiotensine-aldostérone. Quant à la néphropathie ischémique, il s'agit d'une cause *a priori* réversible d'insuffisance rénale.

L'importance du diagnostic de la maladie rénovasculaire tient au fait qu'il existe des méthodes de revascularisation qui permettent de corriger ou de faciliter la maîtrise de l'HTA et de prévenir ou d'améliorer la néphropathie ischémique. La revascularisation rénale, par voie percutanée ou chirurgicale, peut sembler le traitement de choix de la maladie rénovasculaire. Pourtant, dans une majorité de cas, les données disponibles sont plutôt en faveur d'un traitement médical et d'un suivi étroit, surtout chez le sujet âgé.

LECTURES SUGGÉRÉES

Alcazar, J. M. et Rodicio, J. L. « Ischemic nephropathy : clinical characteristics and treatment », *Am J Kidney Dis*, 2000 ; 36 : 883-93.

Dworkin, L. D. et Cooper, C. J. « Renal-artery stenosis », *N Engl J Med*, 2009 ; 361 : 1972-8.

Fiquet-Kempf, B. *et al.* « La dysplasie fibromusculaire des artères rénales », *Néphrologie*, 1999 ; 20 : 13-8.

Néphropathies vasculaires, dans Kanfer, A. *et al. Néphrologie et troubles électrolytiques*, Masson, Paris, 1997.

The ASTRAL Investigators. « Revascularization versus medical therapy for renal-artery stenosis », *N Engl J Med*, 2009 ; 361 : 1953-62.

Chapitre 19

Diurétiques

Jean-Philippe Lafrance et Vincent Pichette

Les diurétiques sont des molécules qui augmentent l'excrétion urinaire de sodium (Na) et d'eau et servent principalement à diminuer le volume extracellulaire. Ils agissent à divers niveaux du néphron. Afin de comprendre le mécanisme d'action des différents diurétiques, leurs potentiels thérapeutiques ainsi que leurs effets secondaires, il est primordial de maîtriser certaines notions de physiologie rénale, en particulier les mécanismes de transport des électrolytes.

Transport transépithélial du sodium le long du néphron

La quasi-totalité du sodium filtré est réabsorbée par les divers segments du néphron (> 99 %). Les mécanismes impliqués diffèrent selon les segments.

Tubule proximal (figure 19.1)

Le tubule proximal réabsorbe la majeure partie du sodium filtré (65 %). Il s'agit d'une réabsorption iso-osmotique (c'est-à-dire d'une quantité équivalente d'eau et de sodium). Dans la première partie du tubule proximal, la réabsorption de Na s'effectue par l'intermédiaire d'un cotransporteur Na-substrats (glucose, acide aminé) ou d'un échangeur Na : H. Le Na intracellulaire ressort de la cellule par la pompe Na :K ATPase. Dans la seconde portion du tubule proximal, la réabsorption du sodium se fait par un transport neutre de NaCl par l'intermédiaire de deux échangeurs parallèles : Na : H et Cl : formate ou Cl : oxalate. Ces mécanismes génèrent un gradient osmotique, ce qui permet la réabsorption de l'eau en paracellulaire.

La réabsorption du bicarbonate se fait également dans le tubule proximal, couplée à celle du sodium, par l'échangeur Na : H.

Anse de Henle (figure 19.2)

Environ 25 % du sodium filtré est réabsorbé dans ce segment, principalement par l'anse large ascendante. Le sodium est réabsorbé par l'intermédiaire d'un cotransporteur apical neutre Na : K : 2Cl. Le sodium qui pénètre dans la cellule par ce transporteur est pompé hors de celle-ci grâce à la pompe Na :K ATPase de la membrane basolatérale. Le chlore (Cl), après son entrée dans la cellule, voit sa concentration s'élever au-dessus de son équilibre électrochimique

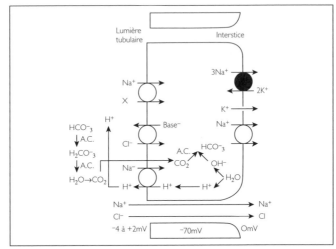

Figure 19.1 Transport du sodium dans la cellule tubulaire proximale. AC, anhydrase carbonique ; X, autres substrats cotransportés avec le sodium (glucose, acides aminés)

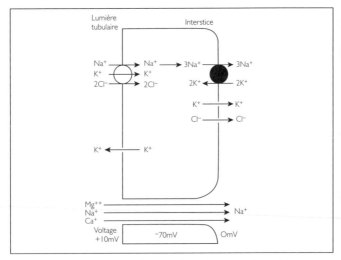

Figure 19.2 Transport de sodium dans l'anse large ascendante de Henle

et sort par des canaux anioniques de la membrane basolatérale. De plus, la presque totalité du potassium (K) qui entre dans la cellule est sécrétée à nouveau dans la lumière tubulaire par des canaux potassiques apicaux. Cette diffusion luminale du K est électrogénique et rend la lumière positive (+10 mV). Ceci est très important, car ce gradient électrique favorise la réabsorption passive paracellulaire de Na et de cations tels que le potassium (K), le calcium (Ca) et le magnésium (Mg). Puisque l'anse ascendante de Henle est imperméable à l'eau, l'urine se dilue le long de ce segment.

Tubules distal et collecteur (figure 19.3)

Seulement 5 à 10 % du sodium filtré est réabsorbé dans ces segments. Cependant, ce sont des segments d'une grande importance puisqu'ils sont responsables de la régulation finale de l'excrétion du sodium. Dans le tubule distal, le sodium est réabsorbé par un cotransporteur Na : Cl apical. La réabsorption du sodium dans le tubule collecteur se fait par les cellules principales, qui sont dotées de canaux sodiques apicaux. Cette entrée de sodium dans la cellule crée un potentiel luminal négatif qui favorise la sortie de K par les canaux potassiques apicaux.

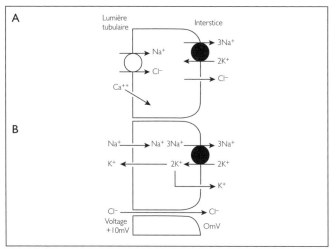

Figure 19.3 Transport de sodium dans le tubule distal (A) et le tubule collecteur (B)

Site et mécanisme d'action des diurétiques

Les diurétiques peuvent être divisés en cinq classes selon leur site d'action le long du néphron (tableau 19.1) : les *diurétiques osmotiques* et les *inhibiteurs de l'anhydrase carbonique* agissent sur le tubule proximal ; les *diurétiques de l'anse* inhibent le transport de sodium dans l'anse large ascendante de Henle ; les *diurétiques inhibant le cotransporteur Na : Cl* (ou de type thiazidique) exercent leur action sur le tubule distal ; les *diurétiques «épargneurs de potassium»* (non kaliurétiques) peuvent agir selon l'un ou l'autre de deux mécanismes : 1) une inhibition des canaux sodiques du tubule collecteur, ou 2) une inhibition de l'aldostérone au même niveau. Dans les deux cas, la sécrétion de K est diminuée de façon secondaire, d'où leur appellation.

Tableau 19.1

Classes de diurétiques

Diurétiques osmotiques
    Mannitol
    Glycérine

Inhibiteurs de l'anhydrase carbonique
    Acétazolamide

Diurétiques de l'anse
    Acide éthacrynique
    Bumétanide
    Furosémide
    Torsémide

Diurétiques inhibant le cotransporteur Na:Cl
    Thiazidiques
        Chlorthalidone
        Hydrochlorothiazide
    Autres
        Indapamide
        Métolazone

Diurétiques épargneurs de potassium
    Inhibiteurs des canaux sodiques
        Amiloride
        Triamtérène
    Antagonistes des récepteurs des minéralocorticoïdes
        Spironolactone
Éplérénone

Diurétiques osmotiques

Les médicaments dont l'effet diurétique est secondaire à une rétention de sodium et d'eau dans la lumière tubulaire et non pas à un effet direct sur le transport de sodium sont appelés diurétiques osmotiques. Ces molécules sont filtrées par le glomérule, mais ne sont pas réabsorbées par le tubule, ce qui accroît l'osmolalité du liquide intratubulaire. En pratique, seules quelques substances sont utilisées : mannitol, glycérine, isosorbide. Cependant, certains états pathologiques peuvent être associés à une diurèse osmotique. L'exemple le plus classique est celui du diabète. En cas d'hyperglycémie marquée, le glucose filtré par le glomérule dépasse la capacité maximale de réabsorption de glucose par le tubule proximal. La glycosurie qui en résulte entraîne avec elle une perte d'eau et d'électrolytes.

Longtemps, on a pensé que seule l'augmentation de la pression osmotique du fluide tubulaire, avec la diminution de la réabsorption d'eau et de sodium qui en résulte au tubule proximal, expliquait la diurèse osmotique. Or, certaines données suggèrent fortement que la diminution de la réabsorption de sodium survient aussi au niveau de l'anse large ascendante de Henle. Puisque ces agents osmotiques n'ont aucune action sur le transporteur Na : K : 2Cl, la diminution de la réabsorption de sodium à ce niveau est secondaire à la dilution du sodium intratubulaire, ce qui entraîne une diminution de l'activité du transporteur Na : K : 2Cl. Par ailleurs, les diurétiques osmotiques augmentent le débit sanguin dans la médullaire, ce qui a pour effet d'en abaisser la tonicité et de diminuer la réabsorption de sodium. L'effet natriurétique varie entre 3 et 10 % du Na filtré selon la dose administrée.

Inhibiteurs de l'anhydrase carbonique

Il s'agit d'une classe de médicaments qui réduisent la réabsorption d'eau et de Na dans le tubule proximal en inhibant l'anhydrase carbonique. Cette enzyme est présente dans la membrane apicale et basolatérale des cellules proximales, ainsi que dans leur cytoplasme. Elle catalyse la formation (réversible) d'eau et de dioxyde de carbone à partir de l'acide carbonique (figure 19.1) et joue un rôle important dans la réabsorption de Na et de bicarbonate dans le tubule proximal. En effet, un tiers du transport de Na dans ce segment du néphron se fait par l'intermédiaire de l'échangeur

Tableau 17.6

Options thérapeutiques dans l'HBP

I. Observation

II. Traitement médical
   a) Inhibiteur de la 5-alpha-réductase (finastéride ou dutastéride)
   b) Antagoniste des récepteurs alpha-1 (térazosine, doxazosine, tamsulosine et alfuzosine)

III. Traitement interventionniste non chirurgical
   a) Hyperthermie – thermothérapie
   b) Ultrasons focalisés de haute intensité

IV. Traitement chirurgical
   a) Prostatectomie (transurétrale ou ouverte)
   b) Laser

Facteurs de risque

Âge   Le risque de cancer de la prostate augmente avec l'âge. Un pour cent des cancers sont diagnostiqués avant l'âge de 40 ans. Soixante pour cent le sont chez des hommes de plus de 65 ans. On considère que le risque devient significatif vers l'âge de 50 ans, sauf chez les hommes de race noire chez qui la prévalence est déjà importante à 40 ans.

Antécédents familiaux   Le risque de cancer de la prostate augmente de façon significative si un ou plusieurs membres de la famille en sont ou en ont été atteints (tableau 17.7). Dans certaines familles, on a également noté une association entre le cancer de la prostate et le cancer du sein.

Tableau 17.7

Risques de cancer de la prostate selon les antécédents familiaux

Un parent au premier degré atteint	risque x 2 à 2,4
Un parent au deuxième degré atteint	risque x 1,7 à 2,1
Parents du premier et deuxième degrés atteints	risque x 8,8

Race   Il existe une grande variation dans l'incidence du cancer de la prostate selon les races. Les hommes de race noire sont particulièrement affectés. Les Afro-Américains présentent le taux le plus élevé au monde. À l'autre extrême se classent les Chinois. Ainsi, un Afro-Américain a un risque jusqu'à 120 fois plus élevé de cancer de la prostate qu'un Chinois vivant dans son pays.

Milieu de vie   Comme pour le cancer du sein, le cancer de la prostate semble suivre une certaine distribution géographique. En effet, les Nord-Américains courent un risque 35 fois plus élevé que les habitants de l'Asie ou de l'Europe de l'Est. Le risque d'un immigrant se rapproche du risque observé dans son pays d'accueil. Par exemple, un Chinois qui immigre au Canada voit son risque augmenter de façon importante.

Alimentation   Des études suggèrent qu'une alimentation riche en gras animal puisse contribuer à l'émergence de la maladie. Certains éléments pourraient avoir au contraire un rôle protecteur (zinc et lycopènes).

Vasectomie   Plusieurs études aux résultats contradictoires ont tenté d'établir un lien entre la vasectomie et le cancer de la prostate. Les plus récentes études ont conclu qu'un tel lien est improbable.

Manifestations cliniques

Le cancer de la prostate est une maladie remarquablement silencieuse à ses débuts. À mesure que le tissu néoplasique prend de l'expansion, les symptômes apparaissent. Le mode de présentation le plus fréquent est le prostatisme. L'hématurie, la rétention urinaire, l'incontinence, l'insuffisance rénale postrénale, l'impuissance, l'asthénie, la perte de poids et les douleurs osseuses peuvent également amener le patient à consulter. Malheureusement, lorsqu'apparaissent les symptômes, le cancer a souvent débordé la glande prostatique. À ce stade, on ne peut plus offrir de traitement curatif au patient, d'où l'importance de détecter la maladie à un stade précoce.

Méthodes diagnostiques

Toucher rectal   Simple, peu coûteux, généralement bien toléré, le toucher rectal (TR) demeure le premier examen à effectuer pour détecter un cancer de la prostate. Sa sensibilité dépend de l'attention et de l'expérience de l'examinateur. Celui-ci doit rechercher un nodule, une induration, une irrégularité ou une asymétrie de la glande prostatique. Le TR demeure essentiel puisque 15-20 % des patients atteints d'un cancer curable ont un APS normal. Dans ces cas, le diagnostic ne peut être posé qu'au TR. Malheureusement, les cancers faible (environ 2 % du Na filtré). Cependant, l'effet sur la kaliurèse est important, car ils réduisent de façon marquée la sécrétion de K.

Antagonistes des récepteurs des minéralo-corticoïdes (antagonistes de l'aldostérone)

Les minéralocorticoïdes (aldostérone) causent une rétention hydrosodée et augmentent l'excrétion de K et de H^+ en se liant à des récepteurs spécifiques des tubules distal et collecteur. Les cellules épithéliales de ce segment du néphron contiennent des récepteurs cytoplasmiques aux minéralocorticoïdes. L'aldostérone pénètre dans la cellule épithéliale par la membrane basolatérale pour se fixer à son récepteur ; ce complexe migre vers le noyau où il se lie à des séquences précises d'ADN responsables de la synthèse de plusieurs protéines. L'aldostérone stimule tous les facteurs qui favorisent le transport transépithélial de Na et la sécrétion de K par les cellules du tubule collecteur : augmentation du nombre et du temps d'ouverture des canaux apicaux sodiques et potassiques, et augmentation du nombre de pompes Na : K ATPase.

La *spironolactone* et l'*éplérénone* sont les deux seuls antagonistes de l'aldostérone disponibles au Canada. L'éplérénone est un inhibiteur plus spécifique que la spironolactone. Les deux se lient de façon compétitive aux récepteurs de l'aldostérone. L'effet de ces molécules est sensiblement le même que celui des bloqueurs des canaux sodiques. Contrairement à ces derniers, l'efficacité est proportionnelle aux concentrations d'aldostérone.

Inhibiteurs des récepteurs de la vasopressine (vaptans)

Les inhibiteurs des récepteurs de la vasopressine (vaptans) sont de nouvelles molécules qui bloquent les récepteurs V1a, V1b ou V2 de la vasopressine. Les récepteurs V2 de la vasopressine sont présents sur la membrane basolatérale du tubule collecteur. La fixation de la vasopressine (aussi appelée hormone antidiurétique) sur les récepteurs V2 induit la synthèse et l'insertion des aquaporines (canaux à eau) sur la membrane apicale. Conséquemment, l'eau est réabsorbée dans le tubule collecteur (qui est sinon imperméable à l'eau), ce qui permet une concentration des urines. Ainsi, les vaptans ne sont pas réellement des diurétiques (ils n'augmentent pas la sécrétion de Na), mais plutôt des *aquarétiques*, puisqu'ils augmentent l'excrétion d'eau en bloquant les récepteurs V2 de la vasopressine et limitent la concentration des urines. Le *tolvaptan* (oral) est maintenant disponible au Canada. L'indication prévue des vaptans est l'hyponatrémie secondaire au SIADH, à l'insuffisance cardiaque ou à la cirrhose.

Pharmacocinétique des diurétiques

La majorité des diurétiques peuvent être administrés par voie orale ou intraveineuse. Leur biodisponibilité, leur volume de distribution ainsi que leur métabolisme varient d'une molécule à l'autre. Nous n'insisterons ici que sur l'élimination rénale des diurétiques.

Tous les diurétiques, à l'exception des antagonistes de l'aldostérone et des diurétiques osmotiques, bloquent des transporteurs ou des canaux qui sont présents dans la membrane apicale des tubules rénaux. Ils doivent donc être excrétés par le rein pour parvenir à leur site d'action. D'un point de vue physiologique, le néphron, unité fonctionnelle du rein, peut excréter les diurétiques par deux mécanismes différents: la filtration glomérulaire et la sécrétion tubulaire.

Filtration glomérulaire

Le glomérule se comporte comme un filtre non sélectif qui laisse passer les substances dont le poids moléculaire est inférieur à 68 000 daltons. Par conséquent, la composition du filtrat glomérulaire est, pour la plupart de ses constituants, à l'exclusion des protéines, identique à celle du plasma. Comme le poids moléculaire des médicaments est inférieur à 68 000 daltons, la filtration glomérulaire des substances médicamenteuses est essentiellement liée à leur degré de fixation aux protéines plasmatiques: plus elles sont liées, moins elles sont filtrées. Puisque la majorité des diurétiques sont fortement liés aux protéines plasmatiques, leur élimination rénale se fait principalement par sécrétion tubulaire.

Sécrétion tubulaire

La sécrétion tubulaire consiste en un transport du liquide extracellulaire vers la lumière tubulaire et représente une voie d'élimination importante pour les médicaments et les substances endogènes. La sécrétion tubulaire est un processus actif qui exige un fonctionnement normal de la cellule. Elle ne concerne que les fractions

Tableau 17.8

Classification, traitement et pronostic du cancer de la prostate

Stade	Définition	Traitement	Survie moyenne avec traitement
A1 ou T1a	Présence de cellules cancéreuses dans moins de 5 % des fragments provenant d'une RTU-P	Observation Traitement conservateur à moins que le cancer n'évolue	Plus de 10 ans
A2 ou T1b	Présence de cellules cancéreuses dans plus de 5 % des fragments provenant d'une RTU-P; aucun nodule détecté au TR	Prostatectomie ou radiothérapie	Plus de 10 ans
B0 ou T1c	Cancer détecté par ETR effectuée après constatation d'un taux d'APS élevé; pas de nodule détecté au TR	Prostatectomie ou radiothérapie	Plus de 10 ans
B1 ou T2a	Nodule cancéreux occupant moins de la moitié d'un lobe prostatique	Prostatectomie ou radiothérapie	Plus de 10 ans
B2 ou T2b	Nodule cancéreux occupant plus de la moitié d'un lobe prostatique	Prostatectomie ou radiothérapie	Plus de 10 ans

Tableau 17.8 (*suite*)

B3 ou T2c	Tumeur touchant les deux lobes prostatiques	Prostatectomie ou radiothérapie	10 ans
C ou T3	Tumeur non confinée à la capsule prostatique, envahissant les vésicules séminales ou le bassin	Radiothérapie ou, dans certains cas, prostatectomie	5 à 10 ans
D1 ou N+	Atteinte des ganglions lymphatiques pelviens	Hormonothérapie (précoce ou retardée)	5 ans
D2 ou M1	Métastases à distance (osseuses)	Hormonothérapie	2-3 ans
D3	Rechute consécutive à l'hormonothérapie	Soins palliatifs, chimiothérapie ou protocole expérimental	12 mois

RTU-P : résection transurétrale de la prostate
TR : toucher rectal
ETR : échographie transrectale
APS : antigène prostatique spécifique

Tableau 19.4

Indications des diurétiques

Classe	Indications
Inhibiteurs de l'anhydrase carbonique	Alcalose métabolique Glaucome Mal d'altitude
Diurétiques osmotiques	Glaucome Œdème cérébral

Diurétiques de l'anse	Rétention hydrosodée
	    Insuffisance cardiaque
	    Insuffisance rénale chronique
	    Cirrhose
	    Syndrome néphrotique
	Hypercalcémie
	SIADH

Inhibiteurs du cotransporteur Na : Cl	Hypertension artérielle Rétention hydrosodée Hypercalciurie
Bloqueurs des canaux sodiques	Hypokaliémie Hyperaldosténonisme primaire
Antagonistes de l'aldostérone	Hypokaliémie Hyperaldosténonisme primaire Cirrhose Insuffisance cardiaque Protéinurie

Hypertension artérielle (HTA)

Les diurétiques ont toujours été à la base du traitement antihypertenseur. Actuellement, les diurétiques de type thiazidique sont des médicaments de première intention dans le traitement de l'HTA essentielle chez les patients qui n'ont pas d'indication pour un agent spécifique. Malgré qu'ils soient utilisés depuis plus d'un demi-siècle, leur mécanisme d'action demeure encore imprécis. Initialement, il se produit une diminution du volume extracellulaire et du débit cardiaque liée à leur effet natriurétique. L'effet hypotenseur est cependant maintenu au long cours grâce à une diminution des résistances vasculaires dont les mécanismes demeurent mal connus. Il est à noter qu'au moins un tiers de la population est sensible au sel (augmentation de la pression artérielle avec un apport important de sel). Les thiazidiques sont particulièrement efficaces chez ces patients. Cette sensibilité au sel est plus fréquente chez les personnes âgées et de race noire.

En plus de leur utilisation en première intention dans l'HTA, les diurétiques sont fréquemment utilisés pour potentialiser d'autres hypotenseurs, en particulier les inhibiteurs de l'enzyme de conversion et les antagonistes des récepteurs de l'angiotensine.

En présence d'une insuffisance rénale sévère, il est fréquent que l'HTA soit due à une rétention hydrosodée, de sorte que l'utilisation de diurétiques en IRC s'avère essentielle pour la maîtrise de l'HTA. Dans ces circonstances, de même qu'en présence d'œdème, il est préférable d'utiliser un diurétique de l'anse. Sinon, certains travaux montrent que les thiazidiques peuvent demeurer efficaces pour la maîtrise de l'HTA, même chez les sujets ayant un débit de filtration glomérulaire de moins de 40 mL/min. Cependant, tous les diurétiques perdent de leur efficacité lorsque le débit de filtration glomérulaire diminue et il est donc possible que les doses doivent être augmentées.

Rétention hydrosodée

Insuffisance cardiaque

Au cours de l'insuffisance cardiaque, le facteur à l'origine de l'apparition de l'œdème est une diminution du volume circulant efficace qui fait suite à la réduction du débit cardiaque. La diminution du volume circulant efficace a pour effet d'entraîner une activation des systèmes sympathique et rénine-angiotensine-aldostérone ainsi qu'une sécrétion d'hormone antidiurétique. En réponse à ces stimuli, le rein réabsorbe plus de Na, ce qui cause une hypervolémie et une augmentation de la pression veineuse et du retour veineux au cœur. Cette compensation rénale à la baisse du débit cardiaque est bénéfique au départ, puisqu'elle permet une augmentation du remplissage cardiaque qui favorise une augmentation du volume d'éjection (loi de Franck Starling). Cependant, cette compensation devient inadaptée à mesure que la maladie cardiaque progresse. Les œdèmes deviennent de plus en plus importants, et accompa-

Présentation clinique

La présentation la plus courante est l'hématurie, macroscopique ou microscopique. Elle est le plus souvent asymptomatique (silencieuse). Cependant, certains patients peuvent présenter des douleurs vésicales pouvant évoquer une cystite. Chez l'adulte, une hématurie macroscopique en l'absence d'infection bien établie doit faire penser à une néoplasie jusqu'à preuve du contraire.

Exploration d'une hématurie

L'analyse d'urine confirme la présence d'une hématurie dans la grande majorité des cas. Chez un patient qui présente une hématurie, une exploration complète de l'appareil urinaire doit être réalisée : analyse d'urine microscopique, cultures (si une infection est soupçonnée par les symptômes ou l'analyse), sédiment urinaire (si une cause néphrologique fait partie du diagnostic différentiel), cytologie urinaire (*voir ci-dessous*), imagerie de l'appareil urinaire supérieur (échographie rénale, pyéloscan ou urographie intraveineuse), cystoscopie (seul examen fiable pour évaluer l'urètre et la vessie).

Cytologie urinaire

L'examen cytopathologique des urines peut contribuer à confirmer la présence d'un carcinome urothélial. Sa capacité à prédire la présence de cellules malignes varie de 63 à 89 %, et dépend en grande partie du degré histologique de la tumeur, les tumeurs à degré faible (bas grade) étant associées à une cytologie négative dans une forte proportion des cas. Inversement, une tumeur de haut grade résulte souvent en des cytologies positives. Ceci est dû au degré de différenciation faible des cellules constituant ces tumeurs, avec comme conséquence, une perte des adhérences intercellulaires et de celles entre les cellules et la matrice extracellulaire. Il en découle une desquamation plus importante des cellules néoplasiques dans la lumière vésicale. L'avantage principal de la cytologie est qu'elle est très spécifique et sert principalement au suivi de malades traités pour ce type de cancer. Notons qu'un carcinome urothélial de la vessie comporte un risque d'environ 2 à 5 % de tumeur synchrone de l'appareil urinaire supérieur (bassinet, uretère), tandis qu'en présence d'une tumeur de l'appareil supérieur il y a environ 50 % de risque de tumeur synchrone dans la vessie. En présence d'une tumeur urothéliale ou lorsque l'on en suspecte une, une exploration de l'ensemble de l'appareil urinaire s'impose.

Diagnostic

Le diagnostic de tumeur urothéliale se fait par biopsie-exérèse de la lésion et confirmation histopathologique.

Anatomie pathologique

Quatre-vingt-quinze pour cent des tumeurs des voies urinaires sont, à l'histologie, des carcinomes urothéliaux et plus de 90 % de ces tumeurs sont localisées à la vessie. Les autres peuvent se retrouver des calices jusqu'à l'urètre proximal. Ces tumeurs sont souvent multiples. Elles sont classifiées selon leur degré de différenciation et plusieurs sous-variantes histologiques existent, certaines plus agressives que d'autres. On distingue les tumeurs superficielles et les tumeurs infiltrantes.

Tumeurs superficielles (Ta, T1, CIS)

Les tumeurs superficielles, par définition, se limitent à la muqueuse ou à la sous-muqueuse. Elles peuvent être surélevées, généralement de formes papillaires, ou planes. Les formes planes sont plus volontiers diffuses et progressent plus souvent vers une forme infiltrante. Les tumeurs superficielles sont généralement de bon pronostic, avec peu de chances de dissémination si le traitement est précoce.

Tumeurs infiltrantes (T2 et plus)

Les tumeurs infiltrantes sont celles qui pénètrent la paroi musculaire de la vessie (le détrusor). Elles représentent environ 20 à 25 % des tumeurs vésicales. Le risque de métastases augmente de façon importante avec les formes infiltrantes. Les endroits de prédilection des métastases sont les ganglions lymphatiques, le foie, les poumons et les os.

Bilan d'extension et traitement

Le traitement varie selon que les tumeurs sont localisées à l'appareil urinaire inférieur ou supérieur. Pour l'appareil urinaire inférieur, les tumeurs superficielles sont généralement traitées par résection transurétrale et les patients, suivis étroitement, généralement par des cytologies urinaires et des cystoscopies répétées. En cas de tumeurs multiples, récidivantes ou de degré de malignité indifférencié, on

Puisque le site d'action des diurétiques se situe sur la membrane apicale du tubule, c'est la quantité de diurétique présente dans la lumière tubulaire, et non dans le plasma, qui détermine son effet. Toutefois, l'excrétion urinaire cumulative du diurétique n'est pas nécessairement corrélée avec la réponse obtenue. Ainsi, une fois dans la lumière tubulaire, l'efficacité d'un diurétique à inhiber la réabsorption du Na est plutôt déterminée par la vitesse d'apparition du diurétique à son site d'action luminal. Cette vitesse d'apparition dépend en partie de la dose administrée et de la voie d'administration.

Facteurs impliqués dans la réponse aux diurétiques

Les éléments qui influencent la réponse normale au furosémide peuvent être divisés en facteurs pharmacocinétiques et pharmacodynamiques (tableau 19.5). Les premiers modulent la quantité de diurétique qui atteint la lumière tubulaire et sa vitesse d'apparition à son site d'action. La quantité de diurétique excrétée dépend de la dose, de la biodisponibilité et de la capacité du rein à sécréter la molécule, tandis que la vitesse d'apparition au site d'action est fonction de la vitesse d'apparition du diurétique dans la circulation, de même que dans l'urine. Les facteurs pharmacodynamiques comprennent entre autres le bilan sodé, l'état d'hydratation et les phénomènes de résistance aiguë ou chronique.

Tableau 19.5

**Principaux facteurs déterminant
la réponse diurétique au furosémide**

Facteurs pharmacocinétiques
1. Dose
2. Biodisponibilité
3. Pouvoir de sécrétion du rein
4. Vitesse d'absorption
5. Vitesse de sécrétion

Facteurs pharmacodynamiques
1. Bilan sodé
2. État d'hydratation
3. Phénomènes de résistance aiguë et chronique

Répercussions des états pathologiques sur la réponse aux diurétiques de l'anse

Il existe plusieurs affections, telles que l'IRC, l'hypoalbuminémie, le syndrome néphrotique, l'insuffisance cardiaque et l'insuffisance hépatique, qui sont associées à une diminution de l'effet des diurétiques. Théoriquement, cet effet amoindri peut s'expliquer par des facteurs cinétiques ou dynamiques (tableau 19.6).

L'IRC s'accompagne d'une réduction de la sécrétion tubulaire des diurétiques consécutive à la perte de néphrons et à l'accumulation d'anions organiques qui entrent en compétition avec la sécrétion tubulaire des diurétiques.

Tableau 19.6

Mécanismes expliquant la diminution d'effet des diurétiques de l'anse dans certaines affections

Affections	Facteurs cinétiques	Facteurs dynamiques
IRC	Diminution de la sécrétion	
Insuffisance cardiaque	Diminution de l'absorption intestinale	Augmentation de la réabsorption proximale et distale
Insuffisance hépatique	Diminution de la sécrétion	
Syndrome néphrotique	Liaison intratubulaire	
Hypoalbuminémie	Diminution de la sécrétion	

L'insuffisance cardiaque, particulièrement lorsque décompensée, peut être associée à une diminution de l'absorption intestinale des diurétiques. De plus, l'insuffisance cardiaque est associée à une augmentation de la réabsorption de Na dans les tubules proximal et distal, liée à une stimulation des systèmes sympathique et rénine-angiotensine-aldostérone. Ces deux phénomènes expliquent la diminution de la réponse aux diurétiques dans l'insuffisance cardiaque.

Les malades présentant une hypoalbuminémie non associée à un syndrome néphrotique offrent une résistance aux diurétiques phéochromocytomes, les tumeurs pancréatiques neuroendocrines et les kystes rénaux et pancréatiques.

Anatomie pathologique

Le carcinome rénal naît des cellules épithéliales du rein. Lors de sa progression, il a tendance à infiltrer les veines du sinus rénal et à former un thrombus néoplasique s'étendant dans la veine rénale et même jusque dans la veine cave. Les sièges les plus fréquents de métastases sont les poumons, le foie, les os et le cerveau. Histologiquement, de plus en plus de types cellulaires sont reconnus, mais le plus fréquent reste le carcinome à cellules claires (80-85 %). Les autres types histologiques les plus fréquents sont le carcinome papillaire (10 %), le carcinome chromophobe (2-4 %) et les histologies plus rares telles que le carcinome médullaire et le carcinome des tubes collecteurs de Bellini (< 1 %). En étudiant les familles dont les membres souffrent d'une maladie génétique associée au cancer du rein, il a été possible, au cours des dernières années, d'identifier divers gènes impliqués dans le cancer du rein. Le gène VHL a été le premier à être identifié ; il est muté dans la majorité des carcinomes du rein à cellules claires sporadiques (non héréditaires). Le pronostic dépend du stade de la tumeur et du grade histologique. Ce dernier est basé sur l'évaluation du grade nucléaire de Fuhrman.

Clinique

La majorité de ces tumeurs sont silencieuses. La triade classique (douleur, masse et hématurie) s'observe dans 10 % des cas. En général, la présence de symptômes est malheureusement souvent associée à une maladie avancée. Lorsque présents, les signes et les symptômes le plus souvent rencontrés sont la douleur, l'hématurie, l'hypertension artérielle, l'anémie, la perte de poids, une masse abdominale et une fièvre. La capacité des cellules tumorales à sécréter des substances endocrines mène à des manifestations paranéoplasiques telles que l'hypercalcémie (liée à une production de substances qui miment l'action de la parathormone) ainsi que la polycythémie (liée à une production d'érythropoïétine). L'utilisation répandue de l'échographie a permis la détection fortuite de néoplasies asymptomatiques et l'amélioration de la survie moyenne. Le pronostic est directement lié au stade de la maladie (tableau 17.10).

Tableau 17.10

Stades de l'adénocarcinome

TI	< 7 cm, confiné à la capsule
T2	> 7 cm, confiné à la capsule
T3	Extension dans la veine rénale ou la veine cave, ou dépassement capsulaire sans dépassement du fascia de Gerota
T4	Dépassement du fascia de Gerota Atteinte des organes adjacents
N+	Métastases ganglionnaires régionales
M+	Métastases à distance

Quand la tumeur est confinée au rein, le pronostic est très bon. Une fois la tumeur répandue en dehors du rein, le pronostic est sombre, car la plupart du temps il n'existe pas de traitement systémique curatif.

Évaluation

L'urographie intraveineuse peut démontrer la présence d'une masse rénale avec déplacement pyélo-caliciel ou altération du contour rénal. L'échographie permet de distinguer une masse solide d'une masse kystique, et de déceler des lésions parenchymateuses rénales de moins de 1 cm. C'est l'examen qui permet de découvrir la plupart des masses rénales. La tomodensitométrie est l'examen de choix pour préciser le diagnostic et pour établir le stade clinique de la tumeur. La densité des lésions peut être mesurée pour différencier une lésion solide d'une lésion kystique. Elle permet une meilleure appréciation des ganglions rétropéritonéaux, de l'extension tumorale ainsi que de l'atteinte éventuelle de la veine cave et de la veine rénale. De plus en plus, on se fie aux reconstructions d'images de tomodensitométrie ou de résonance magnétique en trois dimensions par ordinateur pour évaluer les masses complexes. L'artériographie, qui consiste à injecter du produit de contraste intra-artériel lors d'une fluoroscopie afin d'évaluer l'anatomie vasculaire du rein avant une chirurgie, est devenu un examen désuet.

sont le plus souvent utilisées en association avec des thiazidiques ou des diurétiques de l'anse afin de réduire les risques d'hypoka-liémie. Cependant, il est souvent préférable de recourir aux sup-pléments de potassium et d'en ajuster la dose en fonction de la kaliémie. L'utilisation des épargnants potassiques en monothé-rapie est exceptionnelle et s'adresse avant tout aux cas d'hyper-aldostéronisme primaire et de cirrhose (pour la spironolactone). Il faut se méfier de ces diurétiques chez la personne âgée (dimi-nution du débit de filtration glomérulaire), l'insuffisant rénal et le diabétique, car ils peuvent entraîner des hyperkaliémies graves. Par ailleurs, leur association avec des inhibiteurs de l'enzyme de conversion ou des bloqueurs des récepteurs de l'angiotensine, de même qu'avec des AINS, est à éviter.

LECTURES SUGGÉRÉES

Brater, D. C. «Diuretic therapy», *N Engl J Med*, 1998: 339; 387-395.

De Bruyne, L. K. M. «Mechanisms and management of diuretic resistance in congestive heart failure», *Postgrad Med*, 2003: 79; 268-271.

Perri, D., Ito, S., Roswell, V. et Shear, N. H. «The kidney – the body's playground for drugs: an overview of renal handling with selected clinical correlates», *Can J Clin Pharmacol*, 2003: 10; 17-23.

Pichette, V., Geadah, D. et Du Souich, P. «The influence of moderate hypoalbuminemia on the renal metabolism and dynamics of furosemide in the rabbits», *Br J Pharmacol*, 1996: 119; 885-890.

Wilcox, C. S. «New insights into diuretic use in patients with chronic renal failure», *J Am Soc Nephrol*, 2002: 13; 798-805.

Glossaire et valeurs normales de laboratoire

Serge Quérin

Acide urique
Valeur normale (sérum) : 160-470 µmol/L.

Albumine
Valeur normale (sérum) : 35-50 g/L.

Anasarque
Œdème généralisé, souvent accompagné d'épanchements dans les cavités séreuses (péritoine, plèvres, péricarde). Du grec *ana*, « autour », et *sarkos*, « chair ». À noter que le mot est féminin : une anasarque.

Anticorps antinucléaires
Anticorps dirigés contre certains déterminants antigéniques des noyaux cellulaires, que l'on rencontre typiquement dans certaines collagénoses, notamment le lupus érythémateux disséminé.

Anurie
Absence d'urine dans la vessie, soit par absence de production d'urine par les reins (anurie vraie ou sécrétoire), soit plus rarement par obstruction de l'appareil urinaire supérieur (fausse anurie ou anurie excrétoire). En pratique, on distingue l'anurie totale (pas d'urine du tout) de l'oligo-anurie ou anurie tout court (diurèse < 100 mL/24 h). Ne pas confondre l'anurie et la **rétention urinaire**, dans laquelle de l'urine est produite et parvient à la vessie, où cependant elle s'accumule sans être évacuée normalement.

Ascite
Présence de liquide dans la cavité péritonéale. Du grec *askos* qui désigne une outre. À noter que le mot est féminin : une ascite.

Clinique

Les patients présentent le plus souvent une masse testiculaire solide et indolore. Plus de 95 % des tumeurs solides sont malignes. Un saignement ou une nécrose à l'intérieur de la tumeur peut occasionner de la douleur. La masse solide ne transillumine pas. L'échographie testiculaire peut confirmer la présence d'une lésion solide. Des marqueurs sérologiques tumoraux, le bêta-HCG (hormone choriogonadotrophique), l'AFP (alpha-foetoprotéine) et la LDH (lactate déshydrogénase), aident à préciser le diagnostic, la stadification et le pronostic, et sont nécessaires au suivi après traitement. Une masse à l'examen physique confirmée par échographie chez un jeune homme nécessite une orchiectomie. Le diagnostic sera précisé par l'examen histologique du testicule. L'évaluation est complétée par une tomodensitométrie abdominale et par une radiographie pulmonaire à la recherche de métastases rétropéritonéales, viscérales ou pulmonaires.

Traitement

L'orchiectomie par voie inguinale doit être pratiquée rapidement étant donné le risque de progression rapide de ces lésions. L'intervention consiste à enlever tout le testicule et son cordon. Le traitement complémentaire dépend de l'étendue de la maladie et du type cellulaire de la tumeur. Dans le cas des tumeurs séminomateuses sans évidence clinique, biochimique ou radiologique de métastases, le traitement, après l'orchiectomie, sera soit l'observation clinique ou la radiothérapie dirigée vers le rétropéritoine. Pour les cas de tumeurs localisées non séminomateuses, on pourra observer les patients, procéder à une excision chirurgicale des ganglions du rétropéritoine ou effectuer d'emblée une chimiothérapie adjuvante. En cas de métastases localisées au rétropéritoine, on utilisera la radiothérapie ou la chimiothérapie pour les tumeurs séminomateuses, et d'emblée la chimiothérapie pour les tumeurs non séminomateuses. Finalement, dans tous les cas de tumeurs testiculaires avec métastases au-delà du rétropéritoine, on utilisera la chimiothérapie et parfois la chirurgie.

Les résultats des traitements du cancer du testicule sont bons à excellents, meilleurs lorsque la maladie est moins avancée initialement. Dans tous les cas, le suivi consiste à répéter le dosage des marqueurs tumoraux, à effectuer une tomodensitométrie abdominale et des radiographies pulmonaires régulièrement et à intervenir en cas de récidive.

Cancers du pénis

Les lésions néoplasiques du pénis sont rares et surviennent le plus souvent chez des patients âgés, non circoncis. Elles sont habituellement associées à un manque d'hygiène. Ce sont habituellement des carcinomes épidermoïdes qui progressent localement avant de donner des métastases locorégionales (c'est-à-dire inguinales ou pelviennes). Le mode habituel de présentation est la découverte d'une lésion suintante qui tarde à guérir sur le pénis. Le diagnostic différentiel comprend la balanite, la syphilis et les condylomes. Le traitement consiste habituellement en l'ablation partielle ou totale du pénis. Le pronostic varie selon le stade de la maladie, seules les lésions localisées étant de bon pronostic.

Affections péno-scrotales non néoplasiques

Les affections péno-scrotales non néoplasiques sont fréquentes et leur diagnostic ne pose guère de difficultés.

Phimosis et paraphimosis

Le phimosis constitue un rétrécissement en bague de la peau du prépuce. Lorsqu'il est prononcé, le patient ne peut pas rétracter son prépuce ; lorsqu'il est partiel ou relatif, le patient ne s'en rend compte que lors d'une érection. Le phimosis est parfois congénital, mais le plus souvent acquis et résulte d'une inflammation du sillon balano-préputial. Il est souvent associé à des balanites récidivantes, fréquentes chez les diabétiques. Le traitement est habituellement la circoncision.

Le paraphimosis est en fait un phimosis qui a été rétracté en dessous du gland du pénis, le patient ne pouvant ramener le prépuce à sa position normale. L'anneau serré ainsi créé provoque une stase veineuse et lymphatique dans le gland qui devient très œdématié et amène le patient à consulter en urgence. Une réduction manuelle peut être effectuée, mais le traitement chirurgical du phimosis doit être envisagé.

Corps gras ovalaires

Cellules épithéliales tubulaires rénales chargées de gouttelettes lipidiques à l'examen du sédiment urinaire. Ils constituent une forme de **lipidurie**.

Créatine kinase

Abréviation courante : CK. Valeur normale (sérum) : 0-180 U/L. Ne pas confondre créatine et **créatinine**.

Créatinine

Valeur normale (sérum) : 60-125 μmol/L. Varie selon l'âge et la masse musculaire ; en pédiatrie, les valeurs de références sont les suivantes : < 1 mois de vie : < 62 μmol/L ; < 5 ans : < 44 μmol/L ; 5 - < 6 ans : < 53 μmol/L ; 6 - < 7 ans : < 62 μmol/L ; 7 - < 8 ans : < 71 μmol/L ; 8 - < 9 ans : < 80 μmol/L ; 9 - < 10 ans : < 88 μmol/L ; > 10 ans : < 106 μmol/L. La créatinine est un déchet métabolique d'origine musculaire, excrété avant tout par filtration glomérulaire. On se sert couramment de la clairance de la créatinine comme mesure du débit de filtration glomérulaire.

Cylindres

En uro-néphrologie, cylindres microscopiques visibles à l'examen du sédiment urinaire, formés de protéines et éventuellement de cellules, de débris ou d'autres éléments. La présence de cylindres hyalins peut être normale, alors que les cylindres érythrocytaires (ou hématiques), leucocytaires, granuleux et graisseux sont pathologiques, chaque type ayant une signification particulière. Angl. : *urinary casts*.

Cystite

Inflammation de la vessie, généralement de nature infectieuse.

Cystocèle

Hernie de la vessie faisant saillie à la paroi antérieure du vagin, appelée familièrement « descente de vessie ». Une cysto-urétrocèle est la combinaison d'une cystocèle et d'une urétrocèle, une hernie semblable de l'urètre. Tous ces mots (comme ces maux) sont féminins.

Cystométrie

Étude des pressions intravésicales au cours du remplissage de la vessie. Syn. : cystomanométrie.

Cystoscopie

Examen en vision directe de l'intérieur de la vessie au moyen d'un appareil endoscopique appelé «cystoscope».

Cytologie urinaire

Étude microscopique des cellules contenues dans l'urine, à la recherche d'une néoplasie des voies urinaires.

Densité

Valeur normale (urine): 1,001-1,030. Rapport de la masse d'une solution à celle d'un volume égal d'eau distillée. Ce rapport dépend de la masse et du nombre de particules que contient la solution. Dans les conditions normales, les densités (et les osmolalités) urinaires les plus basses sont observées quand le rein élimine une charge hydrique (sécrétion d'hormone antidiurétique supprimée), alors que les valeurs les plus élevées traduisent en général une déshydratation (sécrétion importante d'hormone antidiurétique). Chez un malade oligurique, une densité (ou une osmolalité) urinaire élevée indique que le pouvoir de concentration des urines est préservé (état prérénal). Au contraire, quand ces paramètres se fixent à environ 1,010 ou 300 mOsm/kg respectivement, on peut déduire que le pouvoir tant de concentration que de dilution des urines est perdu (**isosthénurie**) par atteinte organique des tubules. Angl.: *specific gravity*. Ne pas confondre la densité et l'**osmolalité**, qui ne dépend que du nombre de particules en solution. Voir aussi **bandelette réactive**.

Diabète insipide

Affection caractérisée par une polydipsie (soif intense) et une **polyurie**, associées à l'excrétion d'une urine de faible densité. Elle peut être liée à un déficit en hormone antidiurétique (diabète insipide central) ou à une résistance des néphrons aux effets de cette hormone (diabète insipide néphrogénique). C'est à l'époque où les médecins goûtaient les urines de leurs malades qu'a été établie la distinction entre le diabète dit insipide (adjectif signifiant littéralement «sans saveur») et le diabète sucré (dans lequel la polyurie est liée à une glycosurie, par un effet de diurèse osmotique). Quant au mot «diabète» lui-même, il vient d'un verbe grec signifiant «passer à travers», et il a longtemps désigné un siphon en français. Il évoque donc l'eau que l'on boit et qui «passe à travers» le corps et le rein sans être autant conservée que normalement.

Chapitre 18

Maladie rénovasculaire

Danielle Pilon et Serge Quérin

Glycosurie
Présence de glucose dans l'urine.

Godet
Voir **œdème**.

HDL
Voir **cholestérol**.

Hématurie
Présence de sang dans l'urine. L'hématurie peut être macroscopique (visible à l'œil nu) ou microscopique (décelable seulement à l'examen physicochimique ou microscopique de l'urine). Une hématurie macroscopique peut être initiale, terminale ou totale selon qu'elle est présente ou plus marquée au début (origine urétroprostatique) ou à la fin de la miction (origine vésicale, surtout du trigone), ou qu'au contraire elle est d'intensité constante tout au long de la miction (origine souvent rénale, mais en fait toute hématurie abondante tend à être totale). On dit par ailleurs d'une hématurie macroscopique qu'elle est silencieuse quand elle n'est accompagnée d'aucune douleur ni d'aucun autre symptôme urinaire. Enfin, il existe une hématurie physiologique qui est inférieure à deux globules rouges par champ microscopique à fort grossissement à l'examen du **sédiment urinaire**. Voir **bandelette réactive** et **sédiment urinaire**.

Hémoglobine
Valeur normale (sang) : 120-160 g/L.

Hydrocèle
Épanchement séreux entre les deux feuillets de la vaginale testiculaire. Le suffixe -cèle signifie «hernie». On dit une hydrocèle (on dit aussi une cystocèle, une urétrocèle, une rectocèle, une varicocèle, etc.).

Hydrochlorothiazide
Diurétique qui agit au tubule distal.

Hydronéphrose
Distension des cavités rénales (calices et bassinet) qui résulte d'un obstacle à l'écoulement de l'urine. Si l'uretère est également distendu, on parle d'hydro-urétéronéphrose.

Hydro-uretère

Distension de l'uretère qui résulte le plus souvent d'un obstacle à l'écoulement de l'urine ou, plus rarement, chez l'enfant, d'un reflux vésico-urétéral important. Si les cavités rénales (calices et bassinet) sont également distendues, on parle d'hydro-urétéronéphrose. Voir **hydronéphrose**.

Hypertension rénovasculaire

Forme secondaire d'hypertension artérielle liée à une hypoperfusion rénale, elle-même induite par une sténose ou l'occlusion uni- ou bilatérale des artères rénales, ou d'une ou plusieurs de leurs branches.

Hypotension orthostatique

Chute de la pression artérielle systolique de plus de 20 mmHg en passant de la position couchée à la position debout. Il s'agit bien d'un signe et non d'un symptôme. Quand une hypotension orthostatique est symptomatique, elle provoque principalement des étourdissements posturaux.

Impériosité (mictionnelle)

Voir **mictions impérieuses**.

Incontinence urinaire

Émission involontaire d'urine (définition de l'*International Continence Society*, 2002). Une définition antérieure précisait que la perte d'urine devait constituer un problème hygiénique ou social, autrement dit avoir un impact sur la qualité de vie. Il existe plusieurs types d'incontinence. Outre l'**énurésie nocturne**, on distingue l'incontinence d'effort (angl. : *stress incontinence*), qui survient lors d'une augmentation subite de la pression intra-abdominale (toux, éternuement, par exemple) ; l'incontinence paradoxale, par trop-plein ou par regorgement (angl. : *overflow incontinence*), dans laquelle la vessie se vide partiellement de façon involontaire en dépit d'un obstacle infravésical ou d'une atonie vésicale lorsque la pression intravésicale devient suffisante ; et, enfin, l'incontinence totale, continuelle.

Insuffisance rénale

Syndrome clinique et biologique correspondant à une baisse du débit de filtration glomérulaire. Selon qu'elle s'installe en quelques jours, quelques semaines ou quelques années, l'insuffisance rénale est aiguë, rapidement progressive ou chronique. L'insuffisance rénale au stade terminal (angl. : *end-stage renal disease*), rend nécessaire, d'une manière définitive, le recours à la dialyse ou à la greffe rénale pour assurer la survie du malade.

Isosthénurie

Présence d'une urine dont la **densité** est fixée à 1,010, ce qui correspond à une **osmolalité** d'environ 300 mOsm/kg, voisine de celle du plasma. Du grec *isos*, « égal » + *sthenos*, « force » + *ouron*, « urine » + suffixe -ie.

Kaliémie

Concentration de **potassium** dans le sang (en pratique, dans le sérum). De l'arabe *al kali*, « potasse », d'où vient aussi le terme « alcalose ».

LDL

Voir **cholestérol**.

Leucocyturie

Présence de leucocytes en quantité anormale dans l'urine. Voir **bandelette réactive** et **sédiment urinaire**.

Lipidurie

Présence de lipides dans l'urine. Elle peut se manifester par la présence au sédiment urinaire de **corps biréfringents**, de **corps gras ovalaires** ou de **cylindres** graisseux.

Lithiase urinaire

Formation ou présence d'un ou plusieurs calculs dans les voies urinaires (il ne s'agit pas du calcul lui-même). On distingue la lithiase rénale et la lithiase vésicale, selon l'endroit où se forment les calculs. Dans la lithiase rénale, le calcul peut être, par migrations successives, caliciel, pyélique et, finalement, urétéral (si par la suite le calcul atteint la vessie, il est généralement rapidement expulsé). Un amas de calculs dans les cavités rénales constitue une calculose rénale. Ne pas confondre calculose rénale et néphrocalcinose, qui est la formation de dépôts calciques dans le parenchyme rénal lui-même.

Mictions impérieuses

Besoin impérieux, irrésistible d'uriner. On dit aussi impériosité mictionnelle. Angl. : *urgency*. Le mot anglais *urgency* peut désigner soit une véritable urgence (réalité objective, également appelée *emergency*), soit un besoin impérieux ressenti par le malade (sensation subjective). En français, le mot « urgence » n'a pas cette dernière acception, qui est plutôt rendue par le mot «impériosité». Un nouveau terme, urgenturie (*urgenturia* en anglais), a été proposé il y a quelques années.

Natrémie

Concentration de **sodium** dans le sang (en pratique, dans le sérum). Dérive à l'origine de l'arabe *nathron*, qui désigne une forme de carbonate de soude.

Natriurèse

Quantité de **sodium** éliminée dans les urines par unité de temps, en général par 24 h (mmol/24 h ou mEq/24 h). Syn. : natriurie ou natrurie (certains emploient plutôt l'un ou l'autre de ces deux derniers termes pour désigner la concentration de sodium dans l'urine, en mmol/L ou mEq/L).

Néphrite

Synonyme de **syndrome néphritique**.

Néphrologue

Médecin spécialisé dans les maladies rénales et certaines affections associées (troubles électrolytiques et acidobasiques, hypertension artérielle, etc.).

Néphropathie ischémique

Forme d'**insuffisance rénale** chronique induite par une sténose ou une occlusion bilatérale des artères rénales.

Néphrose

Synonyme de **syndrome néphrotique**.

Nitrites

Valeur normale (urines) : négatif. Lorsque des nitrites sont présents dans l'urine, ils signalent en général la présence d'une infection urinaire (transformation des nitrates alimentaires en nitrites par une enzyme que possèdent certaines souches bactériennes). Voir **bandelette réactive**.

Nycturie

Miction volontaire et consciente qui interrompt le sommeil nocturne. Angl. : *nocturia*. Dans les cas extrêmes, la diurèse peut être plus abondante la nuit que le jour (c'est même la définition très restrictive et peu répandue de la nycturie que donnent plusieurs dictionnaires). Certains distinguent la nycturie proprement dite (mictions nocturnes de volume normal) de la **pollakiurie** nocturne (petites mictions fréquentes). D'autres parlent de polyurie nocturne quand la diurèse nocturne représente plus de 20 à 33 % (selon l'âge) de la diurèse quotidienne totale. Ne pas confondre nycturie et **énurésie nocturne**.

Œdème

Infiltration de liquide dans les tissus interstitiels. L'œdème est souvent accompagné du signe du godet : la pression du doigt laisse une dépression sur la peau. Prononcer [édème] et non [eudème].

Oligurie

Réduction de la diurèse en deçà de 400 mL/24 h.

Osmolalité

Valeurs normales : sérum 275-295 mOsm/kg, urines 50-1200 mOsm/kg. Nombre de particules par kilogramme d'eau d'une solution. Normalement, les densités (et les osmolalités) urinaires les plus basses sont observées quand le rein élimine une charge hydrique (sécrétion d'hormone antidiurétique supprimée), alors que les valeurs les plus élevées traduisent en général une déshydratation (sécrétion importante d'hormone antidiurétique). Chez un malade oligurique, une densité (ou une osmolalité) urinaire élevée indique que le pouvoir de concentration des urines est préservé (état prérénal). Au contraire, quand ces paramètres se fixent à environ 1,010 ou 300 mOsm/kg respectivement, on peut déduire que le pouvoir tant de concentration que de dilution des urines est perdu (isosthénurie) par atteinte organique des tubules. Ne pas confondre avec la **densité**, qui dépend non seulement du nombre de particules, mais aussi de leur poids, ni avec l'osmolarité qui est le nombre de particules par litre de solution (l'osmolarité diffère donc légèrement de l'osmolalité dans le cas du sérum et de l'urine, qui ne sont pas des solutions parfaitement aqueuses).

pCO_2

Valeur normale (sang artériel) : 35-45 mmHg.

pH

Valeur normale : 7,35-7,45 dans le sang artériel, 5,0 à 8,0 dans l'urine.

Phimosis

Rétrécissement de l'orifice du prépuce, qui empêche de découvrir le gland. En grec, signifie « action de mettre une muselière ».

Phosphore

Symbole : P (ou PO_4, pour phosphates). Valeur normale (sérum) : 0,70-1,45 mmol/L.

Pollakiurie

Mictions fréquentes et peu abondantes, sans augmentation de la diurèse totale des 24 heures. La pollakiurie peut être diurne et éventuellement nocturne. Angl. : *urinary frequency*. Ne pas confondre avec **polyurie**, dans laquelle les mictions sont d'abondance normale.

Polystyrène sodique

Résine échangeuse d'ions qui, lorsque donnée par voie entérale, capte des ions K+ dans la lumière intestinale en libérant des ions Na+. Utilisée dans le traitement de l'hyperkaliémie.

Polyurie

Diurèse excessive, au delà de 2,5 L/24 h. Ne pas confondre avec **pollakiurie**, dans laquelle la diurèse est normale, mais fractionnée en de nombreuses mictions de faible abondance chacune.

Potassium

Symbole : K. Valeur normale : 3,5-5,0 mmol/L dans le sérum, variable dans les urines.

Prednisone

Glucocorticoïde dérivé de la cortisone, utilisé en thérapeutique pour ses propriétés anti-inflammatoires.

Prostatisme

Association de symptômes traduisant le plus souvent la présence d'un obstacle infravésical à l'écoulement de l'urine, en général une hypertrophie prostatique. Ces symptômes comprennent une **dysurie** et un affaiblissement du jet urinaire (symptômes obstructifs), et dans certains cas des **mictions impérieuses** et une **pollakiurie** (symptômes irritatifs). On désigne maintenant l'ensemble de ces symptômes sous le nom de symptômes du bas appareil urinaire (SBAU ; angl. : *lower urinary tract symptoms, LUTS*).

Protéines totales
Valeurs normales (sérum) : 60-80 g/L.

Protéinurie
Valeur normale : négatif à la bandelette (voir **bandelette réactive**) et
< 150 mg/d dans un recueil de 24 h (d, pour *diem*, étant l'abréviation
de «jour» dans le Système international d'unités, SI). En pratique,
on n'emploie souvent le mot «protéinurie» que pour désigner une
quantité anormale de protéines, c.-à-d. plus de 150 mg/d. En deçà
d'une telle quantité, on peut parler de protéinurie physiologique.

Prurit
Synonyme de démangeaison.

Punch rénal
Percussion avec la face cubitale du poing de la loge rénale à la région
lombaire. On dit que le punch est présent ou positif lorsqu'il provoque une douleur.

Pyélonéphrite
Inflammation du rein et du bassinet, d'origine infectieuse. Une pyélonéphrite peut être aiguë ou chronique. Dans ce dernier cas, les
lésions sont cicatricielles et le parenchyme rénal peut être redevenu
stérile.

Pyurie
Présence de pus dans l'urine. Ne pas confondre avec **leucocyturie** (on
peut avoir une leucocyturie sans pyurie). À noter que l'anglais *pyuria*
est parfois employé à tort au sens de leucocyturie.

Reflux vésico-urétéral
Reflux de l'urine intravésicale dans les voies excrétrices supérieures.

Rétention urinaire
Impossibilité d'évacuer l'urine contenue dans la vessie. Dans la rétention
urinaire complète, l'évacuation vésicale est totalement impossible.
Dans la rétention incomplète, l'émission d'urine est possible, mais
il persiste un résidu vésical après la miction. Dans ce cas, il peut
coexister une **incontinence urinaire** paradoxale. Ne pas confondre rétention urinaire complète et **anurie**.

Rhabdomyolyse

Lyse d'un territoire plus ou moins étendu de muscle strié. Elle s'accompagne typiquement d'une élévation marquée de la créatine kinase (CK) sérique.

Sédiment urinaire

Dépôt de substances solides contenues dans l'urine, obtenu après centrifugation de celle-ci, que l'on examine au microscope. À fort grossissement, on dénombre normalement < 2 érythrocytes et < 5 leucocytes par champ. Un sédiment normal ne montre par ailleurs ni **cylindres** (sauf des cylindres hyalins), ni **lipidurie**.

Sérum

Terme ayant deux emplois: a) soit pour désigner le liquide qui reste après coagulation du sang, c.-à-d. le plasma moins les facteurs de coagulation; b) soit comme synonyme, maintenant peu usité, de soluté. En latin, *serum* signifie petit-lait. «Sérum» est un terme francisé, d'où son accent aigu et son pluriel: sérums (et non séra).

Sodium

Symbole: Na. Valeurs normales: sérum 135-145 mmol/L; urines: varie selon les apports, en général 50-100 mmol/d avec un régime alimentaire nord-américain typique. Chez le malade en **oligurie** aiguë, on s'attend à un sodium urinaire < 20 mmoL/L si l'insuffisance rénale aiguë est prérénale, et à > 40 mmol/L si elle est d'origine rénale. L'excrétion urinaire de sodium peut aussi être < 20 mmol/L dans le **syndrome néphrotique** et dans le **syndrome néphritique**, deux états caractérisés par une rétention hydrosodée.

Soluté

Solution artificielle utilisée comme perfusion intraveineuse (soluté glucosé, salin, bicarbonaté, etc.). Syn.: **sérum**.

Sonde vésicale

Tube flexible introduit par l'urètre dans la vessie pour la drainer ou pour mesurer de façon précise la **diurèse**.

Struvite

Nom souvent donné au cristal phospho-ammoniaco-magnésien dont sont faits les calculs urinaires dits infectieux. Le nom vient de celui d'un diplomate et naturaliste russe, H. C. von Struve (1772-1851).

Symptômes du bas appareil urinaire
Voir **prostatisme**.

Syndrome néphritique
Syndrome associant une **hématurie** d'origine glomérulaire, une **protéinurie** inférieure à 3 g/24 h, un **œdème**, une hypertension artérielle et une **oligurie** accompagnée d'une réduction du débit de filtration glomérulaire. Syn. : néphrite. Ne pas confondre avec le **syndrome néphrotique**.

Syndrome néphrotique
Syndrome caractérisé par une **protéinurie** supérieure à 3 g/24 h, une hypoalbuminémie (albuminémie < 30 g/L), un **œdème** et souvent une hyperlipidémie ainsi qu'une **lipidurie**. Syn. : néphrose. Ne pas confondre avec le **syndrome néphritique**.

Triglycérides
Valeur normale (sérum) : 0,40-2,30 mmol/L.

Urée
Valeur normale (sérum) : 2,5-8,0 mmol/L. La molécule d'urée est formée à 45 % d'azote dit uréique (angl. : *blood urea nitrogen, BUN*). Celui-ci était auparavant calculé à partir du dosage de l'urée, mais il n'est plus utilisé dans le Système international d'unités (SI). Il est encore employé aux États-Unis.

Urémie
Syndrome clinique qui accompagne l'**insuffisance rénale** avancée. Syn. : syndrome urémique. Noter que le terme « urémie » désigne un ensemble de manifestations cliniques, qui peuvent être très variées : asthénie, anorexie, nausées, prurit et beaucoup d'autres. La teneur du sang en azote non protéique et, par un glissement de sens, la concentration sanguine de l'urée, sont parfois désignées par le terme « azotémie ». La simple élévation de l'urée sanguine, qu'il y ait ou non des manifestations cliniques associées, peut être appelée hyperazotémie. Ces deux derniers termes sont toutefois peu usités. Ils ne doivent pas être confondus avec l'hyperuricémie, qui est une élévation de la teneur du sang en acide urique (**uricémie**).

Urètre

Conduit excréteur de la vessie. Ne pas confondre avec l'uretère, qui va du bassinet à la vessie. On dit un urètre. La graphie « urèthre » est moins courante.

Urgenturie

Voir **mictions impérieuses**.

Uricémie

Concentration d'acide urique dans le sang (en pratique, dans le sérum). Voir **acide urique**.

Urographie intraveineuse

Examen radiologique des voies urinaires après injection intraveineuse d'un produit de contraste, qui est éliminé par voie rénale. Angl. : *intravenous pyelogram*. L'appellation pyélographie endoveineuse, fréquente au Québec, est le vestige de la lointaine époque où les produits de contraste intraveineux ne permettaient de bien opacifier que le bassinet (*pyelos* en grec); le reste de l'arbre urinaire était moins bien visualisé. Le terme « urographie » est aujourd'hui plus exact. En revanche, l'examen partiel des voies urinaires réalisé en injectant le produit de contraste directement dans l'uretère, par voie endoscopique et rétrograde, est bien une pyélographie ou mieux encore une urétéropyélographie rétrograde (un examen semblable peut être réalisé par voie antégrade au moyen d'un tube de néphrostomie placé dans le bassinet par voie percutanée ou chirurgicale).

Urologue

Chirurgien du rein, des voies urinaires et des organes connexes (prostate, organes génitaux de l'homme, etc.).

Varicocèle

Dilatation variqueuse des veines du cordon spermatique et du scrotum. Le suffixe -cèle signifie « hernie ». À noter que le mot est féminin : une varicocèle (on dit aussi une hydrocèle, une cystocèle, une urétrocèle, une rectocèle, etc.).

Index

MARQUIS

Québec, Canada

cookbook
good food your kids will eat

First Edition

Compass Labs, Inc.
Creative Publishing international, Inc.

content

introduction

come into
the kitchen

Life is fast. Time is precious. We know the value of a meal together. We need to make preparation easy and deliver food that makes eating at home a top choice.

We can't offer a foolproof recipe for the perfect family meal, but we have found an inverse correlation between the amount of effort spent preparing dinner and a child's enjoyment of it — the harder one tries, the less the kid eats. But the more involved a child becomes in preparation, the happier the table is sure to be.

Excitement waits behind the kitchen door. From the warm smell of sizzling onions, to the perfume of a freshly cut melon, nothing is more surprising or satisfying than cooking at home, except, perhaps sharing the experience of cooking and dining with your kids.

kids in the kitchen

A kitchen is a fascinating, exciting and dangerous place. Most kids will generally eat just about anything they can chop — peppers, cucumbers, carrots — or sizzle over a flame. It's a world of stunning beauty — just slip a peach from its skin or slice through a ruby ripe tomato.

No doubt you already know that cooking with and for children is a chaotic, messy, even risky endeavor, but you can taste as you go. Cooking provides endless opportunities to experiment. It engages all of our senses, is a doorway to other cultures, hones math skills, cultivates patience and develops self-confidence and independence. Cooking connects children with their food and the joy of preparing something good to eat.

food and family

At the table we practice good manners and conversation, celebrate the day's triumphs, consider its catastrophes, discuss national politics or student council elections.

The meal is not over until the table is cleared and the dishes are out of the way. No one person should shoulder the burden of feeding a family. "Many hands make light work." Sitting down to a family meal nourishes us all.

The recipes in this book are meant to inspire as well as inform. They are flexible, forgiving, open to variations and substitutions. Although we've organized the book according to mealtimes, this food is great any time of day. Try the breakfast items for snacks, the lunches for dinner, the lunches for brunch, the desserts any time.

be flexible

Vary recipes and meal combinations to your taste.
Remember that no two kitchens or appliances are alike. The
best cooks are attentive tasters and testers. Follow the recipes,
but use common sense, relying on your palate. (Does it need
more salt? A little pepper? Some herbs?) Note estimated
cooking times, but pay attention to actual doneness. Ovens
vary, and a bread may be baked before its specified time.

Children's appetites and preferences vary day by day; a favorite
food one evening is shunned the next. Don't take any of this
personally or force, cajole or bribe a reluctant child to eat. Keep
your attitude neutral and welcoming, and you'll suffer one less
battle before bedtime (a victory in itself).

Throughout this handbook we offer tips and hints for
preparing, serving and sitting down to meals with your kids.
It's a delicious adventure; have some fun along the way.

relax; lighten up

No matter what your kids might tell you, no one in history has
ever starved to death because of a bad dinner at home. No child
has ever failed in school because mom tried a new recipe that
did not work. And very few disasters are caused by dad trying to
make dinner every Tuesday and Thursday. You will eat again, and
so will your family. Ordering pizza after a "swing and a miss"
may make a great family story. Remember how difficult it seems
to get everyone together for a meal — make the best of it.

safety first

- Never ever leave a child alone when cooking. Keep any sharp knives or electric appliances out of reach.

- Everyone must wash hands before cooking and again before sitting down at the table to eat.

- Keep a fire extinguisher in the kitchen within easy reach and know how to use it. Salt or baking soda will work to put out small flames.

- Talk about safety, and be clear. Young children need to be reminded often that the flame will burn or the pan is hot and they must not touch it.

- Keep the handles of pots and pans pointed to the back of the work area and to the back of the stove.

- Turn appliances off when you are finished. Unplug electric appliances when they are not in use.

- Wear oven mitts when putting things into or taking them from the oven. Never reach into the oven to pull a pan out. Bring the oven rack with the pan on it to you.

- Never put your fingers or any utensils in a food processor or blender while it is running. To scrape batter from the bowl, turn the electric beaters off and lift out of the bowl.

- Never taste uncooked batter made with raw eggs.

- Wash hands, cutting boards, utensils and knives with soap immediately after they've touched raw meat or poultry.

1. breakfast

go go breakfast

There never seems to be enough time in the morning for many of us; breakfast has become less of a "meal" and more like "eat something" before school or work. At the same time we know how much better the day goes when we get off to a calm and well-fed start. On a cold, dark morning, the cinnamon scent of oatmeal or toasting banana bread may be just the thing to lure sleepy heads out of bed, tempt them from dreamland to the table and ease them gently into the day. We all know the nutritional importance of a good morning meal, as well as how hard it is to pull off. Allowing for a little extra time to brush teeth, tie shoes, put on coats and grab back-packs can make a huge difference in getting everyone off to a solid, unhassled start.

Prepare as much of breakfast the night before as possible. We've noted do-ahead steps in the recipes.

"it doesn't look like breakfast"

Look beyond breakfast foods for nutritious starters, and try these quick ways to get the kids to the table in the morning.

Breakfast beaters' breakfasts (for those who refuse to eat before lunch) try:

- grilled cheese
- baked potato with sour cream, butter or yogurt
- leftover spaghetti tossed with a little butter
- cheese pizza
- pancakes shaped in big letters or numbers
- heart-shaped or star shaped toast (cut with a cookie cutter)
- cold cereal with fruit juice or yogurt (instead of milk)
- fruit yogurt drizzled with concentrated frozen fruit juice and layered with fresh fruit in a sundae glass
- smoothies (with a fun straw)
- sliced fruit, toast and a juice box for when you are out of time and need to eat in the car on the way to school.

apple oatmeal

Let the warm scent of oats and cinnamon float through the house on a cold, dark morning.

1 serving • Ready in 5 minutes

⅓ **cup old-fashioned rolled oats**

½ **cup hot apple cider**

¼ **cup hot water**

1 **tablespoon packed brown sugar**

   dash salt

   dash cinnamon

½ **small apple cut into chunks**

Combine the oats, hot apple cider, hot water and salt in a small bowl. Microwave on high for 4 to 6 minutes, or until desired consistency, stirring twice. Top with brown sugar, a dash of cinnamon and apple slices.

breakfast burritos

Beyond breakfast, these burritos could be a simple lunch or brunch.

1 serving • Ready in 10 minutes

2 eggs, well beaten

1 tablespoon water

¼ cup chopped fully cooked ham*

2 tablespoons shredded cheddar cheese*

1 tortilla (8- to 10-inch)

1 tablespoon salsa

Combine eggs, water and ham in a small bowl. Spray a small skillet with nonstick cooking spray. Cook egg mixture over medium heat, gently lifting cooked portions with spatula, so that uncooked portion can flow to bottom. Cook until thickened, but still moist. Sprinkle with cheese. Cover and set aside.

Place tortilla on plate between two dampened paper towels. Microwave on high for 10 to 15 seconds, or until tortilla is warm. Spoon egg mixture down center of tortilla. Top with salsa. Roll up. Serve with additional salsa, if desired.

Variations*
Try leftover cooked chicken, steak, hamburger or ground turkey. Vary the cheese by using shredded Muenster, Colby or Monterey Jack.

chocolate chip banana bread

This quick and easy recipe can be made in a blender or food processor leaving you with very little mess. Make this before you go to bed; the aroma will fill your house.

This moist, dense bread makes a wonderful snack or lunch box treat. Make an extra loaf to keep in the freezer (wrapped tightly in foil).

Makes 1, 5 x 9-inch loaf • Ready in 1 hour

3 ripe bananas

½ cup (1 stick) butter, melted

1 cup sugar

2 eggs

1 teaspoon vanilla

2 cups all-purpose flour

1 teaspoon baking soda

¼ teaspoon salt

¾ cup chocolate chips

¼ cup honey

Preheat the oven to 350° F. In a food processor or blender, process the bananas, butter, sugar, eggs and vanilla. Add the flour, baking soda and salt. Fold in the chocolate chips. Pour the batter into a greased 5 x 9-inch loaf pan. Bake for 45 minutes. Drizzle honey over the top, and continue baking an additional 15 minutes. The bread is done when a knife inserted in the middle comes up clean. Remove from the oven, cool on a wire rack, then remove from the pan.

breakfast

strawberry orange smoothie

Sip breakfast through a straw.

1 serving • Ready in 5 minutes

1 cup orange juice

⅔ cup frozen strawberries

½ frozen banana

½ cup plain or vanilla yogurt

Whip all the ingredients together in a blender.

Smoothies are a cinch to make. Vary the ingredients with whim trying different juices, fruit or yogurt. Smoothies make nutritious after school snacks, pre-game pick-me-ups, low-fat desserts.

kid
cooking tips

Here's a recipe even a five-year-old can create with just a little supervision. Be sure to explain that there are very sharp blades in the blender. Never put fingers or any utensils in while the motor is running. Always be sure the top is on before you start the motor. Keep the blender unplugged when it is not in use.

waffles

Super light and crisp on the outside, airy and tender within, these are ready in a jiff.

6 servings • Ready in 5 minutes

3 eggs, separated

¾ cup buttermilk

½ cup (1 stick) butter, melted

¾ cup sour cream

2 cups all-purpose flour

2 teaspoons baking powder

½ teaspoon baking soda

1 tablespoon sugar

½ teaspoon vanilla

Beat together the egg yolks, buttermilk, butter and sour cream. Stir together the remaining ingredients then beat them into the egg and buttermilk mixture. In a separate bowl, beat the egg whites until stiff. Fold the egg whites into the batter. Bake the waffles in a waffle iron following the manufacturer's instructions. Top with fresh fruit, whipped cream and pure maple syrup.

Note:
Make toaster waffles out of the leftover batter: undercook the waffles, cool them on a wire rack, wrap in plastic wrap and freeze. Just pop them in the toaster for a quick breakfast.

Quick variations for waffles:

- Stir one cup chopped nuts, granola, or shredded coconut into batter.

- Add grated orange or lemon rind (about 2 teaspoons) to batter.

- Substitute one cup whole wheat flour for one cup of the all-purpose flour.

- Add one teaspoon ground cinnamon to the batter.

Thomas Jefferson made waffles the breakfast of presidents. Back in the early 1800s he returned from a trip to France with a waffle iron.

2.   lunch

lunch and light meals

Most active children are pretty hungry at noon and less prone to the crankiness they sometimes feel towards sundown. If you're dealing with a fussy, picky or reluctant eater, hunger may be the key to expanding a limited repertoire. The aroma of a sizzling burger or steamy potato may lure kids to the table, enticing them to try something new.

Though we think of lunch as a casual meal, it's still nice to sit down, turn off the TV, disregard the phone and take a few minutes to be together. These recipes make easy, light family dinners, too.

the box lunch

Okay it won't stay hot, it can't get mushy, and it must not smell. It must be easy to eat quickly, nutritious, interesting, and above all, good tasting. It's every parent's challenge, the lunch box lunch.

The key is small portions, different assortments, and lots of variety.

For elementary school children, slip a note in the box offering an encouragement, an endearment, a quote or joke.

Look to interesting, appealing leftovers such as roast chicken, sliced meat, grilled kabobs.

Wrap it up in a tortilla — shredded cheese, sliced meat, cooked vegetables . . . surprise packages.

Get the children to choose their own lunches; offer them choices from a list of healthy options.

mini-burgers

Bite-sized burgers are just right for little hands. They may gobble up more than a few. Great for a birthday party or backyard BBQ.

Try using frozen bread dough for the rolls. Thaw and bake according to directions on package.

12 servings • Ready in 10 minutes

1	pound lean ground beef, formed into small patties
¼	teaspoon salt
	sliced pickle, tomato, lettuce
12	small dinner rolls, split in half

In a medium bowl, mix the ground beef and salt. Shape into 12 patties, about ½-inch thick. Spray a skillet with nonstick cooking spray.

Cook the patties over medium heat for 7 minutes, turning once, until brown on both sides and done as desired. Transfer the patties to rolls and serve with the lettuce, pickles and tomato slices.

grilled chicken caesar

Grill an extra chicken breast or two when you're making dinner to use in this hearty salad for the next day's lunch.

4 servings • Ready in 15 minutes

1½ pounds boneless,
   skinless chicken breasts

1 tablespoon olive oil

   salt and freshly ground pepper

2 heads Romaine lettuce,
   washed and torn into bite-sized pieces

½ cup precut "matchstick" carrots

1 8-oz bottle prepared Caesar dressing

½ cup shredded Parmesan cheese

1 cup prepared croutons (from the
   bakery section of the grocery store)

Rinse the chicken breasts and pat dry with paper towels. Drizzle with the olive oil, and sprinkle with the salt and pepper. Start a charcoal or wood fire, or preheat a gas grill or broiler. The rack should be fairly close to the heat source (about 4-inches or less). Grill or broil the chicken about 4 to 5 minutes per side, brushing with a little of the dressing halfway through cooking. Set on a plate.

Put the lettuce and carrots into a large salad bowl. Cut the chicken into bite-sized pieces or strips. Toss into the salad along with enough dressing to generously coat the chicken and salad. Top with Parmesan cheese and croutons. Serve immediately.

guacamole

2 ripe avocados

1 tablespoon lime juice

1 medium tomato, chopped

½ small onion, chopped

   salt and pepper to taste

   pinch of hot pepper flakes (optional)

In a small bowl, mash together the avocados with the lime juice. Stir in the tomato and onion. Add salt, pepper, and hot pepper flakes to taste.

nacho bar

Build the biggest nacho on the block.

4 – 6 servings • Ready in 20 minutes

1 pound lean ground beef

1 packet taco seasoning

1 15-oz bag tortilla chips

1 cup shredded Monterey Jack, cheddar or mixed cheese

toppings:

guacamole (see recipe opposite page)

chunky salsa

chopped black olives

canned black beans (drained)

shredded lettuce

refried beans

chopped fresh cilantro

chopped red and green peppers

Crumble the ground beef into a skillet, and brown over a medium-high flame. Add taco seasoning, and follow package instructions.

Put the tortilla chips on a microwave-safe plate; sprinkle with the cheese. Broil or microwave (1 minute 30 seconds on High) until the cheese is melted and bubbly.

one potato, two potato

Fluffy, light, baked potatoes are stuffed with cheese and baked again until cheese is melting and bubbly.

4 servings • Ready in 1 hour 30 minutes

4 large russet potatoes (approximately ¾ pound each)

½ cup milk

4 tablespoons (½ stick) butter

4 ounces cream cheese

½ cup shredded cheddar cheese

1 teaspoon salt (or to taste)

½ teaspoon black pepper

Preheat oven to 375°F. Scrub the potatoes and poke with a fork. Bake for 1 hour or until tender. Cut the potatoes in half, lengthwise. Scoop out the inside, leaving a thin shell, and mash with the milk, butter, cream cheese, cheddar cheese and salt and pepper to taste. Increase the oven temperature to 400°F. Place the shells on a baking pan. Fill the shells with the mashed potato mixture. Bake for 20 minutes or until hot and bubbly.

Try adding these ingredients to the mashed potatoes:

- Cooked diced bacon
- Cooked diced ham
- A package of frozen spinach, thawed and squeezed dry
- ½ cup corn kernels
- ½ cup diced red or green peppers
- ½ cup chunky salsa
- ½ cup cooked broccoli flowerettes

waffled cheese toasties

Make a grilled cheese sandwich in a waffle iron for an extra crispy crust and melty cheese. This is delicious for breakfast, too.

1 serving • Ready in 15 minutes

2 slices soft white or wheat bread

2 ounces medium cheddar cheese, thinly sliced

2 teaspoons butter

Spread 1 teaspoon butter on one side of each bread slice. Place the butter side down on the waffle iron and top with the cheese. Place remaining slice of bread, butter side up over the cheese. Close the waffle iron and cook until crisp on the outside and melty within. Remove.

Try layering one or more of the following ingredients between the slices of cheese before "waffling" the sandwich:

- Thick 'n chunky salsa
- Sliced ham
- Crumbled bacon
- Sliced tomatoes
- Sliced pickles
- Tuna fish
- Different cheeses such as Swiss, Co-Jack, Muenster, pepper Jack

tuna salad with crispy noodles

Prepare the salad ingredients ahead of time and add the noodles just before serving.

4 – 6 servings • Ready in 15 minutes

2 heads romaine lettuce, washed and torn into 1-to 2-inch pieces

2 6-oz cans solid white tuna packed in water, drained

1 cucumber, peeled and sliced thin

6 radishes, sliced thin (optional)

½ cup mayonnaise

½ cup sour cream

2 tablespoons fresh lemon juice

2 teaspoons sugar

2 cups crispy Chinese rice noodles

In a large bowl, toss together the lettuce, tuna, cucumber and radishes. In a small bowl, whisk together the mayonnaise, sour cream, lemon juice, sugar, and salt and freshly ground pepper to taste. Toss the salad ingredients with the dressing and turn into a serving bowl. Sprinkle the rice noodles around the edge of the salad bowl and serve.

grandma's bacon corn chowder

Guaranteed to please a hungry crowd
(i.e. the ski team, soccer team, school social
or neighborhood pot-luck).

8 – 10 servings • Ready in 30 minutes

4 ounces bacon

1 large onion, chopped

1 stalk celery, chopped

¼ cup all-purpose flour

2 medium potatoes, peeled and diced

2 cups chicken broth

1 bay leaf

2 cups whole milk

3 cups corn kernels (fresh or frozen)

salt and freshly ground pepper to taste

In a large saucepan, saute the bacon until crisp.
Remove, drain on paper towels and crumble. Add
the onion and celery to the pan and saute in the
bacon fat until soft. Sprinkle with the flour and
cook, stirring, over low heat for about 3 minutes.
Add the potatoes, chicken broth and bay leaf and
bring to a boil. Reduce the heat and simmer for
about 15 minutes or until the potatoes are soft.
Stir in the milk and the corn, and simmer for 3 to
5 minutes. Be careful the soup does not boil (or
it may separate). Serve garnished with the
crumbled bacon.

chicken soup for the busy soul

Warming and nourishing on a harried night.

6 – 8 servings • Ready in 25 minutes

1½ pound boneless,
    skinless chicken breasts

6   cups chicken broth

2   stalks celery, diced

1   carrot; diced

1   bay leaf

5   sprigs fresh parsley

1   small onion, diced

2   cups flat noodles

Rinse the chicken breasts, pat dry and cut into 1- to 2-inch pieces. Put all of the ingredients EXCEPT the noodles into a large stock pot. Bring to a boil, reduce heat and simmer about 15 to 20 minutes until the chicken is cooked. Meanwhile, cook the noodles in rapidly boiling water according to package directions. Remove the parsley and bay leaf. Add the noodles. Serve garnished with chopped fresh parsley.

Make this the night before you plan to serve it, readying the ingredients while you are in the kitchen preparing dinner or cleaning up. After it's cooked and cooled down, put it in the refrigerator. This soup tastes better served the next day.

3.   dinner

family dinners

Family cooking needn't be fancy or ambitious; plain and good can be a real treat. Given the hectic pace and all we pack into each day — working, shopping, spending time with friends — it's smart to have a few easy recipes that virtually cook themselves. What we all want is a big return on a small investment of time.

In this chapter you'll find recipes that can be created a day ahead of time as you clean up the kitchen from an evening's meal, quick meals and suggestions for leftovers. But the most important aspect of any family meal is not what you sit down to, but that you sit and spend some time together. Here are some suggestions for making family dinner an important part of family life.

best part of your day

During each meal each person at the table (including guests) can be asked to share the best part(s) of his or her day. The family tradition can include starting with a different person every night and allowing each person who shares to "call on" the next person. This may be a non-threatening way to learn what is going on. Since mom or dad are not questioning each child, everyone can participate equally. Make no judgments about what is shared; encourage and support.

variety

Serve enough variety so that everyone finds something he or she likes on the table (even if that means setting out pasta and potatoes).

pass it around

Serve the food family style, allowing everyone to take what they like and ask for seconds. Asking for and passing food helps children with manners and independence. Kids need to ask for what they want.

everybody can help

Rotate dinner chores — consider making a list — so that setting the table, serving the food, removing the dishes and cleaning up are all shared.

forks and fingers

When it comes to eating utensils, try to be flexible. If chopsticks make broccoli more interesting, set out chopsticks. Try cocktail forks, toothpicks, bamboo skewers ... if the children are eating nutritious food (without being rude or making a terrible mess) go with it.

Many times, eating with your hands is just fine, for instance: asparagus, artichokes, chicken drumsticks, sushi, kabobs, shrimp.

For fussy eaters, condiments and dips may encourage the less-adventurous children to experiment ... ketchup, mustard, salad dressing, sweet and sour sauce make great "dips" for cooked vegetables and meat.

beef brisket

A wonderful Sunday supper, just cooking this makes you hungry.

6 servings • Ready in 3 hours 30 minutes

3- to 4-pounds beef brisket

> **salt and freshly ground pepper**
>
> **garlic salt**

1   2-ounce packet onion soup mix

1   cup ketchup

1   cup cola

8   ounces fresh button mushrooms

12   baby cut carrots

6   small Yukon gold potatoes, scrubbed and diced

Preheat the oven to 375° F. Place the brisket in a 9 x 13-inch baking pan. Season with salt, pepper and garlic salt on both sides. Sprinkle with the onion soup mix. Put in the oven and bake for 20 minutes. Lower the oven temperature to 325° F. Mix together the ketchup and cola. Pour over the brisket. Add the carrots, mushrooms and potatoes. Cover the brisket with aluminum foil and seal tightly. Bake 3 hours. Remove from the oven; allow to stand a few minutes before serving.

Or, cool and refrigerate overnight. Before serving, slice the meat as thinly as possible, against the grain. Return to the pan with the juices and vegetables, cover and warm in a preheated 350° F oven for about 30 minutes or until heated through.

chicken fingers

The best chicken fingers around, made to eat with your hands.

4 servings • Ready in 40 minutes

1 pound boneless, skinless chicken breasts

1 orange

1 cup milk

1 cup all-purpose flour

1 cup yellow cornmeal

1 teaspoon salt

½ teaspoon pepper

1 cup vegetable oil (for frying)

Rinse the chicken breast and pat dry with paper towels. Slice into 2-inch strips. Grate the orange rind into a bowl. Cut the orange in half. Squeeze the juice into bowl. Stir in the milk. Soak the chicken in this orange/milk mixture for about 30 minutes.

In a zipper lock bag, shake together the flour, cornmeal, salt and pepper. Add the chicken, shake to coat and remove to a plate. Pour oil into a Dutch oven or a heavy skillet and heat to medium-high. Fry the chicken fingers in two batches, approximately 2 minutes per side. Eat these right away. Serve with barbecue sauce, honey or ketchup.

grilled italian sausages, peppers and onions

Beats any ballpark dog; peppers and onions grill right alongside.

6 servings • Ready in 15 minutes

1   **green pepper, seeded and cut into ¼-inch slices**

1   **red bell pepper, seeded and cut into ¼-inch slices**

1   **small onion, cut into ¼-inch slices**

2   **teaspoons olive oil**

1   **teaspoon salt**

½   **teaspoon pepper**

   aluminum foil

6   **sausages (Italian, Polish or bratwurst)**

Fire a charcoal grill, or heat a gas grill to medium. Toss the vegetables with the oil and salt and set on a square of aluminum foil. Fold the foil to cover the vegetables. Place the vegetables on the grill and cook for about 5 minutes, turning once.

Prick the sausages with a fork and place on the grill. Roll sausages while cooking so they brown evenly. Cooking time will depend on thickness (most take about 10 minutes); the best way to determine doneness is to cut into one. When the barest of pink remains, they are ready.

Drain the sausages on a paper towel. Remove the vegetable packet from the grill and cut open. Serve the sausages with the vegetables together on a roll, or on the side.

pork chops

Serve these on a stick.

4 servings • Ready in 15 minutes

4   ½-inch thick pork loin chops

4   teaspoons olive oil

4   teaspoons prepared seasoning
    (Mrs. Dash°, Chef Paul Prudhomme's°
    Spice Rub, Uncle Duggie's Spice Rub)

Rub each chop with 1 teaspoon oil and sprinkle
with seasoning. Prepare a charcoal or gas grill set
on high. Grill for about 3 to 5 minutes per side or
until the juices run clear.

kid
cooking tips

Kids will eat just about anything on a stick. Use
this rub for kabobs with turkey tenderloin, chicken
breast, pork, even lamb.

Serve simple grilled
meat like these
pork chops with
interesting sides:

* Sliced tomatoes
  drizzled with extra-
  virgin olive oil and
  chopped olives

* Grilled peppers
  and onions

* Steamed green
  beans sprinkled with
  coarse salt

* Steamed carrots,
  broccoli and cauliflower

* Grilled potato slices

* Coleslaw

risotto

This creamy Italian rice has nourished families for centuries. It is the ultimate comfort food.

4 – 6 servings • Ready in 30 minutes

4   **tablespoons olive oil**

4   **tablespoons (½ stick) butter**

1   **small onion, finely chopped**

2   **cups Arborio rice**
    (also called Italian or risotto rice)

8 to 10 **cups chicken broth**

1   **cup white wine**

1   **teaspoon saffron (optional)**

1   **cup shredded Parmesan cheese**

2   **teaspoons salt**

1   **teaspoon pepper**

In a 4-quart heavy pan set over medium heat, melt the butter. Add the olive oil and sauté the onion until it is soft and translucent. Add the rice and stir gently for 1 minute. Add 1 cup of the chicken broth and stir until the broth is absorbed. Continue adding and stirring in the broth, one cup at a time, only as much as is absorbed after each addition. After about 20 minutes, stir in the white wine. Stir in the saffron. If the risotto tastes under cooked (hard and pasty) continue stirring and slowly add more broth, about ½ cup at a time. Before serving, stir in the cheese, salt and pepper.

Risotto rice is high in starch, and, as it cooks, the grains seem to melt together into a smooth, creamy mass without loosing their individuality. Risotto is not difficult to prepare; it just takes a little time and a lot of stirring. Here's where a strong, supervised child can help. Be sure he or she is able to reach into the pot without stretching and can handle a spoon. Stay right alongside as he or she works.

variations

Add sauteed shrimp, mushrooms, corn, sweet peas, asparagus or herbs to the risotto after it is cooked.

spaghetti pie

Oh my...what a pie.

6 – 8 servings • Ready in 45 minutes

8 ounces angel hair pasta,
  cooked and drained
1 clove minced garlic
¼ cup butter
½ cup grated Parmesan cheese
1 large egg, beaten
1 tablespoon chopped fresh basil leaves
1 cup ricotta cheese
1 pound lean ground beef or
  bulk Italian sausage (or a mix of both)
¼ cup chopped onion
1 26-ounce jar marinara sauce
2 cups shredded mozzarella cheese

In a large bowl, mix together the pasta, garlic,
butter, Parmesan cheese, egg, and basil. Turn into
a 10-inch springform pan and pat out to make a
nest. Spread the ricotta cheese over the nest.

Preheat oven to 350° F. In a large skillet, sauté
the beef and/or sausage with the onion until no
longer pink. Drain off the fat. Stir in the marinara
sauce. Pour the meat and sauce over the pasta
and sprinkle with the mozzarella cheese. Bake for
30 minutes. Remove from the oven and release
the springform pan. Serve cut in wedges.

sweet & sour chicken stirfry

Once the vegetables are chopped and ready to go, this dinner is a quick flash in the wok. Serve on rice or thin Chinese noodles.

2 – 4 servings • Ready in 30 minutes

1 tablespoon plus 1 teaspoon cornstarch

¼ cup red wine vinegar

2 tablespoons honey

¾ teaspoon ground cumin

¼ teaspoon crushed red pepper flakes

2 tablespoons vegetable oil

1 to 1½-pounds boneless, skinless chicken breasts, cut into ½-inch strips

1 small onion, cut into 1-inch chunks

3 cups snow peas, trimmed

1 red bell pepper, seeded and cut into 1-inch chunks

½ cup whole unsalted cashews

½ cup baby corn

In a small bowl, stir together the cornstarch, vinegar, honey, cumin and pepper flakes, and set aside.

In a wok or large skillet at medium-high, heat the oil and cook the chicken and onion for 1 to 2 minutes. Add the snow peas, and red pepper and cook for 1 to 2 minutes, stirring constantly. Pour the vinegar mixture over the chicken and cook 2 minutes more. Toss in the cashews and corn and serve immediately.

turkey & tomato meatloaf

Nothing is homier than meatloaf. This one, made with lean ground turkey and topped with tomato sauce and Parmesan cheese, is moist and lively. Leftovers make fabulous sandwiches on big, crusty rolls.

4 servings • Ready in 1 hour 15 minutes

Always wait a few minutes before cutting a meatloaf (or just about any meat). This allows the juices to settle and the meat to firm a bit.

1 **pound lean ground turkey**

½ **cup Italian dry bread crumbs**

½ **cup grated Parmesan cheese**

1 **egg**

½ **teaspoon salt**

2 **Roma tomatoes, chopped**

1 **8-ounce can tomato sauce**

1 **tablespoon brown sugar**

Preheat the oven to 350° F. Spray a baking sheet with nonstick spray. Crumble the turkey into a large bowl and mix in the bread crumbs, cheese, egg and salt. In a separate bowl, stir together the tomatoes, tomato sauce and brown sugar.

Gently stir 1/2 of the tomato mixture into the meat mixture. Turn the meat onto the baking sheet and pat into the shape of a loaf. Bake for about 50 minutes or until the center seems set. Pour the remaining tomato sauce over the meat and return to the oven for an additional 10 minutes. Remove from the oven and allow to stand for 5 minutes before slicing.

4. dessert

just desserts

A crisp apple, just picked from the tree and still warm from the late autumn sun, a ruby raspberry, a ripe toothsome peach — fruit is the perfect dessert. Still, who can resist the urge to add a sweet touch to the end of a wonderful dinner or indulge in party treats. These desserts are simple and easy; busy-night sweets or festive party fare. It need not be tricky or hard to satisfy a sweet tooth. Fruit smoothies, frozen fruit pops, toasted banana bread all make rewarding finales.

dessert ideas

- Roll peeled bananas in chocolate and chopped nuts and freeze on a stick
- Create fruit smoothies and freeze with sticks in paper cups or in ice cube trays
- Make sugar cookie sandwiches with frozen yogurt.
- Use your favorite fruit yogurt as a dip for strawberries, apple slices, sugar cookies
- Sprinkle chopped fresh mint over a dish of cubed melon, apple, pineapple
- Top waffles with oodles of whipped cream and fresh sliced strawberries for a quick strawberry shortcake

kids in the kitchen

Simmering, sizzling, baking away, kitchens are classrooms for lifelong lessons. Children enjoy the tactile experiences of kneading and rolling out cookies, tearing fresh lettuce, breaking eggs. It's fun to watch a smoothie spin round in the blender or butter melt in the pan. Most children look forward to sampling the food they've helped cook. They are intrigued by tasks we adults sometimes take for granted: pouring milk into a measuring cup, squeezing a lemon, mixing batter. Managing these jobs gives a real sense of accomplishment and makes them feel as though they've contributed to the family meal.

Here's what kids can achieve:

* A feeling of accomplishment and confidence

* A sense of aesthetics and their own creativity

* Math skills
  (counting, measuring, understanding time)

* Reading and following instructions

* Small motor skills; eye-hand coordination

* Patience

* Cause and effect

* Sense of teamwork

* Strength (shredding cheese or stirring a batter can be hard work).

Use a plastic sandwich bag as pastry bag for decorating cookies, cakes and cupcakes. Just cut a small hole in the corner of the bag.

sugar cookie s'mores

Move over graham crackers...there's more to s'mores.

Makes 2 cookies • Ready in 5 minutes

4 sugar cookies (2- to 2½- inches)

2 small squares milk chocolate candy bar

2 large marshmallows

Fold a paper towel in quarters and place on a paper plate. Place 2 cookies on the plate and top each with a chocolate square and a marshmallow. Microwave on high for 10 to 20 seconds, or until the marshmallows puff. Top with the remaining cookies.

pudding cones

Cones kids can create themselves.

6 servings • Ready in 15 minutes

1 3.8-ounce package your favorite flavor
   instant pudding and pie filling mix

2 cups milk

6 wafer-style ice cream cones

Prepare the pudding according to package directions. Fill each
cone with the pudding, mounding it slightly at the top. Sprinkle
with a garnish. Serve immediately.

chocolate-peppermint ice cream pie

8 – 10 servings • Ready in 2 hours 30 minutes

1 purchased chocolate piecrust

1 quart chocolate chip green mint ice cream, softened

1 cup semi-sweet chocolate chips

1 teaspoon Crisco® shortening

whip cream for garnish

fresh mint for garnish

Fill the piecrust with the ice cream, smoothing the top with the back of a spoon. Freeze for 2 hours or overnight. In a medium-size microwave-safe bowl, melt the chips and Crisco® on high, stirring every 30 seconds until the chocolate is smooth and liquid. Spoon the chocolate into a plastic bag. Snip off a corner to make a pastry bag. Drizzle chocolate over the pie to decorate, squeezing from the top down. To serve, cut the pie in wedges and top with garnish.

popcorn balls

Makes 25 • Ready in 1 hour

3 tablespoons butter

1 10-ounce package miniature marshmallows

1 cup brown sugar

food coloring

16 cups popped popcorn (about 7 ounces unpopped)

In a large heavy pot set over low heat, melt the butter and stir in the marshmallows and brown sugar. Continue stirring until melted. Remove the pan from the heat. Add a few drops of food coloring. Pour the popcorn into the pot and mix well.

With buttered hands, shape the popcorn into 25 balls about 3-inches round. Set them on parchment-paper-lined baking sheets to dry slightly (about 1 hour). Wrap each ball in an 8 x 8-inch square of cellophane and tie with raffia or ribbon.

recipe index

Parent Club is here to help parents do the job.

Created by parents and parenting professionals, our gathering of products is designed to give you *real tools* that meet *real needs.*

We'll deliver the info on • how to • what if • why does • should I • in the most direct way we can.

And we'll be having fun along the way.

Help for parents. Exclusively at Parent Club, exclusively at Target Stores.

Look for our family of products:

Parent Club Survival Kits
Parent Club Handbooks
Parent Club Music
Parent Club Videos
Parent Club Guides

Editor: Beth Dooley

Design: Nygard & Associates, Inc.

ISBN: 0-86573-450-X

Printed and bound in Singapore